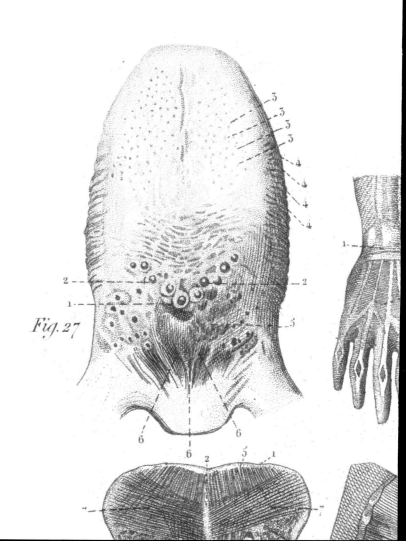

*Fig. 27*

*Collection dirigée par Glenn Tavennec*

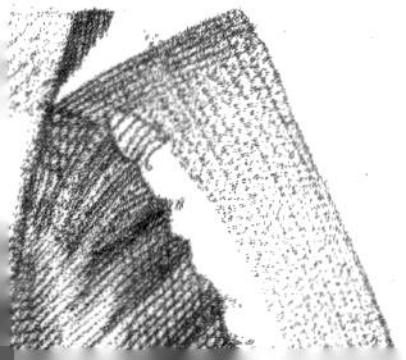

*'9*

*Fig.35*

## L'AUTEUR

Originaire de Floride, Rick Yancey est diplômé de l'université Roosevelt à Chicago. Titulaire d'un mastère de littérature anglaise, il travaille quelques années comme inspecteur des impôts avant de se dire que son diplôme lui serait plus utile s'il se consacrait à l'écriture à plein temps – ce qui lui réussit depuis 2004. Auteur de romans pour adultes et jeunes adultes, Rick Yancey a été récompensé par de nombreux prix prestigieux, dont le Michael L. Printz Award, pour sa série *Le Monstrologue*, et le Carnegie Medal. Sa trilogie best-seller *La 5ᵉ Vague* a été vendue dans le monde entier. Lorsqu'il n'écrit pas, ne réfléchit pas à de nouvelles histoires ou n'est pas en tournée à travers les États-Unis pour parler de ses livres, Rick consacre son temps à sa famille en Floride.

Retrouvez tout l'univers du
**MONSTROLOGUE**
sur la page Facebook de la collection R :
**www.facebook.com/collectionrcanada**

WILLIAM JAMES HENRY

# LE MONSTROLOGUE

Édité par Rick Yancey

*Traduit de l'anglais (États-Unis)*
*par Francine Deroyan*

Pour Sandy

Titre original : THE MONSTRUMOLOGIST
© Rick Yancey, 2009
Published by arrangement with Simon & Schuster Books for Young
Readers, an imprint of Simon & Schuster Children's Publishing
Division
Traduction française © Éditions Robert Laffont, S.A., Paris, 2017

ISBN 978-2-221-14459-6
ISSN 2258-2932
(édition originale : ISBN 978-1-4169-8449-8)

Monstrologie :

1 : étude de toutes formes de spécimens généralement malveillants envers les humains et non reconnus par la science en tant qu'organismes réels, particulièrement ceux considérés comme éléments du folklore ou de la mythologie.
2 : la traque de telles créatures.

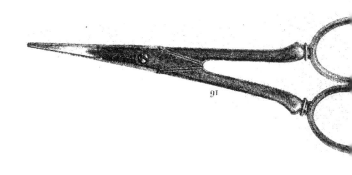

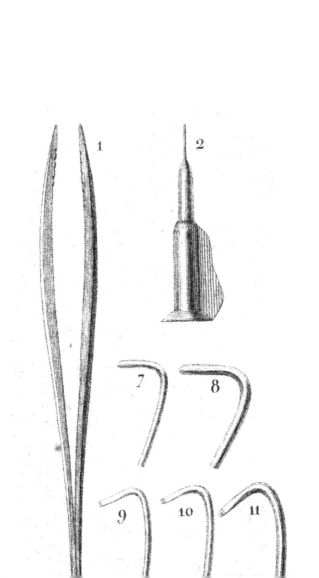

Il n'est point d'hommes qui aient des mœurs plus sauvages que les androphages (*anthropophages*). Ils ne connaissent ni les lois ni la justice [...]. [Ils] ont une langue particulière. De tous les peuples dont je viens de parler, ce sont les seuls qui mangent de la chair humaine[1].
Hérodote, *Histoires*, livre IV, « Melpomène », 440 av. J.-C.

On rapporte que les Blemmyes sont sans tête, et qu'ils ont la bouche et les yeux fixés à la poitrine[2].
Pline l'Ancien, *Histoire naturelle*, 75 ap. J.-C.

Sur une autre île, à mi-chemin, vivent des créatures de grande taille et d'apparence hideuse n'ayant pas de tête, dont les yeux se trouvent dans le dos, et la bouche, courbée tel un fer à cheval, au milieu de leur poitrine. Sur une autre île se trouvent maintes créatures sans tête, leurs yeux et leur tête situés dans le dos.
Jean de Mandeville, *Wonders of the World*, 1356 (*Livres des merveilles du monde*)

Gaora est un fleuve sur les rives duquel vivent des peuples dont la tête pousse au-dessous des épaules. Ils ont les yeux sur les épaules, et la bouche au milieu de la poitrine.
Richard Hakluyt, *Voyages*, 1598

À l'ouest de *Caroli* vivent plusieurs nations de *Cannibales*, parmi lesquelles se trouvent les *Ewaipanoma*, dépourvus de tête.
Sir Walter Raleigh, *The Discovery of Guiana*, 1595 (*La découverte de la Guyane.*)

Alors je parlai de chances désastreuses,
D'aventures émouvantes sur terre et sur mer,
De morts esquivées d'un cheveu sur la brèche menaçante [...]
Je parlai des cannibales qui s'entre dévorent,
Des anthropophages et des hommes qui ont la tête au-dessous des épaules.
Shakespeare, *Othello, le Maure de Venise*[3], 1603

---

1. Traduit du grec par Larcher, 1850.
2. Traduit du latin par Émile Littré, 1848.
3. Traduction de François-Victor Hugo, 1868.

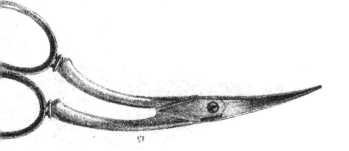

# PROLOGUE

Juin 2007

Le directeur de la maison de retraite était un homme de petite taille, aux joues rougeaudes et aux yeux sombres, profondément enfoncés. Son front proéminent était encadré par une tignasse d'un blanc cotonneux qui se faisait plus fine sur sa nuque. Telles des vagues, des mèches s'élevaient de cette masse capillaire pour s'acheminer vers la petite île rosâtre de son crâne chauve. Sa poignée de main fut brève et forte, mais pas trop brève ni trop forte : il était habitué à serrer des doigts arthritiques.

— Merci d'être venu, dit-il.

Il lâcha ma main, me saisit le coude et me guida dans le couloir désert qui menait à son bureau.

— Où sont les résidents ? demandai-je.

— En train de prendre leur petit déjeuner.

Son bureau se trouvait à l'autre extrémité des salles communes. C'était une pièce très encombrée, dominée par un bureau en acajou dont l'un des pieds avant était brisé. Afin de le remettre d'aplomb, quelqu'un avait placé un livre entre le pied et le tapis d'un blanc défraîchi. La table de travail était engloutie sous des piles de papiers, de dossiers, de périodiques et de livres de développement personnel. Sur le buffet derrière son siège en cuir trônait un cadre avec la photo d'une femme d'âge moyen, qui regardait l'appareil d'un air sévère comme pour dire, *ne t'avise pas de me prendre en photo !* Je supposai qu'il s'agissait de sa femme.

Le directeur s'installa sur son siège.

— Alors, comment se passe l'écriture de votre livre ?

— En fait, il a déjà été publié. Le mois dernier.

J'en sortis un exemplaire de mon attaché-case et le lui tendis. Il marmonna quelque chose que je ne compris pas, feuilleta quelques pages, ses lèvres esquissant une moue, ses épais sourcils froncés au-dessus de ses yeux sombres.

— Content d'avoir pu vous aider, affirma-t-il.

Il repoussa le livre vers moi. Je lui dis que cet exemplaire était pour lui. Le livre resta posé entre nous un moment, tandis que le directeur contemplait son bureau d'un air désemparé, cherchant la pile la plus stable afin de l'y poser. Finalement, mon ouvrage disparut dans l'un des tiroirs.

J'avais rencontré le directeur l'année précédente durant mes recherches pour le deuxième livre de la série d'Alfred Kropp. Au point culminant de l'histoire, le héros se retrouve au Devil's Millhopper, une sorte de cratère de plus de cent cinquante mètres de profondeur situé dans le nord-ouest de la ville. Je m'intéressais aux légendes locales et aux diverses fables se rapportant à ce site, et le directeur avait eu la gentillesse de me présenter des résidents qui avaient grandi dans cette zone et connaissaient l'histoire de cette mythique « porte de l'enfer », transformée aujourd'hui en parc municipal, sûrement parce que le diable s'en était allé, laissant place aux randonneurs et aux sorties pédagogiques.

— Merci, dit-il. Je le ferai circuler.

Étant venu à sa demande, j'attendais qu'il aborde le sujet qui le préoccupait. Un peu mal à l'aise, il s'agita sur son siège.

— Vous m'avez annoncé au téléphone que vous aviez quelque chose à me montrer, lui rappelai-je pour l'inciter à se confier.

— Oh, oui !

Il sembla soulagé, et se lança :

— Lorsque nous avons trouvé ceci dans ses affaires, j'ai immédiatement pensé à vous. À mon humble avis, c'est tout à fait votre domaine.

— Trouvé quoi dans les affaires de qui ?

— Will Henry. William James Henry. Il est décédé jeudi dernier. C'était le plus âgé de nos résidents. Je ne crois pas que vous l'ayez rencontré.

Je secouai la tête.

— Non. Quel âge avait-il ?

— Eh bien, nous n'en sommes pas tout à fait sûrs. C'était un indigent – pas de papiers d'identité, aucun membre de sa famille encore en vie. Mais il prétendait être né en 1876.

Je le fixai.

— Ce qui signifierait qu'il était âgé de cent trente et un ans.

— Je sais, c'est ridicule ! Nous pensons qu'il devait avoir un peu plus de quatre-vingt-dix ans.

— Quel est donc cet objet que vous avez trouvé et qui vous a fait songer à moi ?

Le directeur ouvrit le tiroir de son bureau et en sortit une liasse d'une bonne douzaine de carnets, attachés par une ficelle. Décoloré par les années, le brun de leur couverture en cuir était désormais d'une teinte crème.

— Il ne parlait jamais, lâcha le directeur en tripotant nerveusement la cordelette. Sauf pour nous dire son nom, et son année de naissance. Il semblait plutôt fier des deux. « Je m'appelle William James Henry et je suis né en 1876. » Il clamait cela à tous ceux qui faisaient un peu attention à lui – ainsi qu'aux autres, d'ailleurs. Mais à propos de tout le reste – d'où il venait, qui était sa famille, comment il avait atterri dans ce caniveau où il avait été découvert –, rien. Les médecins ont diagnostiqué une démence avancée, je n'avais aucune raison d'en douter… jusqu'à ce que nous trouvions ceci enveloppé dans un torchon sous son lit.

Je pris le paquet de sa main.

— Un journal intime ? demandai-je.

Le directeur haussa les épaules.

— Allez-y. Ouvrez celui du dessus, et lisez la première page.

Ce que je fis. Bien que petite, l'écriture était extrêmement nette. C'était celle d'une personne qui n'avait pas eu une scolarité avancée, mais dont l'enseignement avait comporté des cours de calligraphie. Je lus la première page, puis la deuxième et les cinq suivantes. Feuilletant le journal, je choisis alors une page au hasard et la lus deux fois. Durant ma lecture, j'entendais le souffle lourd du directeur, comme celui d'un cheval après un bon galop.

— Eh bien ? s'enquit-il.

— Je comprends pourquoi vous avez pensé à moi.

— Évidemment, quand vous aurez terminé, il faudra me les retourner.

— Bien sûr.

— La loi m'oblige à les conserver au cas très improbable où un membre de sa famille viendrait les réclamer. Nous avons passé une annonce dans le journal et avons fait toutes les recherches nécessaires, mais ce genre de chose arrive bien trop souvent, j'en ai peur. Quelqu'un meurt, et il n'y a personne au monde pour s'en inquiéter.

— Oui, c'est triste.

J'ouvris un autre carnet au hasard.

— Je ne les ai pas tous lus, déclara le directeur – je n'ai pas le temps –, mais je suis très curieux de savoir ce qu'ils contiennent. Ils comportent peut-être des indices concernant son passé – son identité, sa ville natale, toutes informations qui pourraient nous aider à retrouver un membre de sa famille. Cependant, d'après le peu que j'ai lu, j'ai bien peur qu'il ne s'agisse pas d'un journal intime, mais d'une œuvre de fiction.

Me fiant aux quelques pages que je venais de parcourir, j'acquiesçai. C'était peut-être bien de la fiction.

— Peut-être ? répéta le directeur d'un air interloqué. Eh bien, je suppose que presque tout est possible, même si certaines choses le sont plus que d'autres.

Je rapportai les carnets chez moi et les posai sur ma table de travail, où ils restèrent ainsi, durant presque six mois, sans que je trouve le temps de les lire. J'étais sous pression à cause de la date limite de remise d'un autre livre, et je n'éprouvais aucune envie à plonger dans ce que je présumais être les élucubrations d'un nonagénaire atteint de démence. Un coup de téléphone du directeur l'hiver suivant m'incita à dénouer la ficelle effilochée du paquet et à parcourir de nouveau quelques-unes des stupéfiantes premières pages, mais je n'allais guère plus loin dans ma lecture. L'écriture était si petite, les pages si nombreuses, écrites recto verso, que je feuilletai simplement le premier volume, remarquant tout de même que le récit semblait s'étaler sur plusieurs mois, voire des années. De temps à autre, la couleur de l'encre changeait, elle passait du noir au bleu, pour redevenir noire quelques pages plus loin, comme si le flacon d'encre s'était asséché ou avait été égaré. Ce ne fut qu'après le nouvel an que je lus les trois premiers volumes dans leur intégralité, d'une seule traite, de la première à la dernière page, dont je vous fais suivre la transcription ; je n'ai corrigé que l'orthographe et quelques usages grammaticaux archaïques.

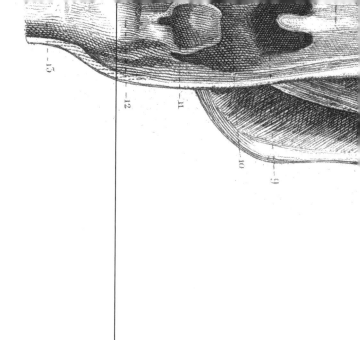

# LIVRE I

*Descendance*

## UN

*Une singulière curiosité*

Voici les secrets que j'ai gardés. La confiance que je n'ai jamais trahie.

Mais cela fait aujourd'hui plus de quatre-vingt-dix ans qu'est mort celui qui m'a accordé sa confiance, celui dont j'ai conservé les secrets.

Celui qui m'a sauvé… et qui m'a condamné.

Je n'ai aucun souvenir de mon petit déjeuner de ce matin-là, mais je me rappelle avec une clarté cauchemardesque cette nuit du printemps 1888, quand il surgit près de mon lit, les cheveux en bataille, les yeux écarquillés, ses traits finement ciselés, auxquels j'étais hélas désormais habitué, éclairés par la lueur de sa lampe à pétrole.

— Lève-toi, Will Henry ! Et dépêche-toi ! dit-il d'un ton pressé. Nous avons un visiteur.

— Un visiteur ? murmurai-je, peinant à m'éveiller. Mais quelle heure est-il ?

— Un peu plus d'une heure. Vite ! Habille-toi, et viens me rejoindre à la porte de derrière. Allez, du nerf !

Il quitta ma modeste alcôve, toute lumière disparaissant avec lui. Je m'habillai dans le noir et, en chaussettes, je descendis l'échelle tout en posant sur mon crâne un chapeau de feutre un peu trop petit pour moi. J'avais douze ans, et ce chapeau m'était précieux, car c'était tout ce qui me restait de ma vie d'avant mon emménagement chez lui.

Il avait allumé les brûleurs à gaz dans le couloir de l'étage supérieur, mais, au rez-de-chaussée, une seule lumière éclairait la cuisine à l'arrière de la vieille maison où nous ne vivions que tous les deux, sans le moindre domestique pour nous aider. Le docteur était un homme discret, qui s'occupait de choses étranges et dangereuses, et ne pouvait se permettre la curiosité et les ragots du personnel. Quand la poussière et la saleté devenaient insupportables, environ tous les trois mois, il me tendait un seau et un chiffon et m'enjoignait de nettoyer avant que la marée des ordures nous engloutisse.

Je me dirigeai vers la lueur de la cuisine. Dans ma précipitation, j'avais carrément oublié mes chaussures. Depuis l'année précédente, où j'étais venu vivre avec lui, ce n'était pas la première fois que nous avions droit à une visite nocturne. Le docteur en recevait de nombreuses aux premières heures matinales, bien plus que je ne me le rappelle, mais il ne s'agissait jamais de banales rencontres de voisinage. Comme je l'ai déjà mentionné, il s'occupait d'affaires bizarres et dangereuses, et ses visiteurs l'étaient tout autant.

Celui de cette nuit-là se tenait dans l'allée qui menait à la porte de derrière. Il avait une silhouette dégingandée, squelettique, dont l'ombre s'étirait comme un spectre sur les pavés luisants de pluie. Son visage était caché par le large bord de son chapeau de paille, je voyais pourtant ses articulations noueuses dépasser de ses manches élimées, ainsi que ses chevilles, du même acabit, sous le bas de son pantalon miteux. Derrière le vieil homme, un canasson épuisé trépignait, renâclant à intervalles réguliers. Et derrière le cheval, à peine visible dans la brume, se trouvait le chariot avec son insolite cargaison enveloppée dans plusieurs couches de toile de jute.

Tandis que j'approchais de la porte, je vis que le docteur s'efforçait de rassurer le vieil homme. Il avait même posé une main réconfortante sur son épaule. Visiblement, notre visiteur était paniqué. Il avait fait tout ce qu'il fallait, lui assurait le docteur. À partir de maintenant, lui-même prenait les choses en charge. Et tout irait bien. Le pauvre vieux bougre hochait la tête aux propos du docteur. Son chapeau de paille lui glissait dans le cou.

— C'est un crime ! Un crime contre nature ! cria-t-il néanmoins à un certain moment de la conversation. Je n'aurais pas dû la ramasser. J'aurais mieux fait de la recouvrir pour la laisser aux soins de Dieu !

— Je ne prends aucune position sur la théologie, Erasmus, répondit le docteur. Je suis un scientifique. Mais ne sommes-nous pas Ses instruments ? Dans ce cas, c'est Dieu qui vous a conduit jusqu'à elle, puis vous a guidé jusqu'à ma porte.

— Alors, vous n'allez pas me dénoncer ? demanda le vieil homme, en jetant un coup d'œil au docteur.

— Votre secret sera autant en sécurité avec moi, que le mien avec vous, comme je l'espère. Ah ! Voici Will Henry. Eh bien, petit, où sont tes chaussures ?

Je me retournai aussitôt pour aller les chercher.

— Non, non ! s'exclama-t-il. Trop tard. J'ai besoin que tu prépares mon laboratoire.

— Oui, docteur, répondis-je avec dévouement, avant de me détourner pour la seconde fois.

— Et mets de l'eau à chauffer. La nuit va être longue.

— Oui, monsieur.

— Et trouve mes bottes, Will Henry.

— Bien sûr, monsieur.

J'hésitai, pressentant un quatrième ordre. Le vieil homme, du nom d'Erasmus, me fixait.

— Eh bien, qu'attends-tu ? s'enquit le docteur. Du nerf, Will Henry !

— Oui, monsieur. Tout de suite, monsieur !

Je les abandonnai dans l'allée et, tandis que je me précipitais vers la cuisine, j'entendis le vieil homme demander :

— C'est votre fils ?

— Mon assistant.

Je mis l'eau à chauffer et descendis au sous-sol. J'allumai les lampes et sortis les instruments. (J'ignorais desquels il aurait précisément besoin, mais je soupçonnais fort que la livraison d'Erasmus n'était pas vivante – je n'avais entendu aucun bruit en provenance du chariot, et il ne semblait pas y avoir d'urgence à transporter ledit chargement à l'intérieur... c'était peut-être plus l'espoir que le soupçon qui m'amenait à raisonner ainsi.) Je pris une blouse propre dans le placard et fouillai sous l'escalier pour récupérer les bottes en caoutchouc du docteur. Elles ne s'y trouvaient pas, et durant un moment je restai planté à côté de la table d'examen, paniqué. Je les avais nettoyées la semaine précédente, et j'étais sûr de les avoir rangées sous l'escalier. Où diable étaient ces bottes ? De la cuisine me parvenait le bruit des pas des deux hommes. Il allait arriver, et j'avais égaré ses bottes !

Je les remarquai juste au moment où le docteur et Erasmus commençaient à descendre l'escalier. Elles étaient à côté de la table de travail, là où je les avais placées. Pourquoi les avais-je rangées là ? Je les posai à côté du tabouret, et j'attendis, le cœur battant. Le sous-sol était glacial, il y faisait facilement dix degrés de moins que dans le reste de la maison, et ce tout au long de l'année.

Le chargement, toujours soigneusement emballé dans la toile de jute, semblait lourd : les deux hommes ployaient sous l'effort et descendaient très lentement. À un certain moment, Erasmus poussa un cri et réclama une pause. Ils s'arrêtèrent à cinq marches du bas, je notai alors que le docteur était agacé par ce délai. Il était impatient de déballer son nouveau trophée.

Ils posèrent ensuite leur fardeau sur la table d'examen. Le docteur guida le vieil homme vers le tabouret. Erasmus s'y laissa tomber, retira son chapeau et s'essuya le front avec un mouchoir sale. Notre visiteur tremblait avec violence. À la lueur de la pièce, je remarquai que tout chez lui était aussi sale que son mouchoir : de ses chaussures maculées de boue à ses ongles cassés, noircis de crasse, en passant par son visage criblé de rides. Je sentais l'arôme riche et glaiseux de la terre humide émaner de lui.

— Un crime ! murmura-t-il. Un crime !

— Oui, voler des cadavres dans des tombes est un crime, répliqua le docteur. Un vrai crime, Erasmus.

Punissable d'une amende de mille dollars et de cinq ans de travaux forcés.

Il haussa les épaules et me fit signe de lui apporter ses bottes.

— Nous sommes complices, maintenant, Erasmus. Vous devez me faire confiance, et je dois vous faire confiance. Will Henry, où est mon thé ?

Je grimpai l'escalier à toute allure. Dans la cave, le vieil homme s'adressait au docteur :

— J'ai une famille à nourrir. Ma femme est toujours très malade ; elle a besoin de médicaments. Moi, je n'arrive pas à trouver de travail, et, de toute façon, les morts n'ont pas besoin de leur or ni de leurs bijoux.

Ils avaient laissé la porte à l'arrière de la maison ouverte. Je la fermai, et tirai le verrou, mais pas avant d'avoir vérifié l'allée. Je ne remarquai rien d'autre que le brouillard, qui s'était épaissi, et le cheval, dont les grands yeux tristes semblaient m'implorer.

Tout en préparant le thé, j'entendais les voix d'en bas : celle, haut perchée, d'Erasmus à demi hystérique, et celle du docteur, plus basse, dans laquelle perçait néanmoins une note d'impatience. À coup sûr, il avait hâte de déballer le paquet contre nature du vieil homme. Sans mes chaussures, j'avais les pieds glacés, mais je faisais de mon mieux pour ignorer cet inconvénient. Je déposai sur le plateau un petit pot de crème, du sucre et deux tasses. Même si le docteur n'en avait réclamé qu'une, il me semblait évident qu'Erasmus avait besoin d'un bon thé chaud pour calmer son anxiété.

—... à mi-chemin, la terre s'est écroulée sous moi, disait le vieux profanateur de tombes pendant que je descendais avec le plateau. Comme si j'avais heurté une cavité ou une poche dans la terre. Je suis tombé tête la première sur le couvercle du cercueil. Je ne sais pas si je l'ai brisé en tombant, ou s'il l'était déjà avant que je me cogne dessus.

— Probablement avant, assura le docteur.

Ils étaient tels que je les avais laissés : le docteur adossé contre la rampe, le vieil homme frissonnant sur le tabouret. Je lui offris une tasse de thé qu'il accepta avec enthousiasme.

— Je suis glacé jusqu'aux os ! marmonna-t-il.

— Le printemps a été froid, fit remarquer le docteur.

Il me semblait à la fois ennuyé et agité.

— Je ne pouvais quand même pas les laisser là, expliqua le vieil homme. Les recouvrir et les abandonner ? Non. Non. J'ai plus de respect que ça. Je crains Dieu. Je redoute le jugement éternel ! C'est un crime, docteur ! Une abomination ! Alors, une fois que j'ai eu rassemblé mes esprits, j'ai pris une corde et je les ai sortis du trou, grâce à mon cheval, puis je les ai emballés… et je vous les ai amenés.

— Vous avez fait ce qu'il fallait, Erasmus.

— Voyez-vous, docteur, je me suis dit : un seul homme saura quoi faire de ça. Je vous demande bien pardon, mais vous êtes certainement au courant de ce qui se dit sur vous, et sur les drôles de choses qui se passent chez vous. Seuls les sourds n'ont jamais entendu parler de Pellinore Warthrop et de la maison de Harrington Lane.

— Eh bien, j'ai de la chance que vous ne soyez pas sourd ! rétorqua le docteur d'un ton sec.

Il s'approcha du vieil homme, et posa ses deux mains sur ses épaules.

— Vous pouvez avoir confiance en moi, Erasmus Gray. Tout comme je suis certain que je peux avoir confiance en vous. Je ne parlerai jamais de votre implication dans ce « crime » comme vous l'appelez, et je suis certain que vous ne direz rien à mon sujet, vous non plus. À présent, voici pour le dérangement...

Il prit une liasse de billets dans sa poche et la plaqua dans les mains de son visiteur.

— Je ne voudrais pas vous presser, Erasmus, mais plus vous restez ici, plus vous mettez votre personne et mon travail en danger. Et, croyez-moi, je suis tout aussi préoccupé par ces deux causes, ajouta-t-il avec un léger sourire.

Il se tourna vers moi.

— Will Henry, raccompagne notre visiteur à la porte.

Il fit alors de nouveau face à Erasmus Gray.

— Ce soir, vous avez largement contribué aux progrès de la science, monsieur.

Bouche bée, le vieil homme contemplait toujours la liasse de billets dans ses mains tremblantes, visiblement plus intéressé par l'augmentation de ses maigres richesses que par l'avancement de la science. D'une tape dans le dos, le Dr Warthrop l'incita à se lever puis le poussa vers l'escalier, m'enjoignant de ne pas oublier de refermer la porte de derrière, et de trouver enfin mes chaussures.

— Et ne traîne pas en route, Will Henry. Nous avons du travail pour toute la nuit. Allez, du nerf !

Une fois à la porte d'entrée, le vieil Erasmus hésita un instant. Il posa une main crasseuse sur mon épaule, l'autre agrippant son chapeau usé. Ses yeux chassieux fixaient le brouillard, qui désormais camouflait complètement le cheval et son chariot. J'entendis l'animal renâcler et frapper du sabot contre les pavés, ces bruits étant la seule preuve de sa présence.

— Qu'est-ce que tu fais dans cette maison, mon garçon ? demanda soudain Erasmus, en m'étreignant l'épaule. Ce n'est pas un endroit pour un enfant.

— Mes parents sont morts dans un incendie, monsieur. Le docteur m'a recueilli chez lui.

— Le docteur, répéta Erasmus. Je sais qu'on l'appelle ainsi – mais dans quelle discipline exerce-t-il réellement ?

L'étrange, avais-je envie de répondre. Le bizarre. L'indicible.

Au lieu de cela, je lui fournis la même réponse que celle donnée par le docteur peu après mon arrivée dans la maison de Harrington Lane.

— En philosophie.

— Philosophie ! Eh bien ! ce n'est pas vraiment le terme que j'emploierais !

Il plaqua son chapeau sur sa tête et avança dans le brouillard qui l'engloutit bientôt.

Quelques minutes plus tard, après avoir fermé le verrou et retrouvé mes chaussures – rangées exactement là où je les avais laissées la veille au soir –, je descendis l'escalier jusqu'au laboratoire du sous-sol. Le docteur m'attendait au pied des marches, pianotant avec impatience sur la rampe. À l'évidence, pour lui, je ne mettais pas assez de « nerf » à l'ouvrage. En ce qui me concernait, je n'étais guère impatient quant à la suite des événements. Ce n'était pas la première fois que quelqu'un frappait à notre porte au beau milieu de la nuit en apportant un paquet macabre, mais celui-ci était de loin le plus gros.

— As-tu bien fermé la porte ? s'enquit le docteur.

Ses joues étaient légèrement empourprées, son souffle court, et sa voix tremblait d'excitation. Je répondis par l'affirmative. Il hocha la tête. Nous allions pouvoir commencer.

— Si ce que cet homme m'a dit est vrai, Will Henry, s'il ne s'est pas joué de moi – ce ne serait pas la première fois que cela m'arrive –, alors, il s'agit d'une découverte stupéfiante. Viens !

Nous prîmes nos places, lui près de la table sur laquelle était allongé le grand paquet de toile de jute, moi derrière lui, à sa droite, en faction près du plateau roulant d'instruments, crayon et carnet prêts. Ma main tressaillait tandis que j'inscrivais la date en haut de la page : *15 avril 1888.*

Il enfila ses gants, les faisant claquer contre ses poignets. Chaussé de ses bottes de caoutchouc, il trépignait d'impatience sur le sol glacé. Enfin, il mit son masque. Je ne voyais plus que le haut de son nez et ses grands yeux sombres.

— Prêt, Will Henry ? demanda-t-il d'une voix étouffée par le masque.

— Prêt, monsieur, répondis-je, même si j'éprouvais tout le contraire.

— Ciseaux !

Je posai l'instrument, poignées en avant, dans sa paume ouverte.

— Pas ceux-là, Will Henry. Les grands.

Il commença par l'extrémité étroite du paquet, là où devaient se trouver les pieds, le découpant jusqu'au centre de la toile. Il avait les épaules voûtées et les mâchoires crispées par l'effort. Il s'interrompit une fois pour étirer ses doigts, puis se remit à la tâche. La toile de jute était humide et durcie par la boue.

— Ce vieux fou a ficelé son paquet comme une dinde de Noël à mettre au four ! marmonna-t-il.

Après ce qui me parut une éternité, il atteignit enfin l'autre extrémité. La toile de jute s'était à peine ouverte de quelques centimètres le long de l'incision. Pour le moment, et pour un court instant encore, son contenu demeurait mystérieux. Le docteur me tendit les ciseaux, et s'appuya contre la table, se reposant un instant avant la terrible apothéose. Puis il se redressa et prit une profonde inspiration.

— Très bien, allons-y, Will Henry.

Commençant là aussi par l'extrémité la plus étroite, il écarta la toile de jute, qui tomba de chaque côté, se répandant sur la table comme les pétales d'une fleur qui s'ouvre au soleil printanier.

Je m'avançai derrière lui et les aperçus alors. Non pas un seul cadavre, comme je l'avais soupçonné, mais deux corps, l'un enlaçant l'autre de façon obscène. Je déglutis le flot de bile qui montait de mon estomac vide, et m'enjoignis de cesser de trembler. Souvenez-vous, je n'avais que douze ans. Certes, j'avais déjà vu mon lot de choses effarantes. Sur les étagères du laboratoire s'alignaient des bocaux dans lesquels flottaient maintes curiosités préservées dans diverses solutions. Des organes et des membres de créatures que vous ne reconnaîtriez jamais, dont vous seriez enclins à penser qu'elles appartiennent à l'univers des cauchemars, et non à notre monde familier. Et, comme je l'ai déjà mentionné, ce n'était pas la première fois que j'assistais le docteur à cette table.

Cependant, rien ne m'avait préparé à ce que le vieil homme nous avait apporté ce soir. Je suis quasiment certain que n'importe quel adulte aurait quitté la pièce en hurlant, grimpant l'escalier quatre à quatre pour se précipiter hors de la maison, épouvanté. Ce qui se trouvait à l'intérieur de ce cocon de toile de jute aurait fait douter n'importe quel prêtre de l'amour de Dieu, de l'existence d'un univers doux et agréable ici-bas et de la dignité humaine. Un crime, avait dit le vieux profanateur de tombes. Effectivement, il ne semblait pas y avoir de mot plus approprié. Pourtant, tout crime nécessite l'existence d'un criminel... dans le cas présent, qui ou *qu'est-ce qui* était le criminel ?

Sur la table était étendue une jeune fille, son corps partiellement caché par la forme nue enroulée autour d'elle. Une jambe massive s'étalait en travers de son torse, un bras sur sa poitrine. Sa robe blanche d'enterrement était souillée de l'ocre distinctif du sang séché, dont la source était évidente : il lui manquait la moitié du visage, et en dessous, je voyais les os à nu de son cou. Avec effarement, je songeai que son corps semblait avoir été entaillé à la hache.

La seconde dépouille était mâle, d'au moins deux fois la taille de celle de la fille, enlaçant sa mince silhouette féminine comme une mère berce son enfant. Le torse viril n'était qu'à quelques centimètres du cou lacéré de la fille, les deux corps plaqués l'un contre l'autre. Mais le plus stupéfiant n'était ni sa taille, ni sa présence dans la tombe.

Non, la chose la plus effarante de cet effarant tableau était que le compagnon de la jeune fille n'avait pas de tête.

— Un anthropophage, murmura le docteur, ses yeux brillant d'excitation au-dessus de son masque. Ça doit être ça… mais comment est-ce possible ? C'est cela le plus curieux, Will Henry. Qu'il soit mort est déjà suffisamment étrange, mais qu'il ait été trouvé dans notre région l'est plus encore… Spécimen masculin, d'environ vingt-cinq ou trente ans, pas de signe extérieur de blessure ou de traumatisme… Will Henry, prends-tu note de ce que je dis ?

Le docteur me fixait. Je lui rendis son regard. La puanteur de la mort avait déjà empli la pièce. Mes yeux me piquaient.

D'un geste, le docteur désigna mon carnet.

— Concentre-toi, Will Henry !

J'acquiesçai d'un hochement de tête, et, du revers de la main, je chassai les larmes qui brûlaient mes yeux, avant de commencer à écrire juste sous la date.

— Le spécimen semble être du genre anthropophage, répéta le docteur. Mâle, environ vingt-cinq à trente ans, sans signe extérieur de blessure ou de traumatisme.

Me concentrer sur la prise de notes m'aidait à calmer mes nerfs durement éprouvés. Néanmoins, la curiosité morbide m'incita à regarder de nouveau vers la table. Je mâchouillai un instant l'extrémité de mon crayon, m'interrogeant sur l'orthographe d'« anthropophage ».

— La victime est de sexe féminin, d'environ dix-sept ans, avec des preuves évidentes de blessures par morsure sur le côté droit du visage et du cou. L'os hyoïde et la mâchoire inférieure sont complètement exposés, et montrent des traces de dents du spécimen masculin.

Des dents ? Mais cette chose n'avait pas de tête ! Je levai les yeux de mon carnet. Le Dr Warthrop était penché sur les torses, me bloquant la vue. Comment une créature pouvait-elle mordre si elle n'avait pas de dents ?

À cette pensée, j'eus soudain une horrible révélation : cette *chose* avait mangé la fille.

Le docteur se déplaça rapidement vers l'autre côté de la table, me libérant la vue sur le « spécimen » et sa pitoyable victime. C'était une fille mince aux cheveux sombres qui se répandaient sur la table en boucles encore soyeuses malgré les circonstances. Le docteur se pencha en avant et examina le torse de la créature collé au corps de la jeune fille dont le repos éternel avait été brisé par cette étreinte profane d'un envahisseur du monde des ténèbres.

— Oui, chuchota-t-il. C'est bien un anthropophage. Les forceps, Will Henry, et un plateau, s'il te plaît. Non, le petit, à côté du burin à crâne.

Dieu sait comment je trouvai la force de bouger, tant mes genoux s'entrechoquaient. Je ne sentais littéralement plus mes pieds. Je fixai le docteur, essayant de mon mieux d'ignorer mon urgente envie de vomir. Les bras tremblants, je lui tendis les forceps et tins le plateau, respirant aussi peu que possible, tellement les relents de puanteur des deux… *corps* ? me brûlaient la bouche et la gorge.

Le docteur fourragea dans le torse de la créature avec ses forceps. J'entendis le crissement du métal sur quelque chose de dur – une côte ? Cette créature avait-elle été aussi partiellement dévorée ? Et, si c'était le cas, quel autre monstre avait commis un tel acte ?

— Très curieux. Très curieux, dit le docteur, ses paroles toujours étouffées par son masque. Aucun signe extérieur de traumatisme et, pourtant, il est bel et bien mort… Qu'est-ce qui a mis fin à ton existence, monsieur l'anthropophage, hmm ? Comment as-tu rencontré ton destin ?

Tout en parlant, le docteur saisissait de minces et sombres bandes de chair – semblables à de maigrelets morceaux de viande séchée – avec ses forceps et les déposait dans le plateau métallique. Des lambeaux de tissu blanc pendouillaient de quelques-unes de ces bandes, et c'est alors que je compris que le docteur ne s'était pas attaqué à la chair du monstre : ces fragments appartenaient au visage et au cou de la fille.

Je regardai le docteur s'activer et constatai qu'il n'opérait pas sur une côte dénudée de sa chair, comme je l'avais cru.

Il venait de nettoyer les dents de la créature.

Autour de moi, la pièce se mit soudain à tourner. J'entendis la voix posée du docteur :

— Ressaisis-toi, Will Henry. Tu ne me serviras à rien si tu t'évanouis. Nous avons beaucoup de travail cette nuit. Nous sommes là pour étudier la nature et ses produits, tous ses produits, y compris cette étrange créature. Nous sommes tous nés du même esprit divin, pour peu que tu y croies. De toute façon comment pourrait-il en être autrement ? Nous sommes les soldats de la science, et nous accomplirons notre mission. N'est-ce pas, Will Henry ? *N'est-ce pas, Will Henry ?*

— Oui, docteur, bredouillai-je. Oui, monsieur.

— Très bien, mon garçon.

Il posa les forceps sur le plateau métallique. Des morceaux de chair et des gouttes de sang maculaient ses gants.

— Apporte-moi le burin.

Soulagé de m'éloigner, je me dirigeai vers le plateau roulant. Néanmoins, avant de rapporter le burin, je m'arrêtai un instant pour reprendre mes esprits, me préparant, en bon fantassin de la science, à l'assaut suivant.

Même s'il n'avait pas de tête, l'anthropophage avait bel et bien une bouche. Ou, plus exactement, des dents. Son orifice ressemblait à la gueule d'un requin, et ses dents étaient semblables à celles d'un squale : triangulaires, d'un blanc laiteux, réparties en rangs acérés émanant de la profonde cavité de sa gorge. La bouche en elle-même se situait juste en dessous de son impressionnant torse musclé, entre les pectoraux et l'aine. Je ne lui voyais aucun nez, par contre cette créature n'avait pas été aveugle : ses yeux sombres et dépourvus de paupière (à dire vrai, je vous avoue n'en avoir vu qu'un) se trouvaient sur ses épaules.

— Du nerf, Will Henry !

Visiblement, je prenais trop de temps à recouvrer mes esprits.

— Approche le plateau roulant de la table, ça t'évitera d'avoir à te déplacer !

Une fois le plateau et ma petite personne en position, le docteur tendit la main et j'y déposai le burin. Il glissa l'instrument dans la bouche du monstre, et le poussa, utilisant le burin comme un levier pour écarter les mâchoires du monstre.

— Forceps !

Je les lui donnai et l'observai alors qu'il les enfonçait dans la gueule incrustée de crocs, profondément, et plus profondément encore, jusqu'à ce que sa main entière disparaisse. Les muscles de son avant-bras se bandèrent tandis qu'il tournait le poignet, explorant l'arrière de la gorge du monstre du bout des forceps. De la sueur luisait sur son front. Je l'essuyai avec un petit morceau de gaze.

— Il a dû creuser un trou de respiration – afin de ne pas suffoquer, marmonna-t-il. Aucune blessure visible... ni déformation ou signe extérieur de traumatisme... ah !

Son bras s'immobilisa. Quand il tira sur les forceps son épaule tressauta.

— C'est coincé ! Je vais avoir besoin de mes deux mains. Prends le burin, et tire, Will Henry. Utilise tes deux mains si nécessaire. Comme ça. Attention ! Ne le laisse pas glisser, sinon c'est moi qui perdrai les miennes. Oui, comme ça. Tu es un bon assistant. Aahhh !

Il tituba en arrière, sa main gauche battant l'air pour se rétablir, sa droite tenant toujours les forceps et, entortillé dedans, un rang de perles souillées de sang. Ayant retrouvé son équilibre, le monstrologue brandit son trophée haut devant lui.

— Je le savais ! cria-t-il. Voilà notre coupable, Will Henry. Il le lui a sûrement arraché dans sa frénésie. Ce collier s'est logé dans sa gorge et l'a étouffé, causant sa mort.

Je laissai tomber le burin, m'écartai de la table, et fixai les perles maculées de sang qui dansaient dans la main du docteur. L'air sembla soudain se raréfier autour de moi, je ne parvenais plus à respirer. Mes jambes vacillèrent. Je m'affalai sur le tabouret, me forçant à reprendre mon souffle. Le docteur ne me prêtait aucune attention. Il déposa le collier sur un plateau et me demanda les ciseaux. *Qu'il aille au diable,* songeai-je. *Laisse-le prendre ses ciseaux lui-même !* Me tournant le dos, il répéta son ordre, main tendue vers moi, ses doigts ensanglantés s'agitant en l'air avec impatience. J'abandonnai le tabouret en poussant un lourd soupir et tendis l'instrument au docteur.

— Voilà une curiosité bien singulière, marmonna-t-il, en découpant le centre de la robe d'enterrement de la jeune fille. Les anthropophages ne sont pas natifs d'Amérique. On les trouve dans le nord et dans l'ouest de l'Afrique, dans les îles Carolines, mais pas ici. Ça non ! On n'en a jamais vu chez nous !

Avec délicatesse, tendresse presque, il écarta le tissu, révélant la peau d'albâtre de la fille.

Le Dr Warthrop plaça son stéthoscope sur le ventre de la victime, écouta attentivement tout en remontant l'instrument vers sa poitrine, puis descendant de nouveau vers son nombril. Il s'arrêta alors, les yeux clos, respirant à peine. Il resta figé ainsi plusieurs secondes. Le silence était assourdissant.

Finalement, il ôta le stéthoscope de ses oreilles.

— Exactement ce que je pensais.

D'un geste, il désigna la table de travail.

— Un pot vide, Will Henry, je te prie. L'un des grands.

Il m'ordonna d'en retirer le couvercle et de placer le réceptacle ouvert par terre, à côté de lui.

— Tiens bon le couvercle, Will Henry ! Nous devons faire vite. Scalpel !

Il se remit au travail. Dois-je confesser que je détournai alors le regard ? que j'étais incapable de garder les yeux sur cette lame brillante qui entaillait la chair de la jeune fille ? Malgré mon infini désir de lui plaire et de l'impressionner par ma ferme résolution d'être un bon soldat au service de la science, rien n'aurait pu m'amener à observer ce qui s'ensuivit.

— Ce ne sont pas des charognards par nature, dit le docteur. Les anthropophages préfèrent les cadavres frais, or il y a des pulsions plus fortes que la faim, Will Henry. La femelle peut s'accoupler, mais elle est incapable de donner naissance. Vois-tu, elle n'a pas d'utérus, étant donné que, chez elle, cet emplacement de son anatomie laisse place à un autre organe, bien plus vital : son cerveau… Voilà, prends le scalpel.

J'entendis un gargouillis quand il plongea son poing dans l'incision. Son épaule droite pivota tandis que ses doigts exploraient les entrailles de la fille.

— Mais la nature est ingénieuse, Will Henry, poursuivit-il, et merveilleusement implacable. L'œuf fécondé est expulsé par la femelle dans la bouche de son partenaire, où il séjourne dans une poche située le long de sa mâchoire inférieure. Celui-ci a alors deux mois pour trouver un hôte pour leur progéniture, avant que le sac amniotique du fœtus n'éclate, et qu'il l'avale, ou l'étouffe… Ah, ça doit être ça ! Prépare-toi avec le couvercle !

Le docteur se crispa, et, durant un instant, il ne se passa rien. Puis, dans un grand geste dramatique, il extirpa de l'estomac ouvert une masse de chair et de dents, masse qui se tortillait en tous sens, version miniature de la créature enroulée autour de la jeune fille, enrobée d'un sac d'un blanc laiteux, qui éclata brusquement tant la chose à l'intérieur tentait de se débattre entre les mains du docteur, répandant un liquide nauséabond qui éclaboussa sa blouse et ses bottes en caoutchouc. Le docteur faillit la lâcher, mais la tint bien serrée, tandis que la chose agitait ses minuscules bras et jambes, sa bouche – hérissée de petites dents aussi affûtées qu'un rasoir – se tordant et crachant des sortes de glaires immondes.

— Le pot ! cria le docteur.

Je le fis glisser vers ses pieds. Il jeta la chose dedans, et je n'eus nul besoin d'attendre son ordre pour refermer le couvercle.

— Visse-le bien, Will Henry !

Le docteur était couvert de la tête aux pieds de la substance visqueuse sanguinolente dont l'odeur était encore plus pugnace et nauséabonde que le reste des chairs pourrissant sur la table. Le minuscule anthropophage se contorsionnait, tapant et frappant l'intérieur du pot, étalant du liquide amniotique sur le verre, griffant sa prison de ses ongles crochus, sa bouche remuant furieusement au milieu de son torse, béant comme celle d'un poisson abandonné sur la rive. Ses cris perçants traversaient le verre pourtant épais du bocal, en un atroce son inhumain que j'étais condamné à me rappeler jusqu'à mon dernier jour.

Le Dr Warthrop s'empara du pot et le posa sur l'établi. Il prit ensuite un morceau de coton qu'il imbiba d'un mélange d'halothane, un agent anesthésiant, et d'alcool, avant de le jeter dans le pot, et d'en refermer rapidement le couvercle. Le monstre s'attaqua au coton, en déchira les fibres de ses dents, puis l'avala entièrement par grosses bouchées. Sa gloutonnerie précipita les effets de l'agent anesthésiant : en moins de cinq minutes, l'horrible créature était morte.

# DEUX

*Ses services me sont indispensables*

Le monstrologue travailla toute la nuit et une bonne partie du lendemain ne s'arrêtant que deux fois – pour boire une autre tasse de thé vers trois heures du matin, et soulager sa vessie vers quatre heures. Depuis l'anéantissement de l'abominable créature qui grandissait au sein du cadavre de la jeune femme, il paraissait moins nerveux.

Il s'adressa à moi avec le ton détaché d'un conférencier, ce qui rendait le sujet encore plus horrifiant :

— Avant d'atteindre son terme complet, le jeune anthropophage se libère de son sac amniotique et commence aussitôt à se nourrir de son hôte jusqu'à ce qu'il n'en reste plus rien que les os, qu'il perce alors de ses dents aussi pointues que des aiguilles pour en extraire la moelle riche en nutriments. Vois-tu, Will Henry, contrairement à l'*Homo sapiens*, chez les anthropophages ce sont les dents qui se développent quasiment en premier.

Nous avions dû redoubler d'efforts pour séparer les deux corps, car la bête avait planté ses griffes de cinq centimètres dans sa victime. L'un après l'autre, le docteur redressa les doigts rigides, utilisant son burin comme levier.

— Regarde à quel point ses griffes sont acérées, fit-il remarquer. Comme des crochets de pêche à la baleine, ou les pattes antérieures d'une mante religieuse. Touches-en les bouts, Will Henry – attention ! Ils sont aussi pointus qu'une aiguille hypodermique, et durs comme des diamants. Les indigènes de son habitat naturel s'en servent en guise d'aiguilles à coudre ou de pointes pour leurs harpons.

Il écarta le bras massif du torse de la jeune fille décédée.

— L'envergure de ces êtres dépasse d'une bonne cinquantaine de centimètres celle d'un homme de taille normale. Regarde un peu la largeur de ses mains !

Il posa sa propre main, paume contre paume, sur celle du monstre. La sienne paraissait minuscule. On aurait cru la main d'un enfant dans celle d'un adulte.

— Comme le lion, il se sert de ses griffes pour attaquer, mais, contrairement aux mammifères prédateurs, il n'essaie pas de tuer sa proie avant de commencer à s'en nourrir. L'anthropophage est plutôt comme un requin ou un insecte : il préfère la chair vivante.

Le docteur eut besoin de mon aide pour dégager la jambe de la créature du corps de la défunte.

— Il possède les plus grands tendons d'Achille connus chez les primates, ce qui lui permet de faire des bonds de plus de quinze mètres… Remarque la forte musculature de ses chevilles et de ses quadriceps… attention, Will Henry, sinon il va nous tomber dessus !

Il me demanda de dégager un peu d'espace sur la table de travail. Il saisit alors les épaules de la jeune fille, moi, les jambes, et, à nous deux, nous déplaçâmes son cadavre. Elle était aussi légère qu'un oiseau. Le docteur réajusta sa robe et lui croisa les bras sur la poitrine. Sa poitrine... *dévorée.*

— Prends un drap propre dans le placard, Will Henry, m'ordonna-t-il, avant d'en recouvrir la dépouille.

Nous restâmes quelques instants devant le corps nappé de ce linceul de coton, sans rien dire.

— Au moins est-elle libérée de ce monstre, à présent, soupira-t-il. Il y a quand même un minimum de justice dans cet acte abominable, Will Henry : elle n'a pas souffert. Non, elle n'a pas souffert.

Il se détourna, sa mélancolie s'évanouissant en un clin d'œil tandis qu'il se dirigeait vers la table d'examen, impatient de poursuivre son travail sur la créature. Nous installâmes le monstre au centre de la table, sur le dos. Ses yeux noirs, sans paupières, placés sur ses épaules, et sa gueule grande ouverte sur son torse me faisaient songer à un requin. Sa peau était d'ailleurs aussi pâle que le ventre d'un squale. Pour la première fois, je remarquai qu'il était entièrement dépourvu de poils, ce qui lui donnait une apparence encore plus cauchemardesque.

— Comme le lion, ce sont des chasseurs nocturnes, dit le docteur, semblant lire dans mes pensées. D'où ces yeux si grands et l'absence de mélanine dans le derme supérieur. Et tels le *Panthera leo* et le *Canis lupus*, ce sont des chasseurs collectifs.

— Collectifs, monsieur ?

— Ils chassent en meute.

D'un claquement de doigts, il m'ordonna de lui donner un nouveau scalpel et se remit à l'ouvrage. L'autopsie commença. Tandis qu'il entaillait la bête, je prenais des notes, lui tendais les instruments, me précipitant du placard à la table et de la table au placard, remplissant des pots vides de formaldéhyde dans lesquels il déposait les organes. Il y eut d'abord un des yeux de la créature, le nerf optique se balançant à l'arrière du globe oculaire comme une corde tordue. Le docteur me fit remarquer les oreilles du monstre : des fentes d'une bonne douzaine de centimètres, elles se trouvaient de chaque côté de sa taille, juste au-dessus de ses hanches.

Le Dr Warthrop incisa alors le torse de la créature, juste au-dessus de son effarante gueule, utilisant son écarteur thoracique pour maintenir les chairs en place afin de pouvoir plonger les deux mains et récupérer le foie, la rate, le cœur, et les poumons, d'un blanc grisâtre et de forme quasi rectangulaire, comme des ballons dégonflés. Durant tout ce temps, il continua ses commentaires, s'interrompant de temps à autre pour me dicter des mensurations et me décrire l'état des différents organes.

— L'absence de follicules est curieux, je n'ai jamais rien lu de tel à ce sujet… l'œil mesure 9,7 centimètres sur 7,3 centimètres, peut-être à cause de leur habitat naturel. Ils n'ont pas évolué sous des cieux tempérés.

Il pratiqua une incision à quelques centimètres au-dessus de l'aine du monstre, plongea les deux mains dans la cavité et en retira le cerveau. L'organe était plus petit que je ne m'y attendais, environ de la taille d'une orange. Il le posa sur la balance, et j'inscrivis son poids dans mon carnet.

*Voilà au moins une bonne chose, songeai-je. Avec un cerveau de cette taille, on n'a pas à redouter qu'ils soient trop intelligents.*

De nouveau, j'eus la sensation que le Dr Warthrop était capable de lire dans mes pensées.

— Il doit avoir les capacités mentales d'un enfant de deux ans, Will Henry. Sur le plan de l'intelligence, il se trouve entre le gorille et le chimpanzé. Malgré leur absence de langue, ils peuvent communiquer par des grognements et des gestes, tout comme leurs cousins primates.

J'étouffai un bâillement. Je ne m'ennuyais pas, j'étais simplement épuisé. Le soleil s'était levé depuis longtemps, mais dans cette pièce sans fenêtres qui empestait la mort et la puanteur acide des produits chimiques, c'était une nuit sans fin.

Le docteur, lui, n'affichait aucun signe de fatigue. Je l'avais déjà vu ainsi, lorsque la fièvre de sa passion l'emportait. Il mangeait très peu, dormait encore moins, toujours formidablement concentré sur sa tâche. Les jours passaient, une semaine entière, une quinzaine, même, sans qu'il se rase ou prenne un bain. Il ne se donnait pas la peine de se coiffer ou d'enfiler une chemise propre jusqu'au moment où, affamé et épuisé, il commençait à ressembler à ses spécimens macabres. Ses yeux injectés de sang s'enfonçaient dans leurs orbites, cerclées de cernes noirs. Sa peau avait la pâleur d'un cadavre et ses vêtements pendaient misérablement sur lui. Inévitablement, alors que les nuits succéderaient aux jours, les flammes de sa passion anéantiraient à la fois son corps et son esprit, et il s'effondrerait, se dirigeant vers son lit comme un malade souffrant de fièvre tropicale, vide de toute énergie, irritable, son abattement encore plus saisissant après la frénésie qui s'était emparée de lui. De jour comme de nuit, il me faudrait monter et descendre les escaliers sans relâche, lui apporter à boire, à manger, d'autres couvertures, éloigner ses visiteurs (« le docteur est malade et ne peut recevoir personne pour l'instant »), m'asseoir à son chevet durant des heures pendant qu'il pleurerait sur son destin : son travail ne servait à rien. Dans un siècle, personne ne connaîtrait son nom, ne saurait ce qu'il a accompli ou ne chanterait ses louanges. J'essaierais de le consoler de mon mieux, lui assurant qu'un jour viendrait où son patronyme serait aussi célèbre que celui de Darwin. Mais alors, il écarterait – souvent avec dédain – ces tentatives enfantines. « Oh, Will Henry, tu n'es qu'un gamin ! Que sais-tu de toutes ces choses ? » maugréerait-il en tournant la tête sur l'oreiller. À d'autres moments, il saisirait ma main, m'attirerait à lui, me regarderait droit dans les yeux et me chuchoterait avec une intensité effrayante : « C'est toi, Will Henry, toi qui dois poursuivre mon œuvre. Je n'ai aucune famille, et n'en aurai jamais. Tu dois être ma mémoire. Porter l'héritage de mes travaux. Peux-tu me promettre que tout ce que j'aurai fait ne l'aura pas été en vain ? » Et, bien sûr, je lui en ferais la promesse. D'ailleurs, il avait raison sur un point : j'étais tout ce qu'il avait. Je me suis toujours demandé s'il s'était déjà rendu compte, cet homme dont on pouvait dire qu'il était pourvu d'un égocentrisme impressionnant, que le contraire était aussi vrai – qu'il était tout ce que *moi* j'avais.

Sa convalescence durerait une ou deux semaines, puis quelque chose se produirait : il recevrait un télégramme ;

un article ou un livre sur les dernières découvertes arriverait au courrier, une personne viendrait le trouver au milieu de la nuit, et le cycle recommencerait. L'étincelle mettrait le feu au carburant.

— Du nerf, Will Henry ! crierait-il. Nous avons du travail !

L'étincelle déclenchée par la livraison d'Erasmus Gray durant cette nuit brumeuse d'avril alluma un brasier d'une vive intensité chez le docteur. Tous les organes du monstre furent extraits, examinés, catalogués et préservés ; toutes les mesures furent prises ; il y eut des heures et des heures de dictée et de dissertation sur la nature de la bête. (« Notre ami doit être le mâle alpha de son groupe, Will Henry. Seul le mâle alpha a le privilège de se reproduire. ») Ensuite, sans même un moment de répit, d'autres tâches m'attendaient : les instruments devaient être nettoyés, le sol lavé avec de la soude caustique, chaque surface stérilisée à l'eau de Javel. Finalement, en plein après-midi, incapable de rester debout un instant de plus, je m'écroulai sur la dernière marche de l'escalier, indifférent aux remarques du docteur sur mon indolence. Je l'observai retourner vers le corps de la jeune fille, retirer le drap et suturer l'incision sur son ventre. Il claqua des doigts, sans même regarder dans ma direction.

— Apporte-moi ses perles, Will Henry.

Titubant de fatigue, je lui tendis le plateau sur lequel trônait le collier. Il avait trempé dans l'alcool durant des heures ; le sang collé sur ses perles s'en était détaché, donnant au liquide une teinte rose plutôt jolie. Le docteur essuya l'excès de solvant, dégrafa le fermoir, et

remit avec douceur le rang de perles d'un blanc cha-
toyant autour du cou déchiqueté.

— Que pouvons-nous dire, Will Henry ? murmura-t-il,
ses yeux sombres fixés sur le cadavre. Celle qui par le
passé a ri, rêvé et pleuré, est devenue une proie. C'est
le sort qui a conduit ce monstre jusqu'à elle, mais si ce
n'avait pas été le cas, de toute façon les vers auraient
attaqué son corps, et ces bêtes ne sont pas moins voraces
que notre ami. Des monstres attendent pour nous dévorer dès notre retour à la terre, alors, que dire de tout
cela ?

Il remonta le drap sur le visage de la défunte et s'éloigna.

— Nous n'avons pas beaucoup de temps, Will Henry.
S'il y en a un, il doit y en avoir d'autres. Les anthropophages ne sont pas particulièrement prolifiques. Ils ne
produisent qu'un ou deux rejetons par an. Nous ignorons depuis quand ils sont ici et leur nombre exact. Quoi
qu'il en soit, cela signifie que dans les alentours de New
Jerusalem, il existe un groupe de ces anthropophages
que nous devons trouver et éradiquer – sous peine d'être
submergés.

— Oui, monsieur, murmurai-je.

Mes bras et mes jambes pesaient des tonnes, j'étais
étourdi de fatigue.

— Que se passe-t-il, Will Henry ? Reprends-toi, mon
garçon. Pas question de t'évanouir !

— Non, monsieur, dis-je, avant de m'écrouler à terre.

Il me prit dans ses bras et me porta en haut de l'escalier,
traversa la cuisine éclairée par la douce lueur du soleil
printanier, puis monta jusqu'au second étage. Après

avoir grimpé la petite échelle qui menait au grenier, il me déposa sur mon lit, directement sur les couvertures, sans même se donner la peine de retirer mes vêtements tachés de sang. Néanmoins, il m'enleva mon chapeau et l'accrocha à la patère sur le mur. Comme je l'ai déjà dit, ce chapeau symbolisait tout ce que j'avais perdu. Le voir ainsi, quasiment en lambeaux, pendouiller tristement sur ce crochet en fut trop pour moi. Certes, décevoir le docteur par mon absence de courage et de stoïcisme viril était une chose impensable, pourtant, j'étais à bout de nerfs : ce chapeau et les souvenirs qu'il représentait se juxtaposaient à l'horreur surréelle des heures précédentes.

J'éclatai en sanglots, me recroquevillant sur moi-même, alors que, debout à côté de moi, sans même esquisser un geste pour me réconforter ou me consoler, le docteur m'étudiait avec la même curiosité intense qui l'avait animé tandis qu'il examinait les testicules du mâle anthropophage.

— Ils te manquent, n'est-ce pas ? demanda-t-il avec douceur.

J'acquiesçai d'un hochement, étouffé par les sanglots.

Son hypothèse confirmée, il hocha la tête à son tour.

— À moi aussi, Will Henry. À moi aussi.

Je savais qu'il était sincère. Mes parents avaient été ses employés. Ma mère s'occupait de sa maison, et mon père de ses secrets, comme je le faisais à mon tour depuis son décès. Durant leurs funérailles, le docteur avait posé une main sur mon épaule et avait dit : « J'ignore ce que je vais faire à présent, Will Henry. Leurs services m'étaient indispensables. » Il semblait inconscient du fait qu'il s'adressait à l'enfant devenu orphelin et sans-abri depuis leur mort.

Ce ne serait pas une affabulation de ma part de dire que mon père avait vénéré le Dr Warthrop. En revanche, il serait exagéré – et ce serait même un mensonge honteux – de prétendre que cela avait été le cas de ma mère. Maintenant, fort de l'acuité que nous donne le passage des ans, je peux dire sans équivoque aucune que la cause principale des tensions entre eux était justement le docteur ou, plus exactement, les sentiments de mon père envers lui, son immense loyauté, une loyauté qui surpassait tout, y compris ses obligations envers sa femme et son fils unique. Mon père nous aimait, je n'ai jamais douté de cela, mais, en fait, il aimait encore plus le docteur. Et c'était là les racines de la haine de ma mère envers le Dr Warthrop. Elle était jalouse. Elle se sentait trahie. Et cette méchante sensation de trahison était la source des disputes les plus véhémentes entre mes parents.

Combien de fois ne les ai-je pas entendus, à travers les minces cloisons de ma chambre de Clary Street, se disputer – leurs cris claquant contre le plâtre comme la houle d'une tempête sur une digue – car mon père était arrivé en retard pour dîner – à cause du docteur qui l'avait retenu. Leur querelle, entamée des heures plus tôt, atteignait alors son apogée. De temps à autre, mon père ne rentrait carrément pas pour dîner, voire s'absentait pendant des jours. Quand il revenait à la maison, une fois que je l'avais accueilli avec joie à la porte, il détournait son regard du mien pour le plonger dans celui – contrarié – de ma mère ; il esquissait alors un sourire timide, haussait les épaules et annonçait :

— Le docteur avait besoin de moi.

— Et moi ? criait-elle. Et ton fils ? Est-ce que tu penses à nous de temps en temps, James Henry ?

— Je suis tout ce qu'il a, répondait-il invariablement.

— Et toi, tu es tout ce que *nous* avons. Tu disparais pendant des jours sans nous dire où tu vas ni quand tu reviens. Et quand tu ramènes enfin ta carcasse chez nous, tu ne me racontes pas ce que tu as fait ni où tu es allé.

— Ça suffit, Mary, lui rétorquait mon père d'un ton sévère. Il y a des choses que je peux te dire, et d'autres que je ne peux pas.

— Des choses que tu peux me dire ? J'aimerais bien savoir lesquelles, James Henry, étant donné que tu ne me racontes jamais rien !

— Je te dis ce que je peux. Et, pour l'heure, je peux t'annoncer que le docteur travaille sur quelque chose de très important et qu'il a besoin de mon aide.

— Mais pas moi ? Tu m'obliges à pécher, James.

— À pécher ? Que diable entends-tu par là ?

— Je parle du péché de mensonge ! Les voisins me demandent : « Où est votre mari, Mary Henry ? Où est James ? » Et je dois mentir pour toi – pour lui. Oh, comme je déteste mentir pour lui !

— Dans ce cas, ne mens pas. Dis-leur la vérité. Que tu ne sais pas où je suis.

— Ah ! Ce serait encore pire qu'un mensonge ! Que penseraient-ils de moi ? Une femme qui ne sait pas où se trouve son mari ? Quelle mascarade !

— Je ne comprends pas pourquoi cela te dérange, Mary. S'il n'était pas là, qu'aurions-nous ? Nous lui devons tout.

Comme elle ne pouvait nier ce fait, elle dédaigna sa remarque.

— Tu ne me fais pas confiance ! se plaignit-elle.

— C'est faux. Mais je ne peux pas trahir *sa* confiance.

— Un homme honorable n'a pas besoin de secrets.

— Tu ignores ce dont tu parles, Mary. Le Dr Warthrop est l'homme le plus honorable que j'aie jamais rencontré. C'est un privilège de travailler pour lui, et de le servir.

— Le servir de quelle façon ? En quoi ?

— Pour ses travaux.

— Quels travaux ?

— C'est un scientifique.

— Un scientifique dans quel domaine ?

— En... en certains phénomènes biologiques.

— Mais qu'est-ce que tout cela signifie ? De quels « phénomènes biologiques » parles-tu ? Des oiseaux ? Est-ce que Pellinore Warthrop est un ornithologue, James Henry, et toi tu l'accompagnes pour porter ses jumelles ?

— Je refuse de discuter de tout cela avec toi, Mary. Je ne te dirai rien de plus sur la nature de son travail.

— Pourquoi ?

— Parce que tu ne veux pas le savoir !

Pour la première fois, mon père haussa la voix.

— Je te jure que, certains jours, je préférerais ne pas savoir moi-même ! poursuivit-il. J'ai vu des choses qu'aucun être humain ne devrait voir ! Je suis allé dans des endroits où les anges eux-mêmes auraient peur de s'aventurer. Alors, n'insiste pas, Mary, car tu ignores ce dont tu parles. Réjouis-toi de ton ignorance, et des mensonges auxquels elle t'oblige. Le Dr Warthrop est un homme respectable engagé dans de grands travaux.

Sache que je ne lui tournerai jamais le dos, même si les feux de l'enfer s'élevaient pour m'engloutir.

Et ainsi se terminait leur dispute, enfin, pour un certain temps ; en général, elle reprenait une fois que j'étais couché. Avant de rejoindre ma mère au salon pour affronter sa colère, une colère guère moins intense que les feux de l'enfer, mon père m'embrassait toujours sur le front, passait sa main dans mes cheveux et fermait les yeux en même temps que moi pendant que je prononçais ma prière du soir.

Un soir, une fois mon devoir religieux accompli, j'ouvris les yeux et contemplai le doux visage de mon père, certain, comme le sont naïvement les enfants, qu'il serait à jamais là pour moi.

— Où est-ce que tu vas, papa, quand tu disparais ? lui demandai-je. Tu peux me le dire, je ne le rapporterai pas à maman. À personne.

— Oh, je suis allé dans beaucoup d'endroits, Will, répondit-il. J'ai vu des lieux si étranges et merveilleux que je croyais rêver. Et d'autres, tout aussi étranges, terrifiants, aussi sombres et effrayants que dans tes pires cauchemars. J'ai vu des choses que seuls les poètes pourraient imaginer. Et d'autres qui feraient hurler de peur même les hommes les plus courageux. Tellement de choses. Tellement d'endroits...

— Tu m'emmèneras la prochaine fois que tu iras ?

Il sourit. D'un sourire triste, celui d'un homme qui savait d'instinct que sa chance n'était pas éternelle et qu'arriverait bientôt le jour où il partirait pour sa dernière aventure.

— Je suis assez grand, dis-je, alors qu'il ne répondait rien. Papa, j'ai onze ans, presque douze – je suis quasiment un homme ! Je veux aller avec toi. S'il te plaît, s'il te plaît, emmène-moi !

Il posa sa main – chaude – sur ma joue.

— Peut-être un jour, William. Peut-être.

Le monstrologue m'abandonna à mon chagrin. Il ne se rendit pas dans sa chambre pour se reposer, j'entendis ses pas dans l'escalier et, quelques instants plus tard, le léger craquement de la porte qui menait au sous-sol. Aujourd'hui, pas question pour lui de dormir : il était bien trop excité par ses découvertes.

Mes sanglots se calmèrent. À quelques mètres au-dessus de ma tête se trouvait une petite fenêtre dans le plafond, et je voyais les nuages diaphanes s'étirer dans un ciel couleur de saphir. À l'école, mes anciens copains devaient être dans la cour, en train de jouer au base-ball avec un bâton en guise de batte, avant que M. Proctor, le directeur, ne les fasse retourner en cours pour tout l'après-midi. Plus tard, dès la première sonnerie de la cloche, chacun bondirait vers la sortie, heureux de profiter enfin de sa liberté. La partie de base-ball, seule distraction de la journée, reprendrait alors de plus belle. J'étais plutôt petit pour mon âge, et pas un très bon batteur, mais j'étais vif comme l'éclair. Quand j'avais quitté l'école pour venir vivre chez le Dr Warthrop, j'étais le coureur le plus rapide de mon équipe et le détenteur du record de bases volées, pas moins de treize.

Je fermai les yeux et me remémorai un match : je prenais la tête, filant le long de la ligne de base, mes yeux passant du lanceur au receveur, puis inversement, tandis que, impatient, j'attendais le lancer. Un pas. Un autre. Le lanceur hésitait : il me voyait du coin de l'œil. Devait-il envoyer la balle ? Il attendait que je m'élance. Moi, j'attendais qu'il lance.

Et j'attendais toujours quand une voix s'éleva à mon oreille.

— Will Henry ! Lève-toi, Will Henry !

J'ouvris les yeux – bon sang, que mes paupières étaient lourdes ! – et remarquai le docteur qui se tenait debout à l'entrée de ma petite alcôve, une lanterne à la main. Il n'était pas rasé, ses cheveux étaient emmêlés, et il portait les mêmes vêtements que la veille. Il me fallut un moment pour réaliser qu'il était couvert de sang de la tête aux pieds. Effrayé, je me levai d'un bond en poussant un cri.

— Docteur, vous allez bien ?

— Que veux-tu dire, Will Henry ? Bien sûr que je vais bien. Tu dois avoir fait un cauchemar. Bon, viens, à présent ! Les heures filent, il y a beaucoup à faire avant l'aube !

Il frappa le mur du poing, comme pour appuyer ses propos, puis disparut. J'enfilai rapidement une chemise propre. Quelle heure était-il ? Au-dessus de ma tête, les étoiles brillaient dans le velours noir du ciel. Il n'y avait pas de lune. Je tâtonnai le long du mur, trouvai mon chapeau sur le crochet et m'en coiffai. Comme je l'ai déjà dit, il était un peu serré, mais le porter me rassurait toujours.

Je rejoignis le docteur dans la cuisine. Il remuait un liquide nauséabond dans une casserole, et il me fallut un moment avant de réaliser qu'il préparait à dîner et n'était pas en train de faire bouillir un morceau de chair de l'anthropophage. Après tout, peut-être n'était-ce pas du sang qui tachait ses vêtements. Qui sait ? Il avait pu s'éclabousser en cuisinant. C'était sûrement un génie, mais comme la plupart des génies, sa virtuosité ne couvrait qu'un spectre étroit : le docteur était un cuisinier lamentable.

Il versa un peu de la repoussante mixture dans un bol qu'il posa sur la table.

— Assieds-toi, dit-il, en me désignant la chaise, et mange. Nous n'aurons plus le temps après.

Du bout de ma cuillère, je testai le gruau. Un objet vert grisâtre flottait à la surface de l'épais bouillon brun. Un haricot ? C'était trop gros pour être un pois.

— Y a-t-il du pain, monsieur ?

— Non, pas de pain, répondit-il d'un ton brusque.

Puis, sans ajouter un mot, il bondit vers l'escalier qui menait au sous-sol. Je me levai et vérifiai la corbeille près du placard. Un seul petit pain, qui devait bien dater d'une semaine, y pourrissait. Regardant autour de moi, je ne remarquai aucun autre bol et poussai un soupir. Évidemment, le docteur n'avait rien mangé ! Je retournai à ma soupe, ou mon ragoût, ou quel que soit le nom que l'on ait pu donner à cette mixture, avalai quelques bouchées que je fis passer à l'aide d'un verre d'eau, et prononçai quelques mots de prière – pas de remerciement, mais des supplications pour ne pas être obligé d'avaler tout le contenu de mon bol.

— Will Henry ! cria-t-il depuis le sous-sol. Will Henry, où es-tu ? Du nerf, Will Henry !

Mes prières avaient été entendues. J'abandonnai ma cuillère dans le bol et me précipitai vers l'escalier.

Je le trouvai en train d'arpenter la cave. Il ne cessait d'aller de l'établi, où reposait le corps de la jeune fille, à la table d'examen, à présent vide et immaculée. Saisi d'une pointe irrationnelle de panique, je scrutai la pièce, m'attendant à voir le monstre – ayant émergé de la mort – rôder dans l'ombre. Je le remarquai alors, accroché à l'envers, entre le banc et les étagères sur lesquelles trônaient les pots contenant ses organes. La corde qui le maintenait suspendu au plafond craquait sous son poids considérable. En dessous de lui se trouvait un grand baquet rempli d'une nauséabonde boue noire : son sang déjà partiellement coagulé. Voilà pourquoi les vêtements du docteur étaient souillés de lambeaux de chair : il avait vidé et déplacé la dépouille de la créature. Plus tard, la carcasse serait embaumée, enveloppée de lin, puis envoyée par transporteur privé à l'académie de New York, mais pour l'instant elle était accrochée comme celle d'un porc dans une boucherie, ses énormes bras se balançant des deux côtés du baquet, les pointes de ses griffes ratissant le sol tandis que la corde se tortillait sur elle-même, gémissant sous son poids.

Je détournai le regard. L'œil solitaire du monstre, noir et sans paupière, figé par la mort, semblait me fixer. Je voyais ma silhouette reflétée dans le globe surdimensionné.

À mon arrivée le docteur cessa d'arpenter la pièce et me scruta, bouche bée, apparemment surpris par ma présence alors qu'il m'avait pourtant ordonné de le rejoindre.

— Will Henry ? Où étais-tu ?

Je commençai à répliquer : « En train de manger comme vous me l'avez suggéré, monsieur », mais il m'interrompit.

— Will Henry, quel est notre ennemi ?

Il avait les yeux écarquillés, les joues rouges, symptômes évidents de son obsession particulière que j'avais déjà remarquée des douzaines de fois. La réponse à sa question – posée sur un ton qui relevait plutôt de l'ordre – s'affichait sur son visage. D'un doigt tremblant, je désignai l'*Anthropophagus* suspendu à sa corde.

— Absurdité ! ricana-t-il. L'hostilité n'est pas un phénomène naturel, Will Henry. L'antilope est-elle l'ennemie du lion ? Est-ce que l'élan ou le wapiti éprouvent de l'animosité pour le loup ? Crois-moi, nous ne représentons qu'une seule chose pour les anthropophages : de la viande. Nous sommes des proies, pas des ennemis.

Il s'interrompit un instant avant de poursuivre :

— Non, Will Henry, notre ennemi, c'est la peur. Une peur aveuglante, qui nous fait perdre toute raison. La peur dissout la vérité, elle contamine les preuves, nous conduisant à de fausses hypothèses et à des conclusions irrationnelles. La nuit passée, j'ai permis à cet ennemi de me surpasser, jusqu'à ce que l'éclatante vérité m'apparaisse enfin : notre situation n'est pas aussi désespérée que la peur m'avait amené à le croire.

— Non ?

J'avais du mal à suivre son raisonnement. L'immonde créature accrochée au plafond ne contredisait-elle pas ses affirmations ?

— En général, Will Henry, un troupeau d'anthropophages est constitué de vingt à vingt-cinq femelles reproductrices, de quelques jeunes et d'un mâle alpha.

Sourire aux lèvres, les yeux brillants d'excitation, il attendit ma réaction. Quand il réalisa que je ne partageais pas son soulagement et son enthousiasme, il continua ses explications :

— Ne comprends-tu donc pas, Will Henry ? Il ne doit pas y en avoir plus de deux ou trois. Il est impossible qu'il y ait une entière population d'anthropophages dans les alentours de New Jerusalem.

Il recommença à arpenter la pièce, ne cessant de se passer les mains dans les cheveux, semblant peu à peu oublier ma présence.

— Ce fait a donné naissance à ma peur, une peur qui a étouffé toutes les autres preuves, pourtant extrêmement pertinentes. Oui, c'est un fait connu qu'un troupeau typique peut compter jusqu'à vingt spécimens. Mais il est également vrai que les anthropophages ne sont pas natifs de nos contrées. On n'a pas vu un seul membre de cette espèce sur notre continent depuis sa découverte ; aucune preuve de leur existence n'a jamais été trouvée ; de plus, il n'y a aucune légende ou aucun mythe à leur sujet dans notre histoire.

Il s'arrêta et se tourna vers moi.

— Tu comprends, à présent, Will Henry ?

— Je... je crois, monsieur.

— Absurdité ! Il est évident que tu ne comprends rien ! Ne me mens pas, Will Henry ! Ni à moi ni à personne – jamais ! Le mensonge est le pire genre de bouffonnerie !

— Oui, monsieur.

— Nous devons associer le fait que ces créatures ne sont pas natives de nos contrées à celui qu'elles sont extrêmement agressives. Un troupeau entier aurait forcément été remarqué, tout simplement parce qu'il nous manque un détail. Et quel est ce détail, Will Henry ?

Il n'attendit pas ma réponse, sûrement persuadé que je n'en avais aucune à lui offrir.

— Des victimes ! Ces monstres doivent évidemment se nourrir pour prospérer, pourtant aucune attaque n'a été signalée. Il n'y a aucune preuve, directe ou indirecte, de leur présence, mis à part *ça*.

D'un doigt, il désigna l'*Anthropophagus* suspendu à la corde.

— Et *ça*, poursuivit-il, pointant cette fois le cadavre sur la table. Cela prouve bien qu'ils ne doivent pas être nombreux. Will Henry, comprends-tu à présent comment notre ennemi, la peur, rend l'impossible possible, et le déraisonnable parfaitement raisonnable ? Non. Nous avons là un cas récent d'immigration, ce mâle et, peut-être, une – pas plus de deux, je suppose – femelle reproductrice. Le grand mystère, ce n'est pas leur nombre, mais la façon dont ils sont arrivés ici. Ils ne sont pas amphibies, *donc* ils n'ont pas pu nager jusque chez nous. Ils n'ont pas d'ailes, *donc* ils n'ont pas pu voler. Alors comment ont-ils atterri en nos contrées ? Nous devrons trouver la réponse à cette question, Will, une fois que nous en aurons terminé avec notre travail de ce soir. À présent, où est la liste ?

— La liste, monsieur ?

— Oui, oui, la liste, la liste, Will Henry ! Pourquoi me fixes-tu ainsi ? Suis-je lunatique, Will Henry ? Est-ce que je m'adresse à toi en un langage qui t'est étranger ?

— Je n'ai... je n'ai pas vu... vous ne m'avez pas donné de liste, monsieur.

— Pas question de perdre notre concentration, Will Henry. Cela risquerait de nous coûter la vie. Même s'il n'y a qu'une ou deux femelles, sache qu'elles sont extrêmement dangereuses. Comme chez les lions, c'est la femelle que nous devons redouter, et non le mâle indolent qui se contente de se nourrir de la carcasse une fois que les femelles se sont chargées de tuer la proie.

Il saisit une feuille de papier posée sur la poitrine de la fille décédée recouverte du drap.

— Ah, la voici, cette liste, Will Henry ! Juste là où *quelqu'un* l'a laissée.

Tout dans sa voix m'accusait, comme s'il pouvait prouver que c'était moi qui avais posé ce papier là. Il me tendit la fameuse liste.

— Tiens, emballe tout ça rapidement, et retrouve-moi à la porte de derrière. Allons, du nerf, Will Henry !

Je saisis la liste. Le docteur avait une écriture horrible, mais je travaillais avec lui depuis suffisamment longtemps pour être capable de la déchiffrer. Je grimpai l'escalier à toute allure et entamai ma chasse au trésor, qui en était bel et bien une, vu que les talents de rangement du docteur étaient aussi piètres que ses talents de cuisinier. Il me fallut presque dix minutes rien que pour trouver le premier article de cette fameuse liste, son revolver qui n'était pas à sa place habituelle – le premier tiroir gauche de son bureau –, mais sur l'une des étagères de la bibliothèque qui se dressait derrière. Je me mis ensuite en quête des autres objets.

Couteau de chasse. Torches. Sacs pour échantillons.

Poudre à canon. Allumettes. Piquets.

Kérosène. Corde. Trousse médicale. Pelle.

J'avais beau tenter de suivre le conseil du docteur – me concentrer seulement sur ma tâche – au vu de cette liste, le doute n'était plus permis : nous nous préparions pour une expédition.

Et pendant tout ce temps, tandis que je montais et descendais l'escalier, pénétrais puis sortais d'une pièce pour entrer dans une autre, fouillant dans les armoires et les placards, les coffrets et les tiroirs, la voix du docteur flottait jusqu'à moi :

— Will Henry ? Will Henry ? Pourquoi est-ce que cela prend autant de temps ? Du nerf, Will Henry. Du nerf !

Aux environs de minuit, debout près de la porte arrière, j'attachais un paquet de piquets avec un morceau de ficelle, le docteur me haranguant toujours de loin :

— Ce n'est tout de même pas comme si je t'avais fait une demande déraisonnable, Will Henry. T'ai-je déjà fait une demande déraisonnable, d'ailleurs ?

Un coup sec à la porte interrompit de concert ma tâche et ses reproches.

— Docteur ! Quelqu'un a frappé !

— Eh bien, réponds, Will Henry ! rétorqua-t-il avec impatience.

Il retira sa blouse tachée de sang et la jeta sur une chaise.

Erasmus Gray, le vieux pilleur de tombes – venu nous rendre visite la veille quasiment à la même heure – apparut sur le perron, son chapeau trop grand planté sur son crâne. Derrière lui, je remarquai son petit cheval osseux, et le chariot délabré à demi englouti dans le brouillard. Tout était identique à la veille. J'avais la même horrible sensation que celui qui, en dormant, refait sans cesse le même cauchemar, et, durant un moment, je fus certain, absolument certain qu'un autre fardeau morbide était allongé à l'arrière de son chariot délabré.

Quand j'entrouvris la porte, Erasmus retira son chapeau et me fixa de ses yeux chassieux qui disparaissaient derrière ses paupières fripées.

— Dis au docteur que je suis arrivé, chuchota-t-il.

Il m'était inutile de l'annoncer. Le docteur surgit à côté de moi, ouvrit la porte en grand et entraîna Erasmus Gray dans la cuisine. L'entraîner est bien le terme adéquat, tant le vieil homme semblait peu disposé à entrer. Et qui pourrait l'en blâmer ? Des trois personnes qui se tenaient à présent dans la cuisine, une seule était impatiente de vivre les heures à venir, et ce n'était ni le vieil Erasmus Gray ni le jeune assistant du docteur.

— Mets tout ce que je t'ai demandé dans le chariot, Will Henry, m'ordonna le docteur, tandis que, d'une main ferme, il guidait ou, plutôt, poussait Erasmus vers le sous-sol.

L'air printanier était frais et humide, le brouillard effleurait mes joues. Quand je m'approchai avec le premier chargement, le cheval pencha la tête, comme pour me saluer. Je m'arrêtai pour flatter son encolure. Il m'observa de ses grands yeux émouvants, je songeai alors à la bête suspendue à un crochet dans la cave et à son regard empli de néant, comme l'espace entre les étoiles. Était-ce simplement le vide de la mort qui était aussi troublant dans ses yeux – ou quelque chose de plus profond ? J'avais vu mon reflet dans les yeux sans vie de l'*Anthropophagus*. À présent, dans le regard si doux de ce cheval, mon reflet semblait tout autre. Était-ce dû à la seule différence entre la chaleur d'un regard plein de vie et celui, froid, de la mort ? Ou bien mon image m'était-elle présentée selon la façon dont le spectateur me percevait – en tant que compagnon pour l'un, en tant que proie pour l'autre ?

Alors que je chargeais le dernier paquet de provisions dans le chariot, le docteur et le pilleur de tombes apparurent, portant le corps de la jeune fille, toujours drapée dans son linceul. Je m'écartai rapidement de leur passage et me réfugiai dans la lumière rassurante qui perçait à travers la porte ouverte. Une main émergeait du drap, l'index tendu, comme si la jeune morte désignait le sol.

— Ferme la maison, Will Henry, me chuchota le docteur.

Inutile qu'il me le dise, je m'approchai déjà de la porte, clé en main.

Il n'y avait pas de place pour moi sur la petite banquette à l'avant du chariot, alors je grimpai à l'arrière avec le corps. Le vieil homme saisit son fouet et fronça les sourcils en me voyant blotti à côté du cadavre de la jeune fille. Il jeta un coup d'œil au docteur.

— Le garçon vient avec nous ?

Le Dr Warthrop répliqua :

— Évidemment !

— Je vous demande bien pardon, docteur, mais ce n'est vraiment pas un endroit pour un enfant.

— Will Henry est mon assistant, répliqua le docteur avec un sourire. (Il me tapota la tête d'un air paternel.) Certes, il a l'allure d'un enfant, mais il est très mature pour son âge et beaucoup plus robuste qu'il n'en a l'air. Ses services me sont indispensables.

Le ton de sa voix indiquait clairement qu'il n'accepterait aucune autre objection de la part d'Erasmus.

Le vieil homme avait reporté son regard sur moi tandis que je m'installai comme je pouvais, frissonnant, les genoux remontés sur la poitrine. À cet instant, il me semble bien avoir décelé de la pitié dans ses yeux, une profonde compassion, et pas seulement parce que j'étais obligé de les accompagner dans cette *promenade* nocturne. Je crois qu'il comprit alors ce qu'il devait m'en coûter d'être « indispensable » au Dr Pellinore Warthrop.

Quant à moi, je me rappelais la demande naïve et désespérée faite à mon père, il y avait de cela presque un an, mon père qui, quelle ironie ! partageait à présent le même environnement que la jeune fille allongée à côté de moi : *Je veux aller avec toi. S'il te plaît, papa, emmène-moi !*

Le vieil homme se détourna avec un grognement désapprobateur. Il saisit les rênes, le chariot s'ébranla, et notre morbide pèlerinage commença.

Aujourd'hui, cher ami lecteur, de nombreuses années se sont écoulées depuis les effroyables événements de cette horrible nuit printanière de 1888.

Pourtant, malgré tout ce temps, il ne s'est pas passé un jour sans que j'y songe avec une peur grandissante. Celle d'un enfant quand sont semées en lui les premières graines du désenchantement. On aura beau la retarder, lutter de toutes nos forces contre l'amère récolte, le jour funeste de la moisson finit toujours par arriver.

La question me hante encore, et me hantera toujours, j'imagine, jusqu'à ce que je rejoigne mes parents dans leur dernier voyage. Si le docteur avait su quelles horreurs nous attendaient au cimetière non seulement cette nuit-là, mais dans les jours suivants, aurait-il quand même insisté pour que je l'accompagne ? Aurait-il exigé qu'un enfant plonge aussi profond dans le puits des souffrances et des sacrifices humains – une véritable mer de sang ? Et si la réponse à cette question est oui, alors il existe de par le monde des monstres bien plus terrifiants que les anthropophages. Des monstres qui, d'un sourire et d'une caresse rassurante sur la tête, sont prêts à sacrifier un enfant sur l'autel de leur arrogante ambition.

# TROIS

*Il semblerait utile que je révise mon hypothèse de départ*

L'Old Hill Cemetery se trouvait sur une colline dans les environs de New Jerusalem, derrière des grilles noires en fer forgé et un mur de pierre conçu pour décourager des actes similaires à celui commis par Erasmus Gray la nuit précédente. Les sépultures des premiers colons, morts au début du dix-huitième siècle, se dressaient là. Mes propres parents y étaient enterrés, tout comme le clan familial du docteur ; d'ailleurs, le mausolée de la famille Warthrop était le plus grand et le plus impressionnant tombeau des lieux. Il était situé sur le point le plus haut, au sommet de la colline. C'était une sorte de château gothique en miniature, plutôt sinistre, qui surplombait toutes les autres pierres tombales, telle la demeure d'un prince médiéval trônant au-dessus de celle de ses sujets. D'une certaine façon, les Warthrop étaient bien les princes de New Jerusalem. L'arrière-arrière-grand-père du docteur, Thomas Warthrop, qui avait fait fortune dans le commerce maritime et la vente de textiles, était l'un des fondateurs de la ville. Son fils, l'arrière-grand-père du docteur, avait effectué six mandats en tant que maire. À mon humble avis, sans le travail, l'opiniâtreté et le sens de l'économie de ses ancêtres, le Dr Warthrop n'aurait jamais pu s'offrir le luxe de devenir « philosophe en monstrologie ». En ville, sa « vocation » particulière n'était un secret pour personne. Beaucoup chuchotaient à son sujet, quelques-uns le diffamaient même, tandis que les autres le craignaient. Néanmoins, ils le laissaient tranquille, cela étant dû, j'imagine, bien plus au respect face à l'incroyable fortune accumulée par ses ancêtres qu'à la moindre estime pour ses recherches « philosophiques ». Cet état de fait était parfaitement représenté par le grand monument de pierre qui dominait le Old Hill Cemetery.

Arrivé aux grilles, Erasmus Gray serra les rênes entre ses doigts, et nous restâmes assis un moment tandis que le vieux cheval s'efforçait de reprendre son souffle après la longue et sinueuse montée jusqu'à l'entrée.

— Mon revolver, Will Henry, chuchota le docteur.

Erasmus m'observa tandis que je le lui passai, puis il détourna la tête, tout en claquant la langue d'un air désapprobateur.

— Vous avez apporté une arme, je pense, dit le docteur.

— Oui, ma Winchester. Cela dit, je n'ai jamais tiré sur plus gros qu'une grouse.

— Visez l'estomac. Juste en dessous de la bouche.

— J'essaierai, docteur, répliqua Erasmus d'un ton sec, si je suis capable de viser tout en courant dans la direction opposée.

De nouveau, il jeta un coup d'œil vers moi.

— Et le garçon ? Qu'en faisons-nous ?

— Je m'occuperai de Will Henry.

— Il devrait rester ici, à la grille, déclara le vieil homme. Il pourra faire le guet.

— Ce serait le pire endroit pour lui.

— Je peux lui laisser mon fusil.

— Mon assistant ne me quitte pas ! rétorqua le docteur avec fermeté. Will Henry, ouvre la grille !

Je sautai à bas du chariot. Devant moi se dressaient les grilles, puis la colline avec ses longs rangs de pierres tombales alignées jusqu'au sommet, caché au-delà des branches de vieux chênes, de frênes et de peupliers. Derrière moi, complètement plongée dans le brouillard, s'étendait New Jerusalem, ses habitants dormant du sommeil du juste. Comment auraient-ils pu deviner que sur cette colline, cette île de la Mort baignant dans la brume, résidait le pire des cauchemars ?

Erasmus Gray engagea son chariot dans la petite allée voisine du mur d'enceinte. À notre droite, le mur, à notre gauche, les tombes, et, au-dessus de nous, un ciel sans lune, inondé d'étoiles. L'air était calme. Il n'y avait pas un souffle de vent, et aucun bruit, mis à part le *clop-clop* des sabots du cheval, le léger grincement des roues et le craquettement des grillons. Le sol de l'allée était irrégulier, le chariot cahotait tandis que nous avancions ; à côté de moi le cadavre se balançait d'avant en arrière comme l'obscène parodie d'un bébé dans son berceau. Le vieux pilleur de tombes gardait les yeux rivés devant lui, tenant lâchement les rênes ; le docteur se penchait en arrière, scrutant anxieusement les arbres. En certains endroits, ils envahissaient l'allée, leurs branches massives s'inclinant vers nous ; le docteur examina alors leur feuillage.

— Surveille bien les alentours, Will Henry, chuchota-t-il par-dessus son épaule. Ce sont d'excellents grimpeurs. Si l'un d'eux te tombe dessus, vise ses yeux, c'est leur point faible.

Je pris un piquet en bois du paquet et suivis son regard. Dans l'obscurité noyée entre les branches au-dessus de ma tête, j'imaginai des silhouettes humanoïdes avec des crocs puissants, d'énormes bras s'accrochant aux vénérables branches des non moins vénérables chênes, et des yeux sombres brillant d'intentions malveillantes.

Nous nous approchions de la limite est du cimetière – scrutant la nuit, je voyais le mur se rapprocher – quand Erasmus engagea son chariot sur un petit chemin qui serpentait entre les arbres et conduisait au cœur même des lieux. Notre passage dérangea une créature, peut-être un écureuil ou un oiseau qui s'enfuit dans les broussailles en piaillant tandis que le docteur pointait son revolver sur les alentours ; mais il n'y avait rien à viser, seulement les ombres lugubres.

— L'ennemi ! l'entendis-je chuchoter.

Nous émergeâmes d'entre les arbres et arrivâmes dans une clairière parsemée de tombes dont le marbre luisait à la lueur des étoiles. Après cinq ou six mètres, Erasmus s'arrêta. Je me levai et regardai la tombe la plus proche, une large pierre plate gravée du nom de la famille qui possédait la concession : BUNTON.

Le vieil Erasmus pointa son doigt noueux vers la tombe en question.

— Nous y sommes. C'est celle-ci, docteur.

Le docteur sauta du chariot et s'avança vers la sépulture. Il tourna plusieurs fois autour de l'endroit, fixant le sol, marmonnant des propos inintelligibles tandis qu'Erasmus et moi demeurions enracinés à nos postes, l'observant.

Mon regard fut attiré par la pierre autour de laquelle tournait le docteur, et le nom gravé dessus. ELIZA BUNTON. 7 MAI 1872 – 3 AVRIL 1888. À peine un mois avant son seizième anniversaire, elle avait été emportée par la mort, avant d'être entraînée dans une seconde mort encore plus terrifiante. En l'espace de deux semaines, Eliza Bunton était passée du statut de jeune vierge décédée à celui d'incubateur pour la progéniture d'un monstre. Je détournai mon regard de la tombe et posai les yeux sur le cadavre allongé sous le drap blanc. Mon cœur se serra. Soudain cette jeune fille n'était plus un corps anonyme. Elle avait un nom – Eliza – et une famille qui la chérissait certainement, étant donné que ses proches l'avaient habillée de ses plus beaux atours, lui avaient passé un collier des perles les plus fines autour du cou, arrangeant même les boucles soyeuses de ses cheveux avec le plus grand soin alors que, tout ce temps, son destin n'était pas de reposer en paix parmi les siens, mais d'être *dévorée*.

Erasmus Gray avait dû sentir ma détresse : il posa une main sur mon épaule.

— Ça va aller, mon garçon, ça va aller.

Soudain, il changea de ton, s'indignant avec fermeté.

— Il n'aurait pas dû t'amener ! Ce ne sont que des histoires sordides ; il n'y a pas de place ici pour un bon chrétien, et encore moins un enfant.

D'un mouvement d'épaule, je me débarrassai de sa main. Je n'avais aucune envie qu'un homme accomplissant des tâches aussi ignobles me témoigne de la sympathie.

— Je ne suis pas un enfant !

— Pas un enfant ? Alors... mes vieux yeux me trahissent. Allons, laisse-moi t'observer un peu mieux...

Il souleva mon petit chapeau en lambeaux et examina mon visage d'un air amusé. Je me surpris à sourire malgré moi, tant son expression était comique.

— Ha ! Tu as raison, tu n'es plus un enfant – mais un beau jeune homme ! J'me d'mande bien ce qui a pu me tromper ainsi. Qu'est-ce que tu en dis, William Henry ? Je crois que c'est ton chapeau ! Il est bien trop petit pour un beau jeune homme comme toi ! Un vrai homme devrait toujours avoir un chapeau à sa taille !

D'une main, il me retira mon chapeau et, de l'autre, il jeta son grand chapeau tout mou sur ma tête ; il me tomba jusque sous les yeux, ce qui fit rire Erasmus. Il gloussa de plus en plus fort, faisant carrément trembler le chariot. Je repoussai le chapeau en arrière et observai Erasmus, sa silhouette spectrale se détachant sur le ciel de velours, mon petit chapeau perché à présent sur son crâne presque chauve. À mon tour, je lâchai un rire.

— Alors, qu'est-c'que t'en penses, Will Henry ? Tu crois vraiment que l'habit fait le moine. Pour l'heure, j'ai l'impression d'avoir rajeuni de cinquante ans – oh que oui, par Josaphat !

La voix impatiente du docteur interrompit notre discussion.

— Will Henry ! Apporte-moi la torche et les pieux ! Du nerf, mon garçon !

— Au travail, monsieur Henry ! lâcha le vieil homme avec une pointe de tristesse.

Il échangea nos chapeaux, donna une petite tape sur le mien une fois qu'il fut sur mon crâne, puis, d'un doigt, en souleva le rebord pour m'obliger à le regarder dans les yeux.

— Tu vas faire attention à moi, et moi je ferai attention à toi, Will Henry. D'accord ?

Il me tendit la main. Je la serrai avec vigueur avant de sauter à terre. Mieux valait ne pas faire attendre le docteur. Je fouillai à l'arrière du chariot et en sortis une torche ainsi qu'un paquet de pieux. Quand je le rejoignis au pied de la tombe d'Elizabeth Bunton, le docteur était à quatre pattes et reniflait la terre récemment retournée, comme un chien de chasse hume l'odeur de sa proie. Le souffle court, je restai là, la torche dans une main, les pieux dans l'autre, attendant ses instructions, tandis que, les yeux clos et le front plissé, il se concentrait.

— Je ne suis qu'un idiot, Will Henry, dit-il au bout d'un moment.

Sans se redresser, il tourna finalement la tête vers moi, et ouvrit les yeux.

— Une torche allumée, Will Henry, précisa-t-il.

Déconcerté, je me retournai, prêt à regagner le chariot, mais pivotai derechef, en entendant son nouvel ordre.

— Laisse les pieux, allume la torche, et rapporte-la-moi. Du nerf, William Henry !

Quand, essoufflé, je parvins à notre véhicule, le vieil Erasmus se tenait appuyé sur le côté du chariot, sa Winchester blottie entre ses bras. Il m'observa sans dire un mot tandis que je fouillai dans les sacs à la recherche de la boîte d'allumettes. Il tira une pipe de sa poche et commença à la remplir de tabac pendant que, de plus en plus paniqué, je cherchais frénétiquement dans tous les sens. J'étais pourtant quasiment certain d'avoir pris cette boîte d'allumettes sur le manteau de la cheminée. *Mais l'ai-je bien mise dans le sac, ou l'ai je laissée dans la cuisine ?*

— Qu'est-ce que tu cherches, mon garçon ? demanda Erasmus avant de sortir une allumette du fond de sa poche et de la gratter sur la semelle de sa vieille botte.

Je levai les yeux vers lui, des larmes brûlant mes paupières. Comment avais-je pu oublier les allumettes !

Le vieil homme porta la flamme à sa pipe. Aussitôt, le doux arôme de son tabac emplit l'air.

— Will Henry ! appela le docteur.

Je pris soudain conscience que j'avais la solution sous les yeux et suppliai Erasmus de me donner une allumette. Les mains tremblantes, j'allumai la torche et retournai au petit trot vers le docteur. À présent, je comprenais mieux son sermon sur la panique et la peur : perdre mes nerfs m'avait aveuglé, m'empêchant de voir l'évidence – l'allumette d'Erasmus à portée de main quand j'en avais tant besoin.

Le docteur s'empara de la torche et m'interrogea :

— Quel est notre ennemi, Will Henry ?

Sans attendre ma réponse, il tourna les talons et recommença à arpenter les pourtours de la tombe.

— Donne-moi les pieux, Will Henry ! Et reste près de moi !

Le paquet de pieux en main, je le suivis. Tout en avançant, le docteur tenait sa torche bien bas pour éclairer le sol. Il s'arrêtait de temps à autre, me demandait un pieu, tendait sa main derrière lui. J'y glissai l'un des bâtons. Il le plantait alors dans la terre. Il continua ainsi jusqu'à en avoir planté cinq, un de chaque côté de la pierre tombale, et trois autres à environ cinquante centimètres de la terre fraîchement retournée de la fosse. J'ignorais pourquoi il marquait ces endroits de la sorte. À mes yeux, la terre était partout la même. Après avoir contourné la sépulture encore deux fois – en s'éloignant de quelques pas de plus à chaque tour –, le docteur s'arrêta et, tenant la torche bien haut cette fois, il contempla son travail.

— C'est le plus curieux, marmonna-t-il. Will Henry, avance et presse les pieux.

— Que je presse les pieux, monsieur ?

— Essaie de les enfoncer un peu plus profondément.

Malgré mes efforts, je fus incapable de les enfoncer de plus d'un centimètre supplémentaire dans le sol rocailleux. Quand je le rejoignis, le docteur secoua la tête de consternation.

— Monsieur Gray ! appela-t-il.

Le vieil homme nous rejoignit en traînant les pieds, son fusil au creux du bras. Le docteur se tourna vers lui, tenant toujours sa torche bien haut. La lueur de la flamme dansait sur les traits burinés du vieux bonhomme, dessinant des ombres sur son visage fatigué.

— Comment avez-vous trouvé la tombe ? s'enquit le docteur.

— Oh, je savais où se trouvait le tombeau de la famille Bunton, docteur.

— Non, je veux dire, dans quel état ? Avez-vous remarqué qu'elle avait été fouillée ?

Erasmus secoua la tête.

— Si cela avait été le cas, docteur, je ne me serais pas donné tant de peine.

— Pourquoi ?

— Parce que cela aurait signifié que quelqu'un aurait eu le trophée avant moi.

Quelqu'un avait bel et bien eu le « trophée » avant lui, d'où la question du docteur.

— Donc vous n'avez rien remarqué d'extraordinaire, hier soir ?

— Seulement quand j'ai ouvert le cercueil, répondit le vieil homme d'un ton sec.

— Aucun trou ou monticule de terre à côté ?

De nouveau, Erasmus secoua la tête.

— Non, monsieur. Rien de tout ça.

— Pas d'effluves suspects ?

— D'effluves ?

— Avez-vous senti quelque chose de bizarre, comme une odeur de fruits pourris ?

— Seulement quand j'ai ouvert le cercueil. Mais l'odeur de la mort ne m'est pas si étrangère, docteur Warthrop.

— Avez-vous entendu quelque chose qui sorte de l'ordinaire ? Un reniflement ou un sifflement ?

— Un sifflement ?

Le docteur siffla à travers ses dents serrées.

— Comme ça.

Une fois de plus, Erasmus secoua la tête.

— Tout se passait normalement, docteur, jusqu'à ce que j'ouvre le cercueil.

Il frissonna à ce souvenir.

— Jusqu'à ce moment-là, vous n'avez rien remarqué d'inhabituel ?

Le vieux profanateur répondit que non, il n'avait rien remarqué d'inhabituel. Le docteur se détourna pour observer la tombe, le caveau familial, le terrain autour, et la rangée d'arbres à sa droite, qui bordait l'allée à côté du mur de pierre, à présent dissimulé par d'épais buissons.

— Vraiment étrange, marmonna-t-il.

Il secoua la tête comme pour s'obliger à émerger de ses pensées.

— Le mystère s'approfondit. Creusez, monsieur Gray. Et toi, Will Henry, creuse avec lui. Nous reviendrons à l'aube. Espérons que nous aurons plus de chance au lever du soleil. Peut-être que la lumière du jour illuminera les indices que nous dissimulent ces ténèbres. Allons, du nerf, Will Henry !

Le docteur nous abandonna pour se précipiter vers les arbres. Courbé en avant, il balayait le sol de la lueur de sa torche tout en marmonnant.

— Je n'entrerais pas dans ce bosquet, si j'étais lui, lâcha Erasmus d'un ton sec. Mais, après tout, ce n'est pas moi le chasseur de monstres, n'est-ce pas ?

Il posa une main calleuse sur mon épaule.

— Mettons-y du nerf Will Henry, comme dit ton maître ! Allez ! Au travail !

Vingt minutes plus tard, malgré la douleur qui me vrillait le dos et les épaules, et mes paumes en feu, nous n'avions guère avancé. Le sol de New Jerusalem, comme la majeure partie des terrains de la Nouvelle-Angleterre, est sec et rocailleux. Bien qu'il ait été retourné vingt-quatre heures auparavant par Erasmus Gray, dans sa quête de macabres richesses, le sol de la tombe d'Eliza Bunton résistait obstinément à nos efforts. Tout en creusant, ou plus exactement en tentant de creuser, je songeais à l'énorme mâle *Anthropophagus,* qui sans aucun outil, mis à part ses mâchoires dures comme de l'acier, avait réussi à percer un tunnel dans ce même sol pour atteindre sa proie. Comme le docteur, je trouvai curieux que nous ne remarquions pas de trace de sa présence, et qu'Erasmus prétende ne pas en avoir noté la veille. Était-ce à cause de l'obscurité ? Enfiévré à l'idée de dénicher un butin, Erasmus avait-il ignoré des preuves manifestes ? Les aurait-il négligées dans sa hâte de se replier avec sa mons-trueuse découverte ?

À une cinquantaine de mètres de nous, nous enten-dions le Dr Warthrop, qui se déplaçait dans les taillis et foulait les feuilles mortes de l'automne précédent, le bruit de ses pas ponctué de temps à autre par de petits cris de consternation. Au premier de ses cris, Erasmus avait levé la tête, pensant, à l'évidence, que le docteur avait trouvé un spécimen vivant de cette espèce accrochée dans notre cave. À moins qu'il n'ait été découvert par l'un d'entre eux. Je le rassurai aussitôt : ce n'étaient là des cris ni de panique ni de peur, mais plutôt des exclamations de frustration, semblables à celles d'un chercheur d'or dont le tamis demeure obstinément vide.

Visiblement découragé, le docteur nous rejoignit et se laissa tomber à côté de notre fosse, puis il planta l'extré-mité de sa torche dans le tas de terre que nous avions dégagée. Il replia ses genoux contre son torse et noua ses bras autour, fixant nos visages striés de sueur avec l'expression d'un homme qui vient de subir une perte irremplaçable.

— Alors ? Vous avez trouvé quelque chose, docteur ? demanda Erasmus.

— Rien du tout !

Contrairement au docteur, Erasmus paraissait soulagé.

— Cela défie toute logique, dit le docteur sans s'adresser à aucun de nous en particulier. Toute raison. Ce ne sont pas des fantômes. Ils ne peuvent pas non plus flotter comme des corps astraux au-dessus de la terre pour se projeter d'un endroit à un autre. Il a dû découvrir le corps de cette jeune fille grâce à son odorat très développé, mais cela signifie qu'il aurait rampé sur le terrain, néanmoins je ne trouve aucune trace de son passage.

Le docteur s'approcha de l'un des pieux et le retira du sol, puis le tourna et le retourna avec dextérité entre ses doigts.

— Il aurait dû laisser un trou de respiration, mais il n'y en a pas. Tout comme il aurait dû laisser une trace, pourtant l'herbe ne semble même pas avoir été foulée.

Il baissa les yeux sur nos visages levés vers lui. Il nous fixa ; nous le fixâmes ; nous demeurâmes tous silencieux durant un moment.

— Eh bien ! Grand Dieu, pourquoi restez-vous plantés ainsi ? Creusez. Creusez !

Il se leva, et, frustré, lança le pieu en direction des arbres. Il disparut au sein des ombres sombres, déclenchant un bruissement de branches brisées et de feuilles mortes.

Du petit chemin derrière nous parvint alors comme un bruit de soufflerie. Aussitôt, nous tournâmes tous la tête dans sa direction.

Les naseaux écarquillés, la vieille jument roulait des yeux et piétinait le sol de ses antérieurs. Elle poussa un hennissement.

— Qu'est-ce qu'il y a, ma vieille Bessie ? chuchota Erasmus. Qu'est-ce qui te perturbe, ma fille ?

La jument pencha la tête, étira sa maigre encolure et frappa le sol de ses sabots. Le vieux chariot grinça, ses roues délabrées crissèrent. Je jetai un coup d'œil au docteur, qui fixait l'animal.

— Quelque chose l'a effrayée, affirma Erasmus.

— Silence ! ordonna le docteur.

Avec lenteur, il pivota sur ses talons, scrutant les lieux et le chemin qui serpentait entre les pierres tombales, sentinelles brillantes sous la lueur des étoiles, puis se figea, nous tournant le dos, fixant l'obscurité qui baignait les arbres. Durant un long et horrible moment, il n'y eut plus aucun bruit, mis à part les doux reniflements de Bessie et le bruit de ses sabots qui continuaient à marteler le sol. Les épaules crispées, le docteur leva sa main gauche, nous ordonnant ainsi de rester silencieux. Un terrible pressentiment m'envahit. Quelques secondes s'écoulèrent encore, pendant lesquelles la nervosité de la jument s'accrut, tout comme la mienne.

Et soudain, trouant l'horrible silence, un sifflement s'éleva en provenance des arbres.

Faible et grave à la fois. Rythmé. Il ne provenait pas d'un point particulier, mais de plusieurs. Étaient-ce des échos – des répliques ? Le sifflement n'était pas continu, mais sporadique : shhh… une pause… shhh… une pause… shhhhhhh…

Tournant la tête par-dessus son épaule, le docteur me fixa.

— Will Henry, chuchota-t-il, as-tu bien pensé à remplir les pots avec de la poudre ?

— Oui, monsieur, chuchotai-je à mon tour.

— Va les chercher immédiatement. Sans geste brusque, Will Henry, me prévint-il, tandis que je m'extirpais de la fosse.

Il plongea la main dans la poche de son manteau qui contenait son revolver.

— J'ai laissé mon fusil dans le chariot, dit Erasmus. Je vais récupérer les pots. Le gamin devrait...

— Non ! Restez où vous êtes ! Vas-y, Will Henry. Ramènes-en autant que tu peux.

— Et mon fusil aussi si possible, Will ! glapit Erasmus.

En m'éloignant, je l'entendis chuchoter sur un ton anxieux au docteur :

— Aucun de nous ne devrait rester ! Nous reviendrons quand il fera jour. C'est une folie de...

Le docteur l'interrompit avec sécheresse. J'étais incapable de comprendre ses paroles, mais j'étais certain du sens général de sa réplique. À la lueur des événements ultérieurs, son refus têtu d'obéir à notre instinct le plus basique, qu'il caractérisait comme « notre ennemi », eut un coût terrible. Parfois, la peur n'est pas notre ennemie. Parfois, elle est notre seule véritable amie.

Je vidai le contenu du sac à l'arrière du chariot, puis le remplaçai par les pots – quatre petits bidons de la taille de boîtes à café – remplis de poudre. Bessie tourna la tête dans ma direction et poussa un lourd hennissement, une pitoyable supplication, réplique équine de la requête angoissée de son maître, *aucun de nous ne devrait rester !* Bien que pressé, je pris le temps de m'arrêter pour la réconforter d'une bonne tape sur l'encolure. Puis je me dirigeai vers la tombe, le sac en toile de jute dans une main, le fusil d'Erasmus dans l'autre. Comme ce retour jusqu'au trou à moitié creusé me sembla long ! Pourtant, quand je le rejoignis, c'était comme si le temps s'était immobilisé. Erasmus était toujours agenouillé dans la fosse, et le docteur toujours debout à côté. À quelques centimètres sur sa gauche, la lueur de la torche qui tremblait sur son support découpait sa longue silhouette dégingandée en une ombre presque effrayante sur le sol. Erasmus saisit le canon de son fusil et me l'arracha des mains, puis, comme un soldat prêt au combat, s'agenouilla dans la fosse de sorte qu'on ne voyait plus que le sommet de sa tête au-dessus du trou.

Le sifflement s'était arrêté. Seul le silence régnait, rompu par les hennissements de peur de la vieille jument. Si elle s'enfuyait, qu'aurions-nous comme moyen de repli ? Si les monstres nous attaquaient, si nous n'avions pas assez de balles, comment pourrions-nous vaincre une créature capable de sauter à plus de quinze mètres ? Les minutes s'égrenaient. La nuit était calme. À un certain moment, Erasmus s'adressa à nous en chuchotant depuis son refuge :

— Dieu merci, ils sont partis. Nous devrions en faire autant, docteur. Mieux vaut revenir à l'aube. Je préfère être découvert par des hommes que...

— Taisez-vous, vieil imbécile ! murmura le docteur. Donne-moi un pot, Will Henry !

Je pris l'un des petits bidons dans le sac et le déposai dans sa main gauche. (Sa droite tenait son arme.) Il approcha la mèche de la torche et, d'un geste ample, jeta le pot vers les arbres. Il explosa en une gerbe de lumière aveuglante, comme le flash d'un appareil de photographie. Derrière nous, Bessie se débattait contre son harnais et, dans la tombe, Erasmus Gray poussa un cri étranglé. À cause de la lueur, je ne voyais plus rien. Elle disparut en un instant, ne laissant sur ma rétine que l'image rémanente des arbres et non, comme je l'avais redouté, celle d'une créature monstrueuse au torse orné de dents acérées.

— Encore plus curieux, affirma le docteur. Donne-moi un autre pot, Will Henry.

— Ils sont partis, j'vous dis, docteur !

Comme bien souvent pour les humains en pareil cas, la peur d'Erasmus Gray s'était transformée en colère.

— On n'est même pas sûrs qu'ils étaient là ! poursuivit-il. Vous savez, on entend de drôles de choses dans le cimetière, durant la nuit. Vous pouvez me croire ; j'ai l'habitude de v'nir ici ! Maintenant, vous pouvez rester, si vous l'voulez, docteur Pellinore Warthrop, mais moi et ma jument, on s'en va ! J'vous ai déjà dit qu'on aurait pas dû venir ce soir, et qu'on aurait pas dû non plus amener cet enfant. Moi, je fiche le camp d'ici et, si vous voulez que je vous raccompagne en ville, vous venez avec moi.

Il déposa son fusil à nos pieds et s'apprêta à sortir du trou.

Mais Erasmus Gray ne quitta jamais cette fosse.

Une gigantesque patte, qui devait bien mesurer le double d'une main humaine, et dont les doigts d'un blanc laiteux se terminaient en redoutables griffes de plusieurs centimètres, surgit brutalement du sol entre ses pieds, suivie par un bras musclé et dépourvu du moindre poil, taché de terre et de calcaire. Et soudain, tel un Léviathan émergeant des profondeurs, d'énormes épaules s'élevèrent de terre ; la lueur de la torche éclaira d'abominables yeux noirs impassibles, puis – située au milieu du torse triangulaire de la créature – apparut l'effroyable gueule béante, bordée de trois rangées de crocs pointus, et prête à mordre, comme celle d'un requin excité par l'odeur du sang. L'impressionnante patte se referma sur la cuisse d'Erasmus ; les griffes se plantèrent dans sa chair. Erasmus tendit le bras dans notre direction, ses lèvres ouvertes en un cri d'horreur et de douleur ; cette vision me hante encore aujourd'hui, sa bouche béante qui révélait ses dents gâtées, sordide imitation de la gueule du monstre entre ses jambes.

Bêtement, d'instinct – et sûrement à la grande consternation du docteur – j'attrapai le poignet d'Erasmus. À l'intérieur de la tombe, l'*Anthropophagus* broyait la jambe d'Erasmus, ses crocs refermés sur son mollet. Je glissai d'une bonne cinquantaine de centimètres en avant, jusqu'à ce que ma tête et mes épaules disparaissent dans la fosse, et que les cris du vieil homme résonnent à mes oreilles comme des coups de tonnerre. En dessous, l'énorme gueule continuait son festin, mastiquant bruyamment vers le haut tandis que les puissantes griffes tiraient Erasmus vers le bas, sa jambe libre s'agitant comme celle d'un homme en train de se noyer et qui tente vainement de remonter à la surface. Je sentis la main du docteur sur ma taille, sa voix à peine audible par-dessus les cris du condamné.

— Lâche-le, Will Henry ! *Lâche-le !*

Mais ce n'était pas moi qui tenais Erasmus d'une poigne de fer, c'était lui qui se cramponnait à moi. Ses doigts agrippaient mon poignet, et il m'entraînait dans la fosse avec lui. Je compris que le Dr Warthrop m'avait lâché, et je glissai soudain en avant. Tout à coup, je vis le canon du revolver du docteur contre le front d'Erasmus. Je tournai la tête, tentant de m'épargner l'horrible spectacle, tandis que le docteur pressait la détente, mettant ainsi un terme définitif aux cris de douleur et de panique du vieux pilleur de tombes. De grosses giclées de sang, des morceaux d'os et des lambeaux de cervelle éclaboussèrent ma nuque.

Les doigts autour de mon poignet relâchèrent leur emprise, et le corps d'Erasmus Gray s'effondra au fond du trou, masquant un court instant l'immonde créature à la gueule ensanglantée en dessous de lui. J'entendais néanmoins ses mâchoires s'activer, l'écœurante mastication de ses dents qui broyaient les os et les chairs, semblable au sourd grognement d'un sanglier dans les broussailles se repaissant de sa proie.

Avec une force stupéfiante – sans nul doute due à l'adrénaline –, le docteur m'attrapa par le fond du pantalon, me tira en arrière et me remit sur pied. Puis il me poussa en direction de l'allée, et m'ordonna – bien qu'il n'en ait nul besoin étant donné les circonstances :

— COURS !

J'obtempérai. Hélas, la vieille Bessie fit de même, avec une énergie impressionnante pour une jument de son âge. Tandis que je fonçais vers le chariot, celui-ci s'éloignait de moi. Paniquée, Bessie avait déserté l'allée et filait entre les tombes à travers le cimetière. Je n'osais pas regarder derrière moi, mais j'entendais, tout près, les appels du docteur qui semblaient provenir de toutes les directions.

Comme je l'ai déjà dit, j'étais rapide pour ma taille, pourtant le docteur Warthrop, qui avait une foulée plus longue, me dépassa. Il atteignit l'arrière du chariot avant moi, s'y jeta, atterrit directement sur le cadavre de la jeune fille, puis il me tendit la main.

Était-ce mon imagination, ou ai-je réellement senti quelque chose juste derrière moi, un souffle chaud sur ma nuque, le *tap-tap-tap* de ses lourds pas sur la terre, tout près ? Le sifflement s'était fait plus rauque, comme un cri de frustration mêlé de rage.

Le docteur était allongé à plat ventre à côté du corps d'Eliza, sa main gauche tendue vers moi. Je tentai de la saisir. Nos doigts s'effleurèrent un instant, mais le chariot ne cessait d'osciller d'un côté à l'autre. La vieille Bessie fila à droite, puis à gauche, traçant son chemin à travers les pierres tombales sans but précis, sa fuite seulement dictée par l'instinct. Le docteur cria quelque chose. J'avais beau n'être qu'à un mètre ou deux de lui, je ne compris pas ses mots. Son revolver en main, il tendit le bras droit dans ma direction et visa par-dessus mon épaule. Il cria de plus belle, et je sentis qu'on agrippait le dos de ma chemise. Le monstre s'était élancé derrière moi. À l'évidence, mon assaillant n'était pas un produit de mon imagination.

Les doigts de la main gauche du docteur saisirent mon poignet. Comme Erasmus dans la tombe, il me tira vers lui, mais cette fois en direction de la vie et non de la mort, et me hissa sur le chariot à côté de lui. À ma grande surprise, il m'abandonna illico, plaquant son revolver entre mes mains tremblantes et me criant à l'oreille :

— Je passe devant !

Ce qu'il fit, avançant à quatre pattes vers le siège et les rênes qui étaient notre seule chance de survie. Je ne m'étais jamais servi d'une arme de ma vie, mais je fis feu aussitôt et tirai sans relâche – jusqu'à ce que le barillet soit vide – en direction des silhouettes massives qui nous poursuivaient. Elles surgissaient par douzaines d'entre les arbres, émergeaient de la tombe d'Eliza, courant vers nous bras tendus et gueules béantes, leur peau dépourvue de couleur brillant sous la lumière des étoiles, comme si chaque tombe, chaque sépulture, avait vomi son contenu répugnant.

Nous étions visiblement dépassés par leur nombre. Horrifié, j'observais cet essaim de démons grignoter la distance qui nous séparait : l'âge avancé de Bessie prenait malheureusement le pas sur son instinct de fuite, et sa foulée se ralentissait.

Devant moi, le docteur lâcha une bordée de jurons digne d'un marin en colère et, dans un terrifiant bruit de bois brisé, le chariot s'arrêta brusquement. L'impact me fit tomber sur le dos, et seul le cadavre d'Eliza Bunton m'évita de me fracasser le crâne sur les planches. Je me redressai aussitôt et constatai que la vieille jument s'était précipitée entre deux énormes érables : elle avait réussi à y passer, mais pas le chariot. Nous étions bloqués.

Le Dr Warthrop réagit sur-le-champ. Il bondit de son siège dans le chariot à mes côtés. Les *Anthropophagi* étaient à environ trois cents mètres de nous, mais je les sentais d'ici ; jamais je n'avais perçu une telle puanteur auparavant, elle m'évoquait celle de fruits pourrissants.

— Dégage de là, Will Henry !

À genoux, je gagnai l'avant du chariot. Le docteur saisit le cadavre de la jeune fille par les épaules, et, avec un cri aussi primal que celui des créatures derrière nous, le jeta par-dessus bord. Le cadavre heurta le sol en un bruit sourd.

— Le harnais ! hurla-t-il. Défais le harnais, Will Henry !

Je bondis à terre, près de Bessie. La pauvre jument était folle de terreur. Elle roulait des yeux, soufflait bruyamment, de la bave lui coulait aux commissures. Je vis une forme se dresser face à moi et poussai un cri involontaire, ce n'était que le docteur qui s'occupait de détacher le harnais de l'autre côté.

— Will Henry !

— Ça y est, c'est fait !

Il enfourcha Bessie, et me tendit la main pour me hisser derrière lui.

Bessie n'eut pas besoin que nous lui donnions un quelconque ordre. Elle bondit en avant, guidée à présent d'une main ferme par le docteur, en direction de l'allée qui nous amènerait aux grilles du cimetière, puis jusqu'à la route. Je me retournai une fois, une seule, puis plaquai ma joue contre le dos du docteur, fermant les yeux, agrippant sa taille, essayant d'ignorer ce que je venais de voir.

La tentative désespérée du docteur avait porté ses fruits : le groupe de monstrueuses créatures avait cessé de nous poursuivre, préférant s'attaquer au cadavre, le dépeçant en une frénésie vorace, envoyant voltiger des lambeaux du linceul blanc en tous sens, arrachant les bras de la défunte, ses jambes et sa tête de son torse, engloutissant de gros morceaux de chair dans leurs gueules géantes. La dernière chose que je vis avant d'enfouir mon visage dans le manteau du docteur, ce furent les belles boucles brunes d'Eliza Bunton dégoulinant de l'une des impressionnantes mâchoires.

Jusqu'aux grilles... puis au-delà. Sur la route de Old Hill Cemetery... et jusqu'à New Jerusalem. Bessie passa du galop au trot, puis, épuisée, ralentit encore l'allure. Elle se traînait, la tête basse, les flancs et le dos luisant et glissant de sueur. Comme elle, après ce terrifiant épisode nocturne, nous retrouvâmes progressivement notre calme, et les seules paroles du docteur dont je me souviens durant ce long trajet de retour à la maison furent :

— Eh bien, Will Henry, il semblerait utile que je révise mon hypothèse de départ.

# QUATRE

Il se fait tard

Dès notre retour à la maison d'Harrington Lane, le docteur m'envoya à l'étage pour que je me lave et me débarrasse de mes vêtements souillés. J'étais couvert de la tête aux pieds de poussière et de fragments humains. Le côté droit de mon visage était maculé de sang coagulé, d'éclats d'os, et de petits morceaux de ce cerveau qui avait été celui d'Erasmus Gray depuis soixante ans. Des gravillons et des brindilles tombèrent de mes cheveux emmêlés, bouchant le lavabo qui se remplit très vite d'eau teintée d'une écœurante nuance rosâtre. Dégoûté, je plongeai une main dans l'eau souillée pour déboucher l'évacuation, une curiosité morbide attirant mon regard sur les matières visqueuses ondulant à la surface. Ce n'était pas tant l'horreur qu'une sorte d'émerveillement qui enflammait mon imagination : soixante années de rêve, de désir, d'espoir, d'amour, tout cela anéanti en un seul instant.

L'esprit d'Erasmus s'en était allé ; aussi légers que du pop-corn, les vestiges de son enveloppe terrestre flottaient dans l'eau. Qu'est-ce qui animait ton ambition, Erasmus Gray ? Quels étaient ta fierté, ton orgueil ? Ah, quelle absurdité que la vanité de notre espèce ! N'est-ce pas l'arrogance ultime de croire que nous sommes plus qu'un corps de chair et de sang ? Quel argument peut-on objecter aux paroles de l'Ecclésiaste : « Vanité des vanités, tout est vanité » ?

— Will Henry ! appela la voix du docteur de l'étage inférieur. Will Henry, où diable es-tu ? Du nerf, Will Henry !

Je le rejoignis dans la bibliothèque, où je le trouvai à mi-hauteur d'une échelle sur roulettes, posée contre les étagères qui s'élevaient jusqu'au plafond. Le docteur ne s'était pas donné la peine de retirer son manteau, ni ses chaussures tachées de boue ; apparemment, il ne pouvait se permettre de perdre du temps à se changer ou à se laver. Sans dire un mot, il désigna les étagères à sa droite, et je fis rouler l'échelle jusque-là. Derrière nous, sur la large table qui envahissait la pièce, quatre piles de livres étaient posées sur les coins d'une large carte de New Jerusalem et de ses environs.

— Où est-il ? bougonna-t-il en faisant courir son doigt sur les dos craquelés de volumes anciens. Où ? Ah ! le voilà ? ! Attrape-le, Will Henry !

Il retira un gros livre de l'étagère et le lança à terre où il atterrit avec grand bruit sur le tapis à côté de moi. Je levai les yeux vers le docteur, qui baissait les siens vers moi ; un côté de son visage était maculé de boue ; ses cheveux, aussi sales et emmêlés que les poils d'un corniaud qui se serait roulé dans la gadoue, lui tombaient sur le front.

— Je t'avais demandé de l'attraper, lâcha-t-il d'une voix sourde.

— Désolé, monsieur, marmonnai-je avant de ramasser le livre pour le porter sur la table.

Je jetai un coup d'œil au titre : *Histoires* d'Hérodote. Je parcourus quelques-uns des minces feuillets. Le texte était en grec ancien. Je me tournai alors vers le monstrologue.

Le Dr Warthrop descendait de l'échelle.

— Pourquoi me fixes-tu comme ça ?

— M. Gray…, commençai-je.

Mon maître m'interrompit aussitôt.

— Nous sommes tous des esclaves, Will Henry, dit-il en me prenant le livre des mains pour le poser sur la pile la plus proche. Certains sont esclaves de la peur. D'autres de la raison – ou de leurs désirs. C'est notre sort d'être esclaves, Will Henry, et la question est : quel maître devons-nous servir ? La vérité ou le mensonge, l'espoir ou le désespoir, la lumière ou les ténèbres ? Moi j'ai choisi de servir la lumière, même si cette dernière nous entraîne souvent dans l'obscurité. Ce n'est pas le désespoir qui m'a incité à appuyer sur la gâchette, Will Henry ; c'est la pitié qui a guidé ma main.

Je ne répondis rien, me contentant de déglutir, les yeux brouillés de larmes. Le docteur ne fit aucun geste pour me réconforter, et je doute même que me consoler lui soit venu à l'esprit. Il ne se souciait pas de savoir si je lui pardonnais d'avoir tué Erasmus. Le Dr Warthrop était un scientifique. Le pardon ne lui importait guère, seule la compréhension primait.

— Son destin a été scellé dès l'instant où la créature a frappé, poursuivit-il. Vois-tu, il n'y a pas plus absurde que ce précepte : « Tant qu'il y a de la vie, il y a de l'espoir. » Tout comme la truite est condamnée dès qu'elle a mordu à l'hameçon, il n'y avait plus aucun espoir pour lui, une fois que ces terrifiantes griffes ont surgi. Je sais qu'il me remercierait s'il le pouvait. Tout comme je te remercierais, Will Henry.

— Me remercier, monsieur ?

— Si jamais je rencontrais un jour le même terrible sort, je prie pour que tu agisses pareillement pour moi.

Il n'ajouta rien, mais je pouvais lire dans ses yeux sombres le corollaire à sa prière blasphématoire : *tout comme tu devrais prier que j'agisse de même à ton égard.* Si c'était à moi que s'en était pris ce monstre dans la fosse d'Old Hill, le docteur n'aurait pas hésité une seconde à m'accorder sa pitié par la grâce de son arme. Quoi qu'il en soit, je ne discutai pas avec lui. À douze ans, j'étais incapable de trouver les mots pour exprimer à quel point mon sens de la justice avait été offensé par le cynisme de cet adulte autoritaire. Je me contentai donc de hocher la tête. Oui, je hochai la tête, le visage néanmoins rouge d'indignation. Peut-être étais-je esclave d'un concept que le docteur trouvait idiot, voire puéril : l'idée que toute vie valait la peine d'être défendue et que rien ne justifiait de capituler devant les forces du Mal. Si j'avais su, cette nuit-là, quelles horreurs allaient bientôt surgir du sombre ventre de la Terre, j'aurais alors préféré me jeter dans ses bras pour y chercher le réconfort que seul peut vous donner celui qui s'est déjà engagé sur le chemin des ténèbres, plutôt que de vouloir combattre son arrogance de mes poings d'enfant.

— Mais assez de philosophie ! s'exclama-t-il, indifférent à mon trouble. Passons aux choses pratiques et urgentes, Will Henry.

Il contourna la longue table et fixa la carte, sur laquelle il avait déjà encerclé New Jerusalem d'un trait rouge.

— À l'évidence, les événements de cette nuit prouvent que mon hypothèse de départ était fausse. Il s'agit d'un troupeau mature d'*Anthropophagi*, dont le mâle alpha repose à présent dans notre sous-sol. Je pense qu'il y a environ vingt à vingt-cinq femelles reproductrices, et quelques jeunes. Ils doivent donc être à peu près une trentaine en tout, même si les circonstances permettent difficilement d'en établir un compte exact.

Il leva les yeux de la carte.

— As-tu réussi à les compter, toi, Will Henry ? demanda-t-il, comme s'il considérait vraiment plausible que j'aie songé à compter ces créatures tout en fuyant.

— Non, monsieur.

— Mais d'après ton observation, vingt-cinq à trente spécimens, est-ce que cela te semble juste ?

*D'après mon observation* – étouffée, je dois l'admettre, par la terreur – cent trente aurait été un nombre plus juste. J'avais eu l'effarante impression que le cimetière était envahi par ces monstres, surgissant de partout.

— Oui, monsieur, je dirais vingt-cinq. De vingt-cinq à trente.

— Balivernes ! cria-t-il en claquant de la main sur la table – ce qui me fit sursauter. Ne me dis jamais ce que tu penses que j'aimerais entendre, Will Henry ! Jamais ! Comment puis-je compter sur toi si tu te contentes de te comporter comme un perroquet ? C'est une habitude détestable, qui, hélas, ne se limite pas aux enfants. Tu dois toujours dire la vérité, toute la vérité, en toutes circonstances ! Aucun homme ne s'est jamais élevé vers la grandeur en étant obséquieux. À présent, sois honnête. Tu ignores carrément s'ils étaient trente, cinquante, ou deux cent cinquante, n'est-ce pas ?

Je baissai la tête.

— Effectivement, monsieur, je l'ignore.

— Tout comme moi, admit-il. Je ne peux qu'émettre des suppositions, basées sur mes lectures.

Il prit le livre d'Hérodote, et en feuilleta rapidement les pages jusqu'à un passage en grec ancien qu'il lut à voix haute. Après quelques instants, il ferma le livre, le reposa sur la pile et se concentra de nouveau sur la carte. Sortant une règle de sa poche, il mesura la courte distance entre New Jerusalem et la côte, puis procéda à des calculs sur un petit carnet, marmonnant entre ses dents tandis que, pour ma part, jusqu'alors l'objet de toute son attention, je me tenais là, seul, abandonné. Jamais de toute ma vie je n'ai par la suite rencontré d'homme avec un pouvoir de concentration plus puissant, et dois-je le dire, plus épuisant, que le sien. Après que la lumière éblouissante de son attention se fut détournée de moi, je me sentis soudain comme une personne tombant au fond d'un puits, plongeant de l'éclatante lueur du soleil dans les plus profondes ténèbres.

Le docteur prit plusieurs mesures, des frontières de notre comté à divers ports maritimes le long de la côte, les notant chacune avec précaution dans son carnet, traçant de petites lignes du bord de sa règle. Notre ville se trouvait à une journée de chevauchée de la côte, et bientôt le parchemin fut rempli de douzaines de lignes qui se croisaient en tous sens, telle une toile d'araignée. Je n'en étais pas tout à fait sûr, mais je présumai qu'il essayait de découvrir la route empruntée par les monstres jusqu'à New Jerusalem. Je dois avouer que je trouvais extrêmement curieux qu'après notre escapade le Dr Warthrop perde un temps précieux à cet exercice intéressant, certes, mais qui me semblait inutile. Qu'importait la provenance de ces créatures ou comment elles avaient réussi à gagner notre région ? Notre temps ne serait-il pas mieux employé à réunir tous les hommes de la ville pour une chasse aux monstres ? Les *Anthropophagi* étaient parmi nous – et visiblement affamés. J'étais incapable de chasser de mon esprit la vision des cheveux d'Eliza Bunton qui pendouillaient des mâchoires de l'*Anthropophagus* vorace. Pourquoi rester là, à lire ces vieux grimoires, à étudier les cartes, à prendre des mesures tandis qu'une meute d'une trentaine de créatures cauchemardesques arpentait la campagne ? À mon humble avis, résoudre le mystère de leur présence à New Jerusalem était tout de même moins important que leur éradication. Nous aurions dû réveiller les habitants du comté afin qu'ils puissent fuir l'attaque des *Anthropophagi* ou ériger des barricades contre leur assaut. Notre survie était en jeu. *Qui d'autre va périr cette nuit de la même façon atroce qu'Erasmus Gray, tandis que le docteur trace des lignes sur sa carte, lit ses livres en grec ancien et prend des notes dans son petit carnet ? Qui d'autre sera sacrifié sur l'autel de la science ?* Si un garçon de douze ans pouvait se poser de telles questions, nul doute qu'un scientifique comme le Dr Warthrop le pouvait aussi.

Je cogitais sur tout cela, cherchant les réponses à mes questions tout en songeant à la tirade du docteur sur les dangers de la peur. Était-ce donc ça ? Cet homme, le plus grand monstrologue de l'époque, était-il submergé par l'effroi, et ses recherches frivoles (à mes yeux) en cette heure tardive de la nuit étaient-elles un moyen d'éviter la vérité triste et nue qui s'imposait à lui ? En d'autres termes, le grand Pellinore Warthrop avait-il la trouille ?

Tout en me persuadant que ce n'était pas par pur égoïsme, mais par volonté d'aider mes semblables, j'osai enfin m'exprimer. Pour tous ces innocents inconscients du danger mortel à leurs portes, pour le vieil homme endormi dans son lit et le bébé bien au chaud dans son berceau, je posai enfin les questions qui me taraudaient.

— Docteur Warthrop. Monsieur ?

Il me répondit sans interrompre son travail.

— Qu'y a-t-il, Will Henry ?

— Dois-je réveiller le commissaire ?

— Le commissaire ? Pour quoi faire ?

— Pour... pour demander son aide.

— Son aide ? Pour quoi ?

— Pour nous aider, monsieur. Avec la... l'infestation...

Absorbé dans ses mesures, il eut un geste méprisant dans ma direction.

— Les *Anthropophagi* ne chercheront pas à s'alimenter de nouveau cette nuit, Will Henry.

Il était toujours penché au-dessus de sa carte, ses cheveux sombres lui tombant sur le front, ses lèvres plissées en une moue concentrée.

Si son hypothèse de départ n'avait pas été totalement erronée, j'aurais laissé tomber le sujet : cette théorie selon laquelle il n'y avait pas plus d'un ou deux spécimens mâles de ces créatures aux abords de New Jerusalem, une erreur qui avait coûté la vie à un homme, erreur pourtant professée alors avec une absolue conviction.

J'insistai donc, comme je ne l'avais jamais fait auparavant.

— Comment le savez-vous, monsieur ?

— Comment je sais quoi ?

— Comment savez-vous qu'ils n'attaqueront pas de nouveau ?

— Parce que je sais lire.

Une pointe d'agacement perçait dans sa voix. Il tapota la pile de livres à côté de lui.

— Deux siècles d'observations soutiennent mes conclusions, Will Henry. Lis Hérodote, Pline l'Ancien, et les écrits de Walter Raleigh. Les *Anthropophagi* chassent, dévorent, festoient, puis se reposent – pendant des jours, parfois des semaines – avant de tuer à nouveau.

Il leva les yeux vers moi.

— Que suggères-tu, Will Henry ? Que ce qui est arrivé est de ma faute ? Que le sang de ce pilleur de tombes est sur mes mains ? Peut-être. Me suis-je trompé sur leur nombre ? Visiblement, oui. Mais c'était une estimation basée sur les données disponibles, sur la logique élémentaire. Si je me retrouvais dans la même situation, je ferais les mêmes spéculations. La découverte d'Erasmus m'a obligé à agir plus vite que je ne l'aurais voulu, et je suis certain qu'avec plus de temps pour réfléchir clairement j'aurais envisagé la possibilité que ces monstres se soient adaptés à leur nouvel environnement de façon imprévue, comme à l'évidence ils l'ont fait. Tu dois comprendre, Will Henry, que « possibilité » ne signifie pas « probabilité ». Il est possible que le soleil se lève à l'ouest demain, mais c'est difficilement probable. Je continue de croire au bien-fondé de ma décision, même si je me suis trompé dans l'hypothèse qui m'y a conduit.

Il posa alors une main sur mon épaule, et la dureté de son regard parut s'adoucir.

— Je regrette son décès. Si cela peut te réconforter, souviens-toi qu'il était déjà âgé, et qu'il avait vécu une longue vie – une vie de souffrances et de privations. Il a parfaitement compris son sort ; il a accepté le danger, et je n'ai rien exigé de lui que je n'aie exigé de moi-même. Je ne l'ai pas obligé à nous accompagner ce soir, pas plus que je ne lui ai demandé de prendre de plus grands risques que ceux que j'étais prêt à prendre de mon côté.

Peut-être le docteur remarqua-t-il que je tremblais car, son regard redevenu dur, il poursuivit :

— Et je dois ajouter, Will Henry, que je trouve extrêmement curieux que tu t'appesantisses ainsi sur l'injustice de sa fin, et non sur ta chance, sur cette vie, la tienne, qui aurait été perdue si je n'avais pas mis un terme à la sienne. Vas-tu enfin comprendre quand je te dis qu'il me remercierait s'il le pouvait ?

— Non, monsieur, je ne comprends pas.

— Dans ce cas, c'est que je t'ai accordé trop de crédit. Je te pensais plus intelligent.

D'un geste brusque, je repoussai sa main de mon épaule et criai :

— Je ne comprends pas ! Pardonnez-moi, docteur, mais je ne comprends pas du tout. Nous n'aurions jamais dû aller là-bas, ce soir ! Nous aurions mieux fait d'attendre jusqu'au lever du soleil pour la ramener dans sa tombe.

Si nous avions attendu et prévenu le commissaire, il serait peut-être encore en vie !

— Tiens-t'en aux faits, Will Henry, répliqua-t-il avec calme. Nous n'avons pas attendu. Nous n'avons pas prévenu le commissaire. Tu ne perçois toujours pas l'essentiel dans cette histoire, Will Henry. *James* Henry, ton père, lui, aurait compris. Et il ne m'aurait ni réprimandé ni jugé. Il m'aurait remercié.

— Remercié ?

— Tout comme tu devrais me remercier de t'avoir sauvé la vie, Will Henry !

Ses propos étaient plus qu'offensants. Étant donné le tragique destin de mon père, conséquence de ses services inconditionnels envers le monstrologue, ils étaient carrément inappropriés. Mon père était mort par sa faute. À cause de cet homme, j'avais perdu tout ce que je chérissais, et pourtant, en cet instant, ce même homme se tenait devant moi et me demandait d'éprouver de la gratitude envers lui !

— Si j'avais épargné Erasmus, poursuivit-il, toi, tu ne l'aurais pas été. Je t'aurais perdu, Will Henry, et comme je l'ai dit à ce vieil homme, tes services me sont indispensables.

Que pourrais-je ajouter à propos de cet homme étrange et solitaire, ce génie qui travailla toute sa vie dans l'obscurité la plus obscure à des sciences tout aussi obscures ? Ce scientifique ignoré de tous et dont personne ne se souviendrait, mais à qui, cependant, le monde devait tant, cet être qui, me semble-t-il, ne possédait pas la moindre trace d'humilité ou de chaleur en lui, à qui l'empathie et la compassion faisaient défaut, incapable qu'il était de lire dans le cœur de ses semblables – et plus encore dans celui d'un gamin de douze ans dont l'univers entier avait explosé en un seul instant ? Évoquer mon père en un tel moment ! Quelle autre preuve de mon hypothèse quant à l'orgueil démesuré de cet homme qui ne voyait pas au-delà des confins du théâtre grec ou des tragédies de Shakespeare ? Il n'usait pas de faux-semblants avec moi. Il ne cherchait pas à me réconforter par des platitudes ou des clichés éculés. Il avait sauvé ma vie parce que ma vie était importante à ses yeux ; seulement dans son intérêt, pour la poursuite de son ambition. Ainsi, même sa pitié était enracinée dans son amour-propre.

— Remercie-moi, Will Henry, dit-il avec douceur, mais insistance, tel un enseignant patient face à un élève récalcitrant. Remercie-moi de t'avoir sauvé la vie.

Tête basse, je marmonnai, ou plus exactement balbutiai, quelques mots de remerciement. Malgré mon manque d'enthousiasme, il me tapota néanmoins l'épaule d'un air satisfait, puis se détourna et traversa la pièce à longues enjambées.

— Je ne l'oublierai pas, tu sais ! lâcha-t-il par-dessus son épaule.

Je croyais qu'il parlait de mon père, mais non, ce n'était pas le cas. Il évoquait Erasmus Gray.

— Même si ses motifs étaient loin d'être purs, continua-t-il, sa découverte aura sans doute sauvé des vies, et elle va me permettre de mettre au jour une espèce entièrement nouvelle. Je vais proposer à l'Académie que ces spécimens portent un nom en son honneur : *Anthropophagi americanis erasmus.*

Cette récompense me parut bien futile, mais je ne pipai mot.

— Si mes soupçons sont justes, c'est pile ce que nous avons découvert : une génération d'*Anthropophagi* qui s'est brillamment adaptée à son nouvel environnement, radicalement différent de son Afrique natale. La Nouvelle-Angleterre n'est pas la savane, Will Henry ! Ah, ça non ! Nous en sommes bien loin !

Tout en parlant, il farfouillait dans des étagères croulant sous les journaux. Le monstrologue était abonné à des douzaines de quotidiens, hebdomadaires et mensuels, depuis la *Gazette de New Jerusalem* et *Le Globe*, en passant par le *Times* de New York et de Londres, jusqu'à la plus petite publication du plus minuscule hameau. Chaque mardi, un énorme tas de ces journaux était déposé sur notre seuil, et porté jusqu'à la bibliothèque (par moi), où ils étaient triés (toujours par votre serviteur) par ordre alphabétique et date de publication. Dès le début de mon apprentissage chez le Dr Warthrop, j'avais été étonné de ne jamais le voir lire une seule de ces publications. Pourtant, il semblait toujours au courant de tous les événements quotidiens, du plus important au plus anecdotique. Par exemple, il pouvait discourir pendant des heures sur les vicissitudes du marché boursier ou la dernière mode en vigueur à Paris. À mon avis, il devait les lire la nuit, bien après que je me fus retiré dans ma chambre sous les combles, et pendant un certain temps j'ai été convaincu, à cause de ce fait et d'autres preuves, que le monstrologue ne dormait jamais. D'ailleurs, je ne l'avais jamais vu dormir, même durant ses longues périodes d'intense mélancolie, qui duraient parfois jusqu'à deux semaines, voire plus, quand il s'effondrait sur son lit, inconsolable dans sa déception.

Durant les premiers mois de mon séjour à Harrington Lane, le sommeil m'avait fui. Je l'espérais et le redoutais en même temps, car j'avais besoin de me reposer, mais les cauchemars, les terribles souvenirs de la nuit où mes parents avaient péri, ça, je n'en avais pas besoin. De longues heures passaient avant que la fatigue ait finalement raison de moi. De temps à autre, j'en profitais pour descendre furtivement mon échelle et aller jeter un coup d'œil à la chambre du docteur au second étage. Chaque fois, je trouvais son lit vide. Je me faufilais ensuite jusqu'à l'escalier et lorgnais en direction du premier étage. Alors, il m'arrivait de percevoir la lumière de la bibliothèque qui flottait dans le hall, ou bien j'entendais des pots et des casseroles s'entrechoquer dans la cuisine, ou encore le tintement de l'argenterie sur la vaisselle en porcelaine. Mais le plus souvent, le docteur était dans son laboratoire, où il musardait entre ses fioles, ses pots emplis de spécimens divers et ses tiroirs pleins d'os et de viscères séchés. Il restait là toute la nuit. Au petit matin, quand le soleil se levait, il émergeait enfin de cet antre de bizarreries et de putréfaction et grimpait jusqu'à la cuisine pour préparer notre petit déjeuner (ou, plus exactement, manger à la hâte ce que, moi, j'avais préparé), sa blouse tachée de sang, de morceaux de chair et d'autres écoulements biologiques dont je préférais ignorer la provenance.

Il lui arrivait aussi d'avoir besoin de moi au beau milieu de la nuit. C'était toujours bien après l'heure fatidique, juste au moment où je m'écroulais dans un sommeil dont j'avais tant besoin. Il donnait des coups secs contre mon échelle et, si cela ne suffisait pas à me réveiller, il criait à voix haute :

— Debout, debout, Will Henry ! Du nerf ! J'ai besoin de toi en bas, tout de suite !

J'obtempérais alors et me traînais, épuisé, jusqu'à cet endroit que je redoutais le plus – le sous-sol –, où je me laissais tomber sur un tabouret tandis qu'il me dictait une lettre ou le dernier article qu'il comptait envoyer à l'Académie des monstrologues, ce qui, selon mon cerveau épuisé, aurait bien pu attendre le lendemain matin.

Parfois, il me tirait de mon lit sans raison apparente. Là aussi, je m'effondrais sur le tabouret en bâillant, tandis qu'il discourait sans fin – bien après le lever du soleil – sur certaines connaissances ésotériques ou la dernière avancée scientifique. Bien que déconcertant à l'époque – et pénible, car il s'arrangeait toujours pour me réveiller après que j'eus gagné une longue bataille contre l'insomnie –, je compris finalement que ce service que je lui fournissais était aussi indispensable que les autres, peut-être même plus, voire le plus vital de tous : alléger le poids écrasant de sa solitude.

Il avait déjà effectué plusieurs allées et venues entre les étagères et la longue table, les bras chargés de journaux, avant que je comprenne qu'il avait peut-être besoin de mon aide. Mais, au moment où je bondissais enfin, il me réprimanda, m'ordonnant d'aller chercher des feuilles et un stylo. Il continua à scruter les journaux – plus particulièrement les colonnes nécrologiques – tout en prenant des notes, posant de temps à autre le journal et son carnet pour faire une marque sur la carte. Les points qu'il avait commencé à dessiner s'assemblaient progressivement, indiquant un déplacement général d'ouest en est, vers la côte atlantique. Le but de ses croquis était évident : le docteur retraçait la migration des *Anthropophagi*.

La première lettre dont je pris note était pour l'Académie. Le docteur Warthrop relatait sa découverte à ses prestigieux membres, tout en fournissant un résumé tronqué des événements ayant suivi l'identification de l'*Anthropophagus* et l'exhumation de la dépouille d'Eliza Bunton par le pilleur de tombes. Il ne mentionna pas notre fuite ; peut-être craignait-il que cela ne donne de lui l'image d'un lâche, mais je pense qu'il voulait surtout protéger sa réputation et dissimuler le fait – sûrement pénible pour lui – qu'il s'était complètement fourvoyé dans son hypothèse d'origine. Il ajouta un post-scriptum, informant l'Académie qu'il ferait suivre ses notes d'autopsie, une fois retranscrites, ainsi que le spécimen mâle *Anthropophagus*, le tout par courrier spécial.

Il travailla avec méthode, dictant son courrier tout en prenant des notes dans son carnet, et en divisant les journaux en deux piles après les avoir lus avec attention. Ce n'était pas une mince tâche, car devant lui s'étalaient trois ans de reportages. De temps en temps, il s'interrompait et poussait un cri aigu, que je ne savais interpréter. À d'autres moments, il laissait échapper un rire amer, et secouait la tête d'un air triste, tout en gribouillant avec fureur sur son carnet.

— À présent, un autre courrier, à l'attention du Dr John Kearns, aux bons soins de la Smithsonian Institution, à Washington D.C. Cher Jack, commença-t-il, avant de s'interrompre, sourcils froncés, se mordillant les lèvres. Je devrais plutôt écrire à Stanley, marmonna-t-il. C'est Stanley, le véritable expert, mais il se trouve au Bouganda. Même s'il rentrait immédiatement, le temps que son bateau atteigne les Bermudes… il serait déjà trop tard, alors qui d'autre, à part Kearns ?

Il continua sa dictée d'un air dépité.

Je n'avais jamais entendu parler de ce John Kearns, et présumais qu'il s'agissait d'un de ses collègues monstrologues, ou d'un praticien d'une discipline voisine de l'histoire naturelle. En fait, je me trompais complètement. John Kearns n'était rien de tout cela. Il était bien plus – et, comme je le découvrirais plus tard à mon grand regret, bien moins.

Plus courte que sa lettre précédente, celle pour le Dr John Kearns disait :

Cher Jack,

Une espèce, probablement nouvelle, d'Anthropophagi s'est établie dans les alentours de New Jerusalem. Il s'agit d'un groupe de spécimens adultes, plus grands et bien plus agressifs que leurs cousins africains, mais, à ce jour, je n'ai pu estimer leur nombre. J'ai besoin de tes inestimables services. Pourrais-tu venir immédiatement ? Bien sûr, je finance ton expédition et toutes tes dépenses.

Espérant que ce message te trouvera en pleine forme, etc.

Ton bien dévoué,

Pellinore Warthrop

Une fois cette lettre terminée, le docteur resta silencieux plusieurs minutes. Penché au-dessus de la table, il scruta la carte et la ligne de points qu'il avait dessinés, qui, tel un serpent ondulant, zigzaguait en une avancée inexorable vers la mer. Puis il se redressa avec un profond soupir, plaqua ses mains sur ses reins, avant de se passer nerveusement les doigts dans ses cheveux sombres. Il saisit alors son carnet, étudia ses calculs tout en tapant en rythme l'extrémité de son crayon sur la page, se mordillant de nouveau les lèvres, m'ayant une fois de plus oublié. Certes, ce n'était pas la première fois que je me sentais ainsi abandonné en sa présence, mais je devais encore m'habituer à l'effet que son comportement avait sur moi : d'après mon expérience, il n'y a pas de solitude plus profonde que celle que l'on éprouve en étant ignoré par son seul compagnon de vie. Il se passait parfois des jours entiers sans qu'il m'adresse pratiquement un seul mot, même si nous dînions ensemble, que nous travaillions côte à côte dans son laboratoire, ou que nous faisions notre petit tour habituel en soirée, le long d'Harrington Lane. Quand il m'adressait la parole, c'était rarement pour engager la conversation avec moi ; en fait, nos rôles étaient parfaitement définis. Il parlait, je prêtais attention à ses propos. Il discourait, je l'écoutais. Lui, l'orateur, moi, le public. J'avais appris très vite à ne pas prononcer un mot avant d'y être invité ; à obéir sur-le-champ sans poser de question, même si la demande me paraissait mystérieuse, voire absurde ; à être toujours prêt, comme un bon soldat dédie son honneur à une cause qui en vaut la peine. Cependant, il m'a fallu du temps avant de comprendre avec précision quelle était cette cause.

Les étoiles s'effaçaient peu à peu du ciel, la nuit s'estompait enfin. Pourtant, le monstrologue travaillait toujours sur ses cartes, ses livres et ses journaux, prenant des mesures, griffonnant dans son petit carnet, s'écartant de temps à autre de la table avec une immense agitation, se frottant le front, marmonnant, arpentant la pièce en tous sens. Il débordait d'énergie, soutenu par sa passion et les nombreuses tasses de thé noir qu'il consommait sans fin durant ces épisodes où sa matière grise était en ébullition. Durant toutes les années que j'ai passées à ses côtés, jamais je n'ai vu un quelconque alcool fort toucher ses lèvres. Il considérait ce genre de boisson d'un mauvais œil, et s'étonnait toujours que les hommes puissent apprécier de se comporter volontairement comme des imbéciles.

L'aube approchait. Alors que je me trouvais dans la cuisine pour préparer une cinquième théière, j'en profitai pour grignoter quelques bouchées d'un biscuit rassis afin de retrouver un peu d'énergie, étant donné que tout ce que j'avais avalé depuis mon réveil, comme vous vous en souvenez peut-être, n'étaient que quelques cuillères de cette soupe bizarre préparée par le monstrologue avec des ingrédients d'origine ambiguë. J'avais mal au dos. La fatigue brûlait mes muscles. J'avais l'impression d'évoluer dans le brouillard ; l'adrénaline qui m'avait soutenu depuis notre retour du cimetière m'avait à présent complètement abandonné. J'étais proche de l'épuisement total. L'esprit embrumé, les muscles engourdis, j'éprouvais la sensation déconcertante d'être un hôte indésirable au sein de mon propre corps. J'emportai la théière dans la bibliothèque, où je découvris le docteur comme je l'avais laissé, dans un silence complet troublé seulement par le tic-tac de l'horloge sur la cheminée, et ses profonds soupirs de frustration. Il fouilla dans la pile de journaux jusqu'à ce qu'il trouve un périodique – qu'il avait précédemment lu avec attention. Il étudia l'article, tourna encore en rond pendant une minute ou deux, marmonna plusieurs fois les mêmes mots, puis jeta le journal sur le haut de la pile pour étudier le cercle correspondant sur la carte :

Dedham.

— Dedham. Dedham, marmonna le monstrologue. Pourquoi ce nom m'est-il familier ?

Il se pencha sur la carte jusqu'à ce que son nez touche presque le parchemin. Il tapota alors le lieu de son index et répéta le nom à trois reprises, son doigt frappant la carte en rythme.

— Dedham.

*Tap.*

— Dedham.

*Tap.*

— Dedham.

*Tap.*

La mine sévère, il se tourna alors vers moi, me sortant de ma demi-torpeur. J'existais de nouveau. Quelques instants plus tôt, j'étais mort ; là, je renaissais. J'avais été oublié, mais en l'espace d'une seconde, le temps d'un clignement d'œil – *son* œil –, le monde se souvenait enfin de moi.

— Dedham ! cria-t-il, en agitant le journal au-dessus de sa tête. Dedham, Will Henry ! Je savais que j'avais déjà entendu ce nom quelque part. Vite ! Descends à la cave. Sous l'escalier, tu trouveras une malle. Apporte-la-moi immédiatement. Immédiatement, Will Henry ! Du nerf, allons, du nerf !

Le premier « du nerf ! » relevait de l'habitude ; le second avait été prononcé avec fureur, car je n'avais pas réagi aussitôt. En fait, c'était le mot « cave » qui m'avait momentanément rendu sourd – non parce qu'il avait été prononcé trop fort, mais à cause de ce qu'il impliquait. Néanmoins, seul un homme mort – ou réellement sourd – aurait été incapable d'entendre le second « du nerf ! ».

Je quittai la bibliothèque en toute hâte. Par contre, j'entrai plus lentement dans la cuisine, et c'est avec encore plus de lenteur que j'ouvris la porte de l'escalier qui plongeait dans les ténèbres, là où, à un crochet d'acier, était suspendue l'horrible créature, et où se trouvait le bocal contenant le fruit de ses effroyables entrailles, cette chose visqueuse et horrifiante extirpée du ventre de la jeune vierge qui lui avait servi de cocon, ce bâtard au sens le plus cauchemardesque du terme, masse griffue sans tête déjà souillée de sang humain, avec de longs bras blancs et un torse bardé de dents acérées comme des lames de rasoir, qui avait été prête à tout dévorer sous l'effet de la rage.

La lumière matinale de ce printemps entrait à flots par les fenêtres ouvertes et s'engouffrait dans l'escalier. Cependant, pareille à une digue, l'obscurité qui régnait au pied des marches semblait la repousser indéfiniment. L'odeur de l'*Anthropophagus* mort refluait vers moi, une puanteur écœurante, comme celle d'un fruit en décomposition mêlée à l'odeur caractéristique de chairs en train de pourrir. Je détournai la tête de la porte ouverte, pris une profonde inspiration, et retins mon souffle en descendant les marches, une main couvrant mon nez et ma bouche, l'autre traînant le long du mur de pierre qui diffusait sa fraîcheur. Les vieilles marches craquaient et grinçaient sous mes pas flageolants ; les poils de ma nuque se hérissaient, j'avais les jambes molles et mon imagination s'emballait. À chaque pas, mon cœur battait un peu plus fort. En esprit, je l'imaginais déjà sous l'escalier, accroupi à quatre pattes sur le sol, ce monstre sans tête aux yeux atones incrustés sur ses épaules, sa bouche garnie de rangées de dents terrifiantes, le lion dans la savane, le requin dans l'ombre des récifs, et moi, la frêle gazelle, le jeune phoque folâtrant dans les vagues. Il se lèverait tandis que je descendais. Il étendrait ses bras à travers les lattes brisées et m'attraperait la cheville de ses griffes acérées. Une fois prisonnier de sa poigne, je serais perdu, aussi perdu qu'Erasmus Gray à l'instant où le monstre caché dans la tombe d'Eliza Bunton avait surgi de ce trou, sépulture de la jeune vierge. Quand il entendrait mes cris, le monstrologue bondirait-il, son revolver à la main, pour exécuter la promesse qu'il m'avait faite un peu plus tôt ? Quand cette créature surgirait d'entre les marches délabrées pour m'engloutir dans son immense gueule, le Dr Warthrop aurait-il pitié de moi et me ferait-il la grâce de me tirer une balle dans le cerveau ?

Arrivé à mi-chemin de l'escalier, la panique me saisit de plus belle. Impossible d'aller plus loin. J'étais étourdi à force de retenir mon souffle ; mon cœur battait fort, et je tremblais de la tête aux pieds. Je me figeai, mon ombre s'étirant sur le mur, avant de pousser un lourd soupir. Puis j'inspirai de nouveau une bouffée de cet air fétide – en quantité suffisante, je l'espérais, pour arri-

ver au terme de ma mission. Dépêche-toi, Will Henry !
m'admonestai-je. Le docteur t'attend !

Il était hors de question de retourner le voir les mains
vides.

Alors, repoussant ma peur – cet ennemi commun à
tous les combattants – et m'efforçant de me rappeler que
j'avais été témoin du démembrement partiel de l'horrible
monstre – ce qui signifiait donc, sans aucun doute, qu'il
était bel et bien mort –, je descendis au galop les dernières marches. Je trouvai la malle sous l'escalier, plaquée
contre le mur, couverte d'une légère patine de poussière,
comme si elle n'avait été ni déplacée ni ouverte depuis
des années. Elle crissa sur le sol quand je la tirai, comme
une créature réveillée brutalement après un long repos
hivernal. L'attrapant par ses poignées de cuir usé, je la
soulevai comme je pus : elle était lourde, mais pas au
point que je ne puisse la traîner dans l'escalier. Je la
reposai, et la remorquai jusqu'au pied des marches, gar-
dant les yeux rivés droit devant moi, même si, du coin
de l'œil gauche, je percevais une ombre qui me paraissait
plus sombre que toutes les autres. L'*Anthropophagus*. Tandis que je hissais la malle dans l'escalier, la voix de mon
ennemi s'éleva : la peur chuchota à mon oreille, comme
en écho aux paroles du Dr Warthrop. *L'œuf fécondé est
expulsé dans la bouche de son partenaire, où il séjourne dans une
poche située le long de la mâchoire inférieure du mâle. Celui-ci
a alors deux mois pour trouver un hôte pour leur progéniture,
avant que le sac amniotique du fœtus n'éclate et qu'il l'avale,
ou l'étouffe.*

Et s'il avait omis ce point durant l'autopsie ? Et si un
autre jeune monstre était resté caché dans la gueule du

mâle paternel, et que, plus tard, il s'était libéré de son cocon pour se précipiter sur mes traces ? Ce sont d'excellents grimpeurs, avait dit le docteur sur la route du cimetière. Et si jamais, grâce à ses griffes pointues, il était *à l'instant présent* accroché au plafond au-dessus de moi, et que, en un éclair, il bondisse sur ma tête, pour m'enserrer de ses bras maigrelets et m'arracher les yeux ? Je me vis tournoyer dans le laboratoire, le sang coulant à flots de mes cavités orbitales désormais vides, tandis qu'une créature pas plus grosse que le poing ramperait sur mon visage, étouffant mes cris horrifiés en m'arrachant la langue de ses petites dents pointues. C'était certes une idée absurde, née de la panique, mais aucune panique n'est absurde en de tels moments. La panique possède sa propre logique. Me gratifiant d'une force inhabituelle, elle me propulsa en haut des marches. Je ne sentais plus l'engourdissement de mes doigts, ni la brûlure dans mes épaules à cause du poids de la malle, pas plus que les coups du bagage contre mes genoux tandis que je grimpais toujours plus haut, les rayons du soleil qui inondaient le haut des marches me baignant à présent de leur bienfaisante lueur. Je laissai tomber la malle sur le sol de la cuisine et refermai enfin la porte qui menait à la cave d'un coup sec. J'avais le souffle court, la tête me tournait, et de petits points noirs dansaient devant mes yeux. J'avais l'impression d'avoir échappé à quelque chose – mais à quoi ? Les monstres qui hantent nos esprits ne sont souvent rien d'autre que l'étrange progéniture de nos propres peurs.

— Will Henry ! appela le docteur. T'es-tu endormi dans un coin ? Ou bien es-tu en train de grappiller quelque chose à manger ? Ce n'est ni l'heure de dormir ni de manger ! On verra ça plus tard. Du nerf, Will Henry, *du nerf !*

Poussant un profond soupir – comme l'air semblait doux et bon ici ! –, je saisis la malle et la traînai dans le couloir jusqu'à la bibliothèque, où je retrouvai le docteur, qui m'attendait avec impatience. Il me prit le bagage des mains et le laissa tomber près de sa table de travail, avec une telle force que le plancher en trembla.

— Dedham, Dedham, murmura le Dr Warthrop en s'agenouillant devant la vieille malle.

En deux mouvements vifs, il actionna les vieux fermoirs en laiton et souleva le couvercle. Les charnières protestèrent avec un cri strident. Je m'approchai, curieux de découvrir ce que ce coffre – que je n'avais jamais remarqué avant de devoir l'extirper de sa cachette, et ce malgré tout le temps passé durant l'année écoulée dans le sous-sol macabre – pouvait bien contenir, et en quoi son contenu pouvait être lié à l'énigme qui intriguait tant le monstrologue, une énigme qu'il était pour lui à l'évidence urgent de résoudre, et qui passait avant l'éradication des *Anthropophagi* présents parmi nous.

Le premier objet qu'il retira du bagage poussiéreux était une tête humaine, momifiée et désormais de la taille d'une orange, la peau ayant viré à la couleur de la mélasse. Les yeux étaient fermés. La bouche, sans dents, était ouverte en un cri silencieux. Le docteur Warthrop mit ce crâne de côté sans y jeter un regard. Me sentant proche, il leva les yeux vers moi, et quelque chose dans mon expression effrayée dut l'amuser, car un léger sourire éclaira soudain son visage.

— Mon père, dit-il.

En entendant cette confession, mon intérêt morbide se transforma aussitôt en un désarroi horrifié. Je savais que le docteur était un homme étrange, mais là, on était au-delà de l'anormal et du bizarre. Quel genre d'homme conserve sous l'escalier de sa cave la tête réduite de son propre père ?

Le docteur remarqua ma réaction, et sourit de nouveau.

— Pas la tête de mon père, Will Henry ! C'est une curiosité qu'il a rapportée de l'un de ses voyages.

Il continua à déballer les effets, et sortit plusieurs piles de papiers, des paquets de lettres, ainsi que ce qui me sembla être des documents légaux, un colis entouré de ficelle, une sacoche de cuir remplie d'accessoires sûrement métalliques, à en juger d'après le bruit quand il la posa.

— C'est le principal mystère de leur présence ici, Will Henry, dit-il, faisant référence aux *Anthropophagi*. Tu as sûrement remarqué cette étrange coïncidence, à savoir que je suis le seul monstrologue en exercice à plus de huit cents kilomètres à la ronde. Quelles étaient donc les probabilités, Will Henry, qu'une espèce qui présente un intérêt tout particulier pour ma profession surgisse à moins de dix kilomètres de la ville dans laquelle j'exerce ? Un observateur objectif conclurait qu'il ne s'agit nullement d'une coïncidence, mais que je dois, d'une certaine façon, être responsable de leur arrivée inattendue si proche de ma demeure. Bien sûr, je n'ai rien à voir avec cela ! Leur venue ici… Ce fait est aussi mystérieux pour moi qu'il le serait pour notre hypothétique jury. Évidemment, nous ne pouvons pas complètement rejeter la possibilité d'une coïncidence extraordinaire, mais j'en doute, Will Henry. J'en doute vraiment.

Une paire de lunettes. Une bourse de velours vert contenant une montre d'homme et une alliance. Une pipe patinée par le temps. Un coffret de bois contenant une collection de figurines en ivoire, que le docteur tourna et retourna entre ses doigts, ces objets cliquetant dans sa main tandis qu'il fouillait parmi les effets restant au fond de la malle.

— Aucune université ne dispense de cours de monstrologie, Will Henry. L'Académie organise régulièrement des séminaires, uniquement sur invitation, au cours desquels les meilleurs praticiens de notre profession s'expriment sur les points les plus élaborés de leur champ d'expertise particulière. La majorité d'entre nous, ou plus exactement tous mes collègues et moi-même, avons appris notre science sous la tutelle d'un maître officiellement reconnu par l'Académie. Ah ! le voici !

D'un air triomphant, il sortit de la malle un livre à la couverture de cuir usé, entouré d'une cordelette.

— Tiens-moi ça un moment, dit-il, en déposant les figurines d'ivoire dans ma main.

Il retira la ficelle autour du livre pendant que j'examinai les figurines, chaudes de leur séjour au creux de sa paume. Minutieusement sculptées, elles étaient au nombre de six. Avec leur gros crâne disproportionné et grimaçant, leurs bras croisés sur leur cage thoracique aussi plate que des dominos, elles m'évoquaient des squelettes. Bien que toujours absorbé dans son vieux livre – était-ce un journal intime ou un agenda ? –, rédigé d'une élégante écriture avec de temps à autre des notes dans la marge, le docteur dut remarquer ma curiosité, car il déclara :

— Ce sont des osselets de divination de Nouvelle-Guinée. Dans ses dernières années, mon père était fasciné par les pratiques occultes de certaines tribus chamaniques. Ceux-ci ont été taillés par un prêtre dans les os d'un adversaire.

Il resta un instant silencieux, puis ajouta :

— Oui, Will Henry, ce sont des os humains. D'ailleurs « fasciné » est un mot trop faible. Mon père était véritablement obsédé par ces pratiques. Il était terrifié par sa propre mortalité ; comme beaucoup, il voyait dans sa mort un affront à sa dignité, l'insulte suprême. Ses dernières années ont été consumées par son désir de tricher avec la nature, l'ordre implacable des choses. Il désirait plus que tout ravir un peu de temps à la vie avant le baiser glacial de la Mort. Tels les dés prophétiques du cosmos, les osselets dans ta main sont supposés pouvoir prédire l'avenir de celui qui les lance. Interpréter la façon dont ils tombent – les différentes combinaisons de crânes en l'air ou en bas – est une chose compliquée qu'il n'a jamais réussi à maîtriser, bien qu'il ait passé des heures à s'entraîner. Je ne me souviens guère des formules, mais je me souviens qu'avoir six visages en l'air a une signification terrible, comme la mort imminente, la damnation éternelle ou toute autre absurdité du même genre.

Le docteur se leva soudain en poussant un cri de victoire. Surpris, je reculai d'un pas. Les osselets glissèrent de ma main, tombant sur le tapis avec un petit bruit sourd. Nerveux, je me penchai aussitôt pour les ramasser, effrayé à l'idée de voir six crânes aux sourires grimaçants me fixer. Quatre en l'air. Deux, face contre terre. Évidemment, j'ignorais comment interpréter mon lancer par inadvertance. Quoi qu'il en soit, j'étais soulagé. Sans y réfléchir, je glissai les os dans ma poche.

— Dedham ! cria le monstrologue. Je savais que je l'avais déjà vu. C'est là, Will Henry, à la date du 19 novembre 1871 : *Dedham. Je suis allé à Motley Hill pour la dernière fois. Je ne pourrais supporter d'y retourner, de voir son visage torturé et d'y lire le parfait reflet de la perfidie de mon péché. À mon arrivée, il s'est emporté. Extrêmement agité, il a demandé qu'une fois pour toutes je corrobore le récit de ses souffrances et de son infortune, lui obtenant ainsi un pardon complet et une possible libération, mais, à cause des besoins impérieux de la science, j'ai été obligé de décliner. Céder et faire une telle confession aurait eu l'effet opposé. Selon toute vraisemblance, il aurait été emprisonné pour le reste de ses jours – tout comme moi. Cela, je ne pouvais le risquer. J'ai essayé de le lui expliquer, et c'est alors qu'il m'a menacé physiquement, m'obligeant à partir. Pauvre créature tourmentée ! Pardonne-moi, V., pardonne-moi. Tu n'es pas le premier à payer pour les péchés des autres. Pardonne-moi pour ma transgression, qui n'était ni la première, ni, je le crains, la dernière. Je sais que je te reverrai le jour du Jugement dernier. Alors, je devrai répondre pour ce que je t'ai fait...*

*Je ne peux pas continuer... « Voici l'heure propice aux sorcelleries nocturnes, où les tombes bâillent et où l'enfer lui-même souffle la contagion sur le monde[1]. » Même si j'en suis malade jusqu'au plus profond de mon être, je dois répondre aux convocations redoutées. La cloche sonne, l'heure vient, le Christ lui-même est brocardé...*

1. Shakespeare, *Hamlet*, acte III, scène 2.

Le Dr Warthrop cessa de lire, et referma le livre sur son doigt. Son visage s'obscurcit un instant. Il poussa un soupir, leva les yeux au plafond, et se gratta le menton.

— Et ça continue ainsi. Un radotage pénible, et tout un tas de balivernes sur l'autorécrimination et le blâme. Dans la fleur de l'âge, mon père n'avait que peu d'égaux, Will Henry. Son intelligence n'était surpassée que par sa curiosité incessante, sa quête sans relâche de la connaissance et de la vérité. Notre discipline doit beaucoup aux travaux de ses premières années, mais au fil du temps, envahi par la peur de sa propre mortalité, il s'est enfoncé dans des superstitions idiotes et une culpabilité inutile. Quand il est mort, c'était un homme consumé par l'effroi, totalement différent du brillant scientifique qu'il avait été.

Il poussa un nouveau soupir – bien plus long, bien plus triste.

— Et il est mort quasiment seul. Ma mère était décédée de phtisie vingt ans plus tôt ; moi, j'étais à Prague, et ses collègues l'avaient abandonné les uns après les autres au fil des années tandis qu'il plongeait dans la sénilité et son obsession pour la religion. C'est quand je suis rentré en Amérique pour m'occuper de ses affaires que j'ai découvert ceci – il leva devant lui le vieux journal –, ce témoignage stupéfiant de sa longue descente dans la folie, le seul volume parmi bien d'autres qu'il n'ait pas détruit – pour des raisons que je ne comprends toujours pas. Je me suis longtemps interrogé sur la signification de ces écrits, et jusqu'à aujourd'hui, je n'étais pas vraiment convaincu qu'il ne s'agissait pas d'autres divagations d'un esprit autrefois brillant croulant alors sous les assauts du regret et de cette maladie débilitante appelée le doute – comme beaucoup de ce qui précède ou suit. Il n'a plus jamais évoqué Dedham, Motley Hill ou ce mystérieux V. dans son journal, et je n'en ai lu aucune trace dans les traités et rapports qu'il a publiés pour l'Académie.

Le docteur saisit l'un des journaux sur le haut de la pile devant lui.

— Je n'y avais vu aucune référence nulle part jusqu'à aujourd'hui. Dire que je possède ce document depuis plus de trois ans. Trois ans, Will Henry ! Et j'ai bien peur qu'à présent le péché du père n'ait échoué sur les épaules du fils.

Il jeta le journal sur la pile et se frotta les yeux.

— Si l'on peut appeler cela « péché », murmura-t-il. Un concept étranger à la science, mais pas tellement aux scientifiques. Quoi qu'il en soit, voici la question critique, Will Henry ! Combien d'*Anthropophagi* ont immigré sur ces côtes ? La réponse à cette question est la clé de tout : sans elle, nous ignorons combien ils sont, non seulement ici à New Jerusalem, mais à travers toute la Nouvelle-Angleterre. L'infestation pourrait être bien plus importante que notre rencontre au cimetière le laisse présumer.

Il étudia de nouveau la carte pendant quelques secondes, puis s'éloigna de la table et renversa la vieille malle d'un coup de pied, comme s'il avait entrevu les yeux d'une malfaisante gorgone dans les lignes qu'il venait de lire, dans cet article à sa portée – mais délaissé – depuis trois ans, dans l'écriture tourmentée d'un homme mort au cours d'un automne passé depuis longtemps, et qu'il ait été obligé de détourner le regard de peur d'être transformé en statue de pierre.

— Il se fait tard, dit-il. Nous n'avons que deux, peut-être trois jours avant qu'ils ne frappent de nouveau. File, Will Henry, et va poster cette lettre. Ne t'arrête pas en chemin, et ne parle à personne. Fonce, et reviens sitôt ta mission accomplie. Nous partons ce soir pour Dedham.

# CINQ

*Je suis souvent seul*

Moins d'une heure plus tard, ayant suivi ses instructions à la lettre – filer jusqu'à la poste puis rentrer aussitôt, sans m'arrêter en chemin, même si mon trajet m'avait fait passer devant la boulangerie, où les muffins et le pain frais n'avaient cessé de me tenter de leurs délicieux arômes –, je regagnai la maison d'Harrington Lane, où je fonçai droit à la bibliothèque, espérant y retrouver mon maître. Ce ne fut pas le cas. La table était toujours jonchée de ses recherches, la malle renversée, son couvercle bâillant comme une gueule ouverte, son contenu répandu tout autour, telles les régurgitations de la vie de son père, et la tête réduite tombée sur le côté, sa bouche figée en un cri muet – mais aucune trace de Pellinore Warthrop. Entré par la porte arrière, j'avais traversé la cuisine pour me rendre directement à la bibliothèque, mais le docteur n'était nulle part. Je retournai donc à la cuisine, hésitant un instant devant la porte entrouverte de la cave. Cependant, je ne remarquai aucune lumière

et n'entendis aucun bruit en provenance du sous-sol.
Juste au cas où, j'appelai doucement son nom. Aucune
réponse. Peut-être s'était-il abandonné à l'énorme fatigue
qui submergeait maintenant son assistant et s'était-il retiré
à l'étage, dans son lit – bien que cette possibilité me
semblât plus que ridicule. Comme je l'avais déjà noté,
quand il était mû par l'action, le docteur était incapable
d'écouter ses besoins vitaux et de prendre le temps de
se reposer ou de manger. C'était à croire qu'il vivait sur
des réserves insoupçonnables, étant donné sa silhouette
mince et anguleuse. Quoi qu'il en soit, je grimpai quand
même l'escalier jusqu'à sa chambre. Son lit était vide.

Me remémorant ma peur irrationnelle sur les marches
de la cave – une partie du monstre pendu dans le sous-sol
avait-elle pu survivre d'une façon d'une autre ? –, je
retournai en hâte jusqu'à la porte entrouverte et appelai
de nouveau son nom.

— Docteur Warthrop ? Docteur ? Monsieur, êtes-vous
en bas ?

Seul le silence me répondit. Je pivotai sur mes talons
puis trottinai dans le couloir, passant devant la bibliothèque pour entrer dans son bureau. Sa retraite favorite
en temps de crise était déserte, elle aussi, tout comme le
salon, et toutes les autres pièces du rez-de-chaussée. S'il
avait quitté la maison, le docteur m'aurait certainement
laissé une note pour expliquer son absence. Je retournai
dans la bibliothèque. Tandis que je me tenais face à sa
table de travail, mes yeux se posèrent sur l'article qu'il
avait encerclé d'un trait, cet article qui avait marqué son
excellente mémoire – *je savais que j'avais déjà entendu ce
nom quelque part !* – et je m'en emparai pour le lire :

## LE CAPITAINE VARNER
## EST RETOURNÉ À L'ASILE

Hier, presque vingt ans jour pour jour après son incarcération, la cour d'appel a décidé de faire preuve de clémence dans son jugement envers le capitaine Hezekiah Varner suite à sa nouvelle audition. En mars 1865, le capitaine Varner a été reconnu coupable d'avoir forcé un blocus et abandonné son devoir en haute mer quand son bateau, le cargo Feronia, s'est échoué sur la côte près de Swampscott. À son procès initial, le capitaine Varner avait déclaré avoir été employé par certains sympathisants de la confédération pour fournir la rébellion avec des « biens et mobiliers », et que son navire entier et son équipage avaient été attaqués en mer par « des créatures qui ne vivent pas sur terre, mais dans les entrailles de l'enfer ». Lors de son audition, le capitaine Varner, à présent âgé de soixante-deux ans et en faible condition physique, s'est exprimé en son nom propre, reniant son premier témoignage et affirmant que les deux jours passés en mer après avoir abandonné son navire lui avaient causé une sévère insolation. Le capitaine Varner n'a amené aucun témoin pour appuyer ses dires. Le Dr J.F. Starr, représentant l'État, a annoncé que, selon son opinion, le capitaine Varner n'était pas sain d'esprit. Il était fou il y a vingt ans, et il l'est toujours aujourd'hui, a déclaré le Dr Starr.

Suite aux conclusions du tribunal, le capitaine Varner est retourné au sanatorium de Motley Hill, l'asile du Dr Starr, à Dedham, où il avait été confiné depuis l'issue de son premier procès.

*Des créatures qui ne vivent pas sur terre, mais dans les entrailles de l'enfer.* Je songeai à cette chose pendue à un crochet dans cette pièce juste en dessous de celle où je me trouvais, au bras musclé surgissant du fond de la tombe d'Eliza Bunton, au crissement strident de sa griffe perforant la jambe du vieil homme, au gargouillis écœurant qui s'était ensuivi, à cette masse répugnante de chair blanche aux yeux noirs perçants et à la bouche garnie d'infinies rangées de dents triangulaires brillant sous la lueur des étoiles d'avril, à ces horribles monstres sans tête bondissant de l'ombre, se rapprochant de nous à grands pas, au cadavre d'Eliza Bunton déchiqueté en mille morceaux, à sa tête dévorée par la gueule gargantuesque d'une bête que n'importe quel homme considérerait en effet comme une créature de l'enfer. Vu cet article et les notes dans le journal du père du Dr Warthrop, nul doute que mon maître avait raison : ce capitaine Varner (V., comme le vieux Dr Warthrop l'avait appelé) avait croisé la route d'*Anthropophagi*. Mais cela s'était passé il y a vingt-trois ans ! Comment ces terrifiants prédateurs avaient-ils pu survivre, prospérer et se reproduire, sans que personne ne les remarque ?

Perdu dans mes pensées, je n'entendis pas la porte de derrière se refermer, ni les pas du monstrologue se diriger vers la pièce où je me trouvais. Je n'eus pas conscience de son retour avant qu'il apparaisse dans l'embrasure de la porte, les joues rougies, ses cheveux salis – de poussière et de crasse – plaqués sur sa tête, ses chaussures couvertes de boue, un vieux chapeau à la main. Je reconnus aussitôt ce chapeau. Il avait été posé sur ma tête par un vieil homme dont quelques heures plus tôt des éclats de cervelle avaient souillé mes cheveux.

— Will Henry ? Que fais-tu ?

Je sentis mes joues s'enflammer.

— Rien, monsieur.

— Cela me paraît évident, répliqua-t-il d'un ton sec. Tu as bien expédié les lettres ?

— Oui, monsieur.

— Tu es rentré aussitôt ?

— Oui, monsieur.

— Et tu n'as parlé à personne ?

— Juste au receveur des Postes, monsieur.

— Et tu as bien demandé une livraison express ?

— Oui, monsieur.

Il hocha la tête et resta un moment silencieux. Ses yeux se mouvaient en tous sens, et même s'il se tenait parfaitement immobile, l'agitation semblait exsuder de chacun de ses pores. Je remarquai un morceau de tissu sale dans son autre main, tissu que je pris d'abord pour un chiffon, mais je réalisai bien vite qu'il s'agissait d'un pan déchiré de la robe d'enterrement d'Elizabeth Bunton.

— Et que fais-tu maintenant ? demanda-t-il, rompant le silence.

— Rien, monsieur.

— Oui, ça, tu me l'as déjà dit, Will Henry.

— J'ignorais où vous étiez, alors je…

— Tu ne faisais rien.

— Je vous cherchais.

— Tu croyais que j'avais trouvé refuge dans la malle de mon père ?

— Je pensais que vous m'aviez peut-être laissé un mot.

— Et pourquoi cela ?

L'idée de me devoir une explication sur ses allées et venues lui était complètement étrangère.

— Vous êtes allé au cimetière ?

Mieux valait changer de sujet. Quand il s'énervait, il pouvait vraiment se mettre de mauvaise humeur, et je le sentais déjà affligé.

Ma ruse fonctionna, car il hocha la tête et me dit :

— J'ai noté au moins deux douzaines d'empreintes différentes. Si l'on considère qu'il doit bien y avoir aussi quatre ou cinq jeunes membres de leur progéniture cachés dans leur terrier, cela porte leur nombre à une bonne trentaine, voire trente-cinq spécimens. Un chiffre alarmant, n'est-ce pas Will Henry ?

En voyant le chapeau dans sa main, je songeai à mon propre petit chapeau – ma seule possession – perdu dans notre effarante excursion de la nuit précédente. Oserais-je lui demander s'il l'avait trouvé ? Il remarqua mon regard et ajouta :

— Je l'ai nettoyé de mon mieux. J'ai arrangé sa tombe. Récupéré la plupart de nos affaires et dispersé les morceaux brisés du chariot dans les bois. Avec un peu de chance, nous pourrons terminer cette histoire avant d'être découverts.

J'eus envie de lui demander pourquoi mieux valait que nous ne soyons pas découverts, mais tout dans son comportement suggérait que la réponse à cette question était évidente. Je suppose à présent que la fameuse réponse avait plus à voir avec la possible implication de son père dans une telle histoire qu'avec le risque de déclencher une vague de panique. Le docteur était en effet plus concerné par la réputation de son père – et par extension, la sienne – que par le bien-être des habitants de la région.

Mais peut-être que je le juge trop sévèrement. Peut-être était-il persuadé que sa découverte primait sur la nécessité d'alerter la population avant que les monstres ne frappent à nouveau. Peut-être… Cela dit, après des années de réflexion sur le sujet, j'en doute. Comme je l'avais déjà noté, l'ego du monstrologue semblait être sans limites. Même durant ces périodes d'intense mélancolie auxquelles il était enclin, rien ne lui importait plus que sa propre image, son mérite en tant que scientifique et sa place dans l'Histoire. Avec un grand H. Après tout, l'autoapitoiement n'est-il pas l'équivalent de l'égocentrisme dans sa forme la plus pure ?

— Je monte à l'étage faire un brin de toilette, poursuivit-il. Range la malle, Will Henry, et remets-la en place. Selle les chevaux, et prépare-toi quelque chose à manger. Allons, du nerf !

Il se dirigea vers le couloir, sembla songer à quelque chose, se retourna, puis jeta le vieux chapeau et le morceau de tissu ensanglanté dans la pièce.

— Et brûle ceci.

— Que je les brûle, monsieur ?

— Oui.

Il hésita un instant, s'avança, prit le carnet de son père sur la table et me le plaqua dans la main.

— Et ça aussi, Will Henry. Brûle-le.

Obéissant, je brûlai donc le morceau de tissu taché de sang et le vieux chapeau. Je m'accroupis un moment devant le feu crépitant dans la cheminée, sa chaleur envahissant mes genoux, mes joues, le bout de mon nez et mon front. Après l'incendie qui avait emporté mes parents, j'avais eu la sensation de sentir la fumée sur moi – dans mes cheveux et sur mon corps – pendant des jours et des jours. Je m'étais savonné avec vigueur jusqu'à me décaper la peau. La fumée semblait m'envelopper comme un linceul, et il avait fallu de longues semaines avant que cette horrible sensation s'atténue enfin. Durant tout ce temps, j'avais été, sans aucun doute, le petit garçon de douze ans le plus propre de toute la Nouvelle-Angleterre.

Malgré mon épuisement et la faim qui me tiraillait l'estomac, j'étais décidé à en finir dans la bibliothèque avant de gagner la cuisine pour préparer notre repas. Je redressai la malle, quasiment vide. Elle ne contenait plus qu'une douzaine de vieilles lettres toujours dans leurs enveloppes. La curiosité me saisit quand, sur l'une d'entre elles, je vis le nom de l'expéditeur : Pellinore Warthrop, Esq. Adressée au Dr A.F. Warthrop au 425 Harrington Lane, la lettre était postée de Londres, en Angleterre. L'écriture était bel et bien celle du docteur, quoique beaucoup plus nette que sur tous les documents rédigés de sa main que j'avais pu lire, comme s'il s'était efforcé d'écrire avec application. L'enveloppe était encore cachetée à la cire, comme toutes les autres que j'examinai – une quinzaine au total –, avec la même adresse de retour. Après avoir voyagé sur de longues distances, ces lettres d'un fils à son père avaient été jetées sans avoir été lues dans une vieille malle rangée dans un coin poussiéreux. Ah ! Warthrop ! Ah ! humanité ! Était-il au courant ? Il avait lu le journal de son père, s'en était souvenu suffisamment pour retrouver les notes sur le capitaine Varner, mais avait-il remarqué, en faisant l'inventaire de cette malle, que ces lettres d'une autre époque n'avaient jamais été ouvertes ?

C'était impertinent de ma part, désobéissant – une véritable intrusion dans sa vie privée. Devrais-je ? Oserais-je ? Retenant mon souffle, je jetai un coup d'œil vers la porte. Aucun bruit, mis à part le tic-tac de l'horloge sur la cheminée et les battements du sang à mes oreilles. J'ignorais tant de cet homme dont je partageais chaque moment de la journée, et auquel ma vie était inextricablement liée. Je ne savais *quasiment* rien de lui, et *absolument* rien de son passé. Cette lettre dans ma main me révélerait certainement des indices. *C'est maintenant ou jamais, Will Henry ! Range-la ou ouvre-la – maintenant ou jamais !*

J'ouvris l'enveloppe.

Elle ne contenait qu'une seule feuille de papier ministre, rédigée de la même écriture que celle de l'adresse. Daté du 14 mai 1865, voici le contenu de cette lettre :

*Cher père,*

*Ma dernière lettre remonte déjà à trois semaines. Je vous écris donc à nouveau afin que vous ne m'accusiez pas de négligence. Il ne s'est pas passé grand-chose depuis, sauf que j'ai attrapé un mauvais rhume avec de la fièvre et une toux, etc., mais vous serez sûrement ravi d'apprendre que je n'ai cependant pas raté un seul jour de classe. Le directeur dit qu'il* est très satisfait de mes progrès, et il compte vous écrire lui-même à mon sujet, etc. J'espère que vous lirez sa lettre, et que, si vous en avez le temps, vous lui ferez la grâce d'une réponse. Il vous admire beaucoup, tout comme moi, et ceux qui vous connaissent.

J'espère aussi que vous m'écrirez bientôt. Chaque semaine, des lettres arrivent d'Amérique, et je me mets en rang avec mes camarades de classe pour la distribution. Chaque semaine, j'attends donc que le directeur appelle mon nom, hélas ce n'est jamais le cas. Je ne me plains pas, père, et j'espère que vous ne prendrez pas mes propos comme des reproches. Je suis souvent seul, et je ne me sens pas vraiment bien, ici. Lorsque je n'ai pas cours, je reste la plupart du temps dans ma chambre, et parfois, quand, comme aujourd'hui, il fait froid et gris, qu'il ne pleut ni ne neige, mais que le temps reste morne comme si un linceul s'était étendu sur le monde, je me sens vraiment seul. Une lettre de vous éclairerait ma tristesse, car, vous le savez, j'ai cette disposition familiale à la mélancolie ancrée en moi. Certes, vous êtes très occupé avec vos recherches et vos voyages. J'imagine mes lettres s'empilant sur la console de l'entrée, attendant votre retour. Et, bien sûr, je m'inquiète que quelque malheur vous soit arrivé, et que personne ne se soit donné la peine de me prévenir. Si vous recevez cette lettre, pourriez-vous prendre un moment ou deux pour m'adresser une rapide réponse ? Cela signifierait tant pour moi !

Je reste, etc.

Votre fils,

Pellinore

J'entendis soudain le parquet grincer à l'étage. Aussitôt, je repliai la lettre, la rangeai dans son enveloppe et pressai du doigt le tampon de cire, en un geste inutile, vu

DESCENDANCE

à quel point il était dur après trente-trois ans. Je jetai la lettre dans la malle et dispersai par-dessus ses compagnes au sceau intact.

*Cela signifierait tant pour moi !* Apparemment, cela n'avait pas été le cas pour son père. Oui, le père avait bel et bien ignoré les écrits de son fils. Était-il vraiment en déplacement à l'époque où Warthrop était à Londres, jeune garçon de mon âge, solitaire et privé de son environnement familial, désirant ardemment recevoir des nouvelles ? Et si c'était le cas, pourquoi le vieux Dr Warthrop n'avait-il pas ouvert ces lettres à son retour ? Pourquoi les avait-il toutes gardées s'il se souciait si peu de son fils ? Quelle ironie ! J'avais lu ce courrier pour y découvrir des indices, mais il n'avait contribué qu'à approfondir le mystère que je cherchais à éclaircir.

Cependant, ma lecture avait au moins eu un certain résultat. Comme bien souvent, les indices que nous cherchons ne sont pas ceux que nous trouvons : en cet instant, je le voyais clairement dans mon esprit, ce jeune garçon pas très différent de moi, arraché à sa famille et à ses amis, sans personne ni rien pour le consoler, blotti dans sa chemise de nuit sur son lit étroit, écrivant fiévreusement cette lettre entre deux quintes de toux. Pour la première fois, j'éprouvais quelque chose d'autre que de la crainte et de la peur envers le monstrologue. *Pour la première fois*, je ressentais de la pitié pour lui. Mon cœur se serra pour cet enfant malade si loin de chez lui.

Mais mes sentiments furent de courte durée. À peine avais-je dissimulé la lettre dans la malle que le docteur descendit l'escalier en hâte et se précipita dans la pièce.

— Will Henry ! Que fais-tu ?

— Rien… Rien, monsieur, bégayai-je.

— Rien ! Voilà donc que de nouveau, quand je te pose la question, tu ne fais rien ! Cela semble être ton occupation principale, Will Henry !

— Oui, monsieur. Je veux dire, non, monsieur ! Je suis désolé, monsieur. Je vais arrêter.

— Arrêter quoi ?

— De ne rien faire.

— Will Henry ! Tu m'es complètement inutile, si chaque fois que je te demande de faire quelque chose tu fais l'opposé. Du nerf ! Nous avons trois bonnes heures de route avant d'arriver à Dedham.

Sans se donner la peine d'attendre ma réponse, il se précipita dans le couloir. J'entendis claquer la porte de la cave. Les joues en feu, je me hâtai de terminer ma mission, jetant les divers souvenirs dans la malle, avant de ramasser avec hésitation la tête réduite. Elle était étonnamment légère. Je m'interrogeai sur l'histoire de ce pauvre homme à l'origine indéterminée. Était-ce un autre cadeau offert au vieux Dr Warthrop par quelque chef de tribu au cours de ses voyages, ou bien cette tête avait-elle un lien plus personnel avec la famille Warthrop ? Il était impossible de déterminer son sexe et son âge, les traits révélant ses origines ayant été effacés par l'irrémédiable passage du temps, ce grand niveleur qui se moque de nos différences, roi ou serf, homme ou femme, héros, valet, fou du village. Retourne dans la malle, crâne anonyme, avec tes yeux suturés et ta bouche figée en un cri silencieux ! L'indignité de ton enfermement n'est pas pire que la nôtre.

Je jetai la tête dans la malle. Elle ricocha sur l'une des parois, roula un instant sur le côté, puis s'arrêta, se calant sur les autres effets du vieux docteur. La force de l'impact avait dû déloger l'objet caché dans la cavité de son crâne minuscule, car je remarquai soudain, dépassant du cou, un morceau de tissu rouge. Je repris la tête, attrapai l'extrémité du tissu et tirai dessus, jusqu'à ce que l'objet accroché à son autre extrémité émerge de son cocon cadavérique. C'était une clé – une clé de quoi, je l'ignorais, mais elle était trop grande pour être celle de la malle ou d'une porte.

— Will Henry ! cria le Dr Warthrop depuis les marches du sous-sol.

Je remis la tête dans la malle et enfouis la clé dans ma poche. Je la lui montrerais plus tard. Il avait inventorié le contenu de ce coffre ; peut-être était-il déjà au courant de cette clé cachée dans ce crâne.

— Les chevaux, Will Henry ! La nourriture, Will Henry !

Contrairement à mon expédition précédente, je n'éprouvai cette fois aucune terreur en me rendant au laboratoire du sous-sol, car la pièce était éclairée et le docteur s'y trouvait, debout devant le cadavre suspendu de l'*Anthropophagus* mâle. Chargé de mon fardeau, je descendis lourdement les marches. Me tournant le dos, le docteur contemplait toujours le monstre accroché devant lui, bras croisés, tête penchée d'un côté. Je poussai la malle de son père sous l'escalier puis, le souffle court, je fis un pas vers lui.

— Docteur, chuchotai-je. Qu'aimeriez-vous manger ?

Il ne se retourna pas, et ne daigna pas non plus me répondre de vive voix. Levant sa main droite, il se contenta de balayer l'air du bout de ses doigts en un geste mépri-sant. Je songeai un instant à lui parler de la clé, mais décidai que mieux valait attendre qu'il soit de meilleure humeur. Je remontai donc l'escalier afin de me mettre en quête du moindre biscuit ou morceau de pain, même rassis, que je pourrais trouver au fond de notre pauvre garde-manger. J'étais affamé.

Une demi-heure plus tard, le docteur surgit dans la cuisine. Bien qu'il se soit lavé et ait changé de vête-ments depuis son retour, la puanteur de la mort semblait l'imprégner, l'entourant comme un parfum morbide. Il me vit assis à la table, remarqua le bol fumant devant moi, puis son jumeau, posé à l'autre extrémité et, à côté, la serviette pliée avec soin, la cuillère impeccablement lustrée, la théière et la tasse de thé.

— Qu'est-ce que c'est ?

— De la soupe, monsieur.

— De la soupe ? répéta-t-il comme si ce mot lui était inconnu.

— De la soupe de pommes de terre.

— De la soupe de pommes de terre ?

— Oui, monsieur. J'en ai trouvé deux dans le panier, qui n'étaient pas en trop mauvais état, ainsi que quelques carottes et un oignon. Nous n'avons pas de crème ni de viande, alors j'ai mis de l'eau et un peu de farine pour l'épaissir.

— Pour l'épaissir.

— Oui, monsieur. De la farine, monsieur, pour l'épaissir.

— De la farine.

— Ce n'est pas mauvais. Je suis passé devant la boulan-gerie en allant à la poste, mais vous m'aviez ordonné de ne pas m'arrêter, alors je n'en ai rien fait. Voilà pourquoi nous n'avons pas de pain pour accompagner la soupe. Vous devriez manger, monsieur.

— Je n'ai pas faim.

— Vous avez dit que nous devrions manger avant...

— Je me souviens très bien de ce que j'ai dit, m'interrompit-il sèchement. Sache, Will Henry, qu'il n'y a rien de plus ennuyeux pour une personne qu'on lui rappelle ses propres paroles, comme si elle était trop idiote pour s'en souvenir. C'est *toi* qui as oublié ce que j'ai dit, à savoir que *tu* devrais manger avant notre départ.

— Mais je suis en train de manger, monsieur.

— Grand Dieu ! As-tu perdu la raison, William James Henry ? Souffrirais-tu par hasard d'une quelconque déficience mentale dont je ne serais pas informé ?

— Non, monsieur. Je veux dire, je ne crois pas. Je pense juste que vous devriez manger un peu de soupe.

Je sentais trembler ma lèvre inférieure.

— Cela est une conclusion basée sur des données erronées, rétorqua-t-il. Je n'ai pas faim.

Je baissai les yeux. L'intensité de son regard était insupportable. Ses prunelles sombres luisaient d'une colère insoutenable ; tout son être vibrait avec force. Se méprenait-il sur mes intentions ? Considérait-il l'attention que je lui portais comme un acte de désobéissance ? Les souvenirs de la malle lui avaient sans nul doute remis en mémoire sa relation peu chaleureuse avec son père. Ma gentillesse attisait-elle une blessure qui ne serait jamais guérie ? Cette prévenance de ma part était-elle trop difficile à supporter ?

Tandis que cet adulte au faîte de son pouvoir se penchait au-dessus de ma silhouette voûtée et tremblotante, au fond de moi, je vis le petit garçon solitaire et malade, seul en pays inconnu, écrivant à l'homme dont il désirait désespérément l'attention et l'affection, un homme qui ne récompenserait la dévotion de son fils qu'en le rejetant, en négligeant ses lettres, omettant de les ouvrir, se contentant de les abandonner dans une vieille malle. Quelle ironie que les tours et les détours de l'histoire ! Nous nous vengeons souvent bien longtemps après les faits sur de complets innocents, reproduisant les péchés de personnes disparues, perpétuant à l'infini la douleur dont nous avons souffert à cause d'elles. Son père avait rejeté ses supplications, alors il rejetait les miennes, et moi, par le plus curieux tour du sort, j'étais *lui*, ce petit garçon solitaire cherchant l'approbation et l'affection de la seule personne importante à ses yeux. J'avais offensé son orgueil et accru sa colère : la colère envers son père pour l'avoir ignoré, la colère envers lui-même pour avoir eu besoin de *quoi que ce soit.*

— Oh ! arrête ça ! grommela-t-il. Cesse ces jérémiades insupportables. Je ne t'ai pas pris sous mon aile pour que tu deviennes mon cuisinier ou ma gouvernante, ou pour toute autre raison, mis à part l'obligation que je devais à ton père pour ses services. Tu as du potentiel, Will Henry. Tu es intelligent, curieux, et tu n'es pas sans courage, cela étant des qualités indispensables pour un assistant, et peut-être même pour un futur scientifique, mais ne te berce pas d'illusions en croyant être plus que cela : un assistant que j'ai été obligé de prendre avec moi à cause de malheureuses circonstances. Tu n'es pas là pour subvenir à mes besoins ; c'est moi qui dois subvenir aux tiens. Maintenant, termine cette soupe dont tu es si incroyablement fier, et va à l'écurie préparer nos chevaux. Nous partirons à la tombée de la nuit.

# SIX

*Qu'en est-il des mouches ?*

Cette nuit-là, durant trois heures, nous chevauchâmes jusqu'à Dedham, sur des petites routes caillouteuses, ne nous arrêtant qu'une fois pour accorder un peu de repos à nos chevaux, et une autre, juste en lisière de la ville, pour nous faufiler dans les bois afin de dissimuler notre présence à une calèche qui approchait. La nuit était fraîche. Le souffle de nos chevaux formait des petits nuages de vapeur dans l'air tandis que nous patientions en sécurité sous le couvert des arbres. Le docteur attendit que le bruit des sabots de l'attelage se soit évanoui avant de reprendre notre route. Nous continuâmes sans ralentir jusqu'aux premières maisons en périphérie de la ville. À l'intérieur de ces charmants cottages, des lampes diffusaient une douce lueur. J'imaginais les familles blotties à l'intérieur, chaque membre ravi de la compagnie de l'autre, partageant un mardi soir habituel, le père près du feu, la mère jouant avec ses enfants sans se soucier d'un quelconque monstre. Pour ces familles, de telles créatures n'existaient que dans l'imagination des enfants. L'homme qui chevauchait à côté de moi, lui, connaissait la vérité. *Oui, mon cher enfant, les monstres sont bien réels,* affirmerait-il sans aucune hésitation à un gamin terrifié cherchant du secours. *D'ailleurs, j'en ai un pendu dans ma cave.*

Nous avions à peine descendu Main Street que le Dr Warthrop engagea son cheval dans une ruelle étroite bordée de peupliers. Au bout, sur un poteau en acier rouillé était accrochée une petite pancarte qui aurait presque pu passer inaperçue : Sanatorium de Motley Hill. Des arbres, des enchevêtrements de vignes et des mauvaises herbes se resserraient autour de nous tandis que nous gravissions lentement la colline. Les bois se refermaient sur nous ; la voûte des arbres dissimulait les étoiles. Nous progressions maintenant dans un tunnel obscur. Il n'y avait aucun bruit, mis à part celui des sabots sur la terre. Aucune stridulation de criquet ou coassement de grenouille. Rien ne perturbait l'étrange et mystérieux silence. Une flagrante nervosité ne tarda pas à s'emparer de nos chevaux. Ils reniflaient et s'ébrouaient de plus belle au fur et à mesure de notre ascension. Le docteur paraissait calme, mais, en ce qui me concernait, je ne valais guère mieux que ma petite jument, mes yeux scrutant fiévreusement l'obscurité de plus en plus profonde.

La piste – vu son état, on ne pouvait plus guère parler de route – se stabilisa, les arbres reculèrent, et à mon grand soulagement, comme à celui de ma jument, nous émergeâmes sur une vaste étendue de pelouse éclairée par la lune.

À une centaine de mètres droit devant nous se dressait une maison de style fédéral, blanche avec des volets noirs, ornée de larges colonnes. Aucune fenêtre n'était éclairée. La propriété paraissait abandonnée, comme si ses habitants s'étaient depuis longtemps enfuis vers un endroit plus joyeux. J'ai tout d'abord songé que le sanatorium avait dû être fermé suite à l'internement du capitaine Varner trois ans plus tôt. Je jetai un coup d'œil au docteur. Il affichait une mine sombre.

— Will Henry, chuchota-t-il tandis que nous avancions vers la bâtisse, quand nous serons entrés, abstiens-toi de parler. Tu ne dois pas regarder qui que ce soit droit dans les yeux. Si des personnes te parlent, ignore-les. Ne t'adresse pas à elles, et ne leur réponds d'aucune manière. Pas même d'un hochement de tête ou d'un clin d'œil. Tu as bien compris ?

— Oui, monsieur.

Il soupira.

— Je crois que je préférerais avoir affaire à une douzaine d'*Anthropophagi* plutôt qu'aux âmes misérables qui errent entre ces murs !

En la regardant mieux, la demeure était d'une nuance plus proche du gris que du blanc. Elle avait dû être blanche, bien des années auparavant, mais la peinture avait commencé à s'écailler. De grands lambeaux pendouillaient des bardeaux nus et moisis. Les carreaux n'avaient pas été nettoyés depuis des mois. Les toiles d'araignées s'accumulaient dans les coins. J'aurais presque pu dire que cette maison était hantée, mais, comme le monstrologue, je rejetai toute notion de phénomène surnaturel.

D'un geste vif, le docteur frappa à la porte avec le pommeau de sa canne de marche – une gargouille en jade. Il n'y eut aucune réponse. Warthrop frappa de nouveau, trois coups brefs, une pause, puis trois autres. Toc-toc-toc… toc-toc-toc.

Seul le silence nous répondit, juste troublé par le bruit du vent dans les arbres et celui des feuilles mortes balayées par son souffle sur le vieux porche. Le docteur posa ses mains sur sa canne et attendit avec une patience égale à celle de Bouddha.

— Cet endroit est abandonné, chuchotai-je, légèrement soulagé.

— Non, personne ne nous attend, c'est tout.

De l'autre côté de la porte, je perçus soudain un bruit de pas fatigués, comme si une personne très vieille ou épuisée faisait son possible pour venir répondre à la sommation insistante du docteur. J'entendis le bruit métallique de plusieurs verrous, puis la porte s'ouvrit dans un grand craquement, et une lueur tremblotante éclaira le porche. Dans l'entrebâillement de la porte se tenait une vieille femme à la mine défraîchie, habillée tout en noir. Elle serrait une lampe entre ses articulations noueuses, la levant bien haut pour illuminer nos visages.

— Nous n'acceptons aucun visiteur après neuf heures, coassa-t-elle de sa bouche édentée.

— Il ne s'agit pas d'une visite de courtoisie, répondit le Dr Warthrop.

— Pas de visiteur après neuf heures ! répéta-t-elle d'une voix rauque, haussant le ton, comme si le docteur était dur d'oreille. Pas d'exception.

— Peut-être pourriez-vous quand même en faire une dans mon cas, rétorqua mon maître d'un ton calme, en lui tendant sa carte. Dites au Dr Starr que Pellinore Warthrop est venu lui rendre visite.

— Le Dr Starr s'est retiré pour la nuit. Il a formelle-
ment demandé à ne pas être dérangé.

— Ma chère dame, je vous assure que le Dr Starr
n'apprécierait pas que vous nous claquiez la porte au nez.

— Le docteur dort.

— Dans ce cas, réveillez-le ! cria Warthrop, perdant
patience. Il s'agit d'une extrême urgence.

La vieille femme jeta un coup d'œil à la carte de visite.

— Docteur Warthrop, lut-elle. Qu'est-ce que cela signifie ? Le Dr Warthrop est mort. J'en suis certaine. Vous
n'êtes qu'un imposteur !

— Non, je suis son fils.

La femme resta interdite un instant un moment.

— Il n'a jamais parlé d'un fils, dit-elle enfin.

— Je suis certain qu'il y a bien des choses dont il
ne vous a pas parlé, répliqua-t-il d'un ton sec. Comme
je vous l'ai fait remarquer, je suis ici pour une affaire de
la plus haute importance, alors, si ce n'est pas trop vous
demander, pourriez-vous, de la façon la plus rapide dont
une personne de votre âge est capable, informer votre
employeur de ma présence et de mon urgent besoin de
m'entretenir avec lui, de préférence avant l'aube.

La vieille femme nous claqua violemment la porte au
nez. Le docteur poussa un soupir exagéré. Tandis que
les secondes se transformaient en minutes, il demeura
aussi immobile qu'une statue, appuyé sur sa canne, tête
penchée, les yeux à demi clos, semblant rassembler ses
forces pour une confrontation imminente.

— Va-t-elle revenir ? demandai-je quand je n'y tins plus.

J'avais l'impression que nous attendions sous ce porche
depuis des heures.

Le docteur ne répondit rien. Je répétai ma question.

— Va-t-elle revenir ?

— Elle n'a pas refermé les verrous. Donc, j'ai bon espoir.

J'entendis enfin des pas précipités approcher. La porte s'ouvrit en grand, révélant un vieil homme – mais pas aussi âgé que la mégère qui avançait dans le couloir quelques pas derrière lui. Il s'était habillé à la hâte, jetant une redingote poussiéreuse sur sa chemise de nuit, il avait toutefois négligé de recoiffer ses cheveux emmêlés : les mèches fines et clairsemées pendaient presque jusqu'à ses épaules, tel un rideau diaphane tombant sur ses énormes oreilles, exposant son crâne. Son nez était long et pointu, ses petits yeux bleus chassieux et son menton orné d'une légère barbe.

— Docteur Starr, dit le monstrologue. Je m'appelle Pellinore Warthrop. Je crois que vous connaissiez mon père.


— C'est un cas pitoyable…, affirma le vieil homme en posant sa tasse d'une main tremblante.

La porcelaine cliqueta, et une coulure brune traça son sillon le long de la tasse.

— … qui intéressait beaucoup votre père, poursuivit-il.

— Pas seulement lui.

Nous étions assis dans le petit salon, juste à côté du hall d'entrée. La pièce était froide, mal éclairée et peu ventilée, comme devait l'être tout le reste de la demeure. Une curieuse odeur douceâtre flottait dans l'air. Je l'avais remarquée dès que nous avions pénétré à l'intérieur – tout comme un bruit indistinct, les marmonnements de personnes invisibles, logées quelque part dans cette vieille maison remplie d'ombres : des gémissements, des toux, des plaintes de désespoir, des cris de colère, de peur, et, en contrepoint de toute cette cacophonie, les tintements hystériques d'un rire haut perché. Mon maître et le Dr Starr faisaient fi du vacarme en coulisse, se contentant de hausser légèrement la voix pour mieux s'entendre. Pour ma part, ce brouhaha me perturbait et me mettait mal à l'aise. Néanmoins, je me forçai à rester stoïque et je résistai à l'envie de demander au Dr Warthrop si je pouvais attendre dehors avec les chevaux.

— Ainsi, vous avez marché dans ses traces, hasarda le psychiatre. Je vais être honnête avec vous, docteur Warthrop, jusqu'à ce soir, j'ignorais qu'il avait un fils.

— Mon père était un homme très discret. Il trouvait l'intimité humaine… détestable. Je suis son seul fils, et je l'ai à peine connu.

— Comme cela arrive hélas trop souvent dans le cas d'un homme comme votre père, fit observer Starr. Son travail était tout pour lui.

— J'ai toujours pensé que cela avait plus à voir avec le fait qu'il ne m'aimait pas.

Le Dr Starr lâcha un rire, qui se transforma en un curieux coassement.

— Veuillez m'excuser, dit-il.

Il prit un mouchoir blanc souillé dans sa poche, dans lequel il cracha de grosses glaires. Il examina alors ce contenu avec attention. Jetant un coup d'œil au docteur, il eut un petit sourire triste.

— Je vous demande pardon, docteur Warthrop. J'ai bien peur d'être en train de mourir.

— Quel est le diagnostic ? demanda Warthrop avec politesse.

Il avait beau ressembler à un parangon de patience, il ne pouvait s'empêcher de taper nerveusement du pied sur le tapis usé jusqu'à la corde.

— Il n'y en a pas. Je n'ai pas dit que *j'étais*, mais que je *craignais d'être*.

— Une peur qui nous étreint tous, de temps à autre.

— Dans mon cas, elle est presque constante. Cela dit, ma réticence à connaître le véritable diagnostic augmente de façon proportionnelle avec ma peur.

— Intéressant, répondit le Dr Warthrop sans grande conviction.

— Et contrairement à votre père ainsi que selon les apparences, à vous, jeune homme, je n'aurai personne pour reprendre mon flambeau quand j'aurai disparu.

— Will Henry n'est pas mon fils, précisa mon maître.

— Non ?

— C'est mon assistant.

— Votre assistant ? Il est bien jeune pour un tel rôle, non ?

Les yeux épuisés se portèrent sur moi ; je me détournai aussitôt, me rappelant les paroles du docteur :

*Abstiens-toi de parler. Tu ne dois pas regarder qui que ce soit droit dans les yeux. Si des personnes te parlent, ignore-les. Ne t'adresse pas à elles, et ne leur réponds d'aucune manière. Pas même d'un hochement de tête ou d'un clin d'œil. Tu as bien compris ?*

— Il a été placé sous ma responsabilité suite à la malheureuse perte de ses parents.

— Ah, vous veillez donc sur lui par charité !

— Non, loin de là ! Il est peut-être jeune, mais cet enfant a du potentiel.

— Toutes mes condoléances, mon garçon.

Le Dr Starr s'était adressé directement à moi, mais je refusai de lever la tête, ou même de le remercier d'un hochement de tête. *Ignore-les,* m'avait enjoint le Dr Warthrop. Il n'avait fait aucune exception, pas même pour le directeur du sanatorium de Motley Hill.

— Alors, Warthrop, continua Starr, je crois que vous souhaitez parler au capitaine Varner.

— Je ne me serais pas permis de vous le demander si le sujet n'était pas d'une absolue nécessité.

— Oh, je ne doute pas que seule une urgence vous a attiré ici, à cette heure tardive de la nuit sans vous être annoncé ! Depuis toutes ces années, le patient n'a jamais cessé de s'épancher sur cette histoire bizarre de cannibalisme. Dans le cas contraire, s'il avait gardé ces racontars pour lui, ce serait un homme libre – ou mort, car il aurait certainement été exécuté sur condamnation.

— Mon père ne m'a jamais parlé de ce cas, dit le monstrologue. Je suis simplement tombé sur une note y faisant référence dans ses documents personnels.

— Et c'est la curiosité qui vous a conduit jusqu'à ma porte.

— Une curiosité singulière, certes, affirma le docteur avec précaution.

— Très singulière, mon cher docteur Warthrop ! Très singulière !

La silhouette menue du Dr Starr fut de nouveau saisie d'une quinte de toux durant une bonne minute. Il répéta le rituel du mouchoir, crachant de nouvelles glaires à l'odeur écœurante entre ses plis crasseux.

— Mais une simple curiosité, même intense ou singulière comme vous l'admettez, ne pourrait pas être interprétée, même par le linguiste le plus négligent, comme *une nécessité*, ou ainsi que vous l'avez annoncé à Mme Bratton comme une affaire de la plus haute importance.

— Apparemment, mon père croyait en la véracité des propos de cet homme.

— Eh bien, étant donné sa profession, cela ne fait aucun doute.

— C'est bien pour cette raison qu'il s'était senti obligé de venir ici, comme je le fais ce soir. Je sais que le patient est âgé, et pas en très bonne santé…

— Et vous avez donc chevauché pendant trois heures depuis New Jerusalem, sans mener votre propre enquête auparavant, parce que vous vous sentiez obligé par… quoi, précisément ?

— Comme je l'ai dit, répliqua le docteur avec précaution, par l'état de santé du capitaine Varner, son âge avancé, et d'autres facteurs pertinents qui m'ont incité à…

— Oui ! C'est donc ça ! Des facteurs pertinents ! Voyez-vous, cela pique ma curiosité, docteur Warthrop. Que diable peuvent bien être ces « facteurs pertinents » ?

Mon maître prit une profonde inspiration, se redressa sur son siège et affirma avec dureté :

— Je n'ai pas la liberté de vous l'expliquer.

— Dans ce cas, pardonnez-moi si je prends *moi* la liberté de le dire, déclara le Dr Starr d'un ton sarcastique.

*Anthropophagi. Anthropophagi*, c'est cela, n'est-ce pas ? Croyez-vous que je n'ai jamais entendu parler d'eux ? Ce vieux fou a répété sa fable à qui voulait l'entendre – et même à ceux qui ne le voulaient pas ! Je suis loin d'être inculte, Warthrop, je connais Shakespeare : les anthropophages… ces hommes dont la tête est placée au-dessous de leurs épaules. Oh, oui ! Je sais pertinemment ce qui vous a amené ici !

— Parfait, répondit le monstrologue d'un ton neutre. Puis-je le voir, maintenant ?

Le Dr Starr jeta un œil vers la porte, puis reporta son attention sur mon maître.

— Comme vous le présumez bien, le capitaine Varner est un homme âgé, et sa santé est plus fragile que jamais. En ce qui me concerne, j'ai peur de mourir. Le capitaine Varner, lui, *est* en train de mourir. Et je crains qu'il n'ait complètement perdu l'esprit. Votre recherche aura été vaine, docteur Warthrop.

— Voulez-vous dire que vous refusez que je le voie ?

Visiblement, mon maître était à bout de patience.

— Je suis simplement venu pour éclaircir quelques questions sur un cas dont s'occupait mon père, rien de plus. Ce cas ne présente aucun intérêt particulier pour moi.

— Ce n'est pas l'impression que vous avez donnée à ma gouvernante, et votre insistance trahit votre intérêt à voir le capitaine Varner, docteur Warthrop.

Mon maître poussa un lourd soupir de frustration et, poings crispés, se leva de son siège.

— Viens, Will Henry. Nous perdons notre temps, ici.

— Ne vous énervez pas, intervint Starr, un sourire malicieux aux lèvres. Je vous faisais juste remarquer que, afin d'éviter de perdre votre temps et dans l'intérêt de la science, vous feriez mieux de me parler directement de ce cas. Comme vous le savez, le capitaine Varner est sous ma responsabilité depuis vingt-trois ans. J'ai entendu son histoire des centaines de fois, et j'en connais tous les détails, au moins autant que lui. J'ose même prétendre que je suis plus au courant que lui, étant donné la détérioration de ses facultés.

— Néanmoins, je préférerais entendre cette histoire de la bouche du capitaine, rétorqua Warthrop.

— Même si je vous assure qu'il est à peine lucide ?

— J'en jugerai par moi-même.

— Vous êtes certainement un éminent collègue, Warthrop. Un docteur en psychologie, tout autant qu'en – comment appelez-vous votre science, déjà ? – monstrologie.

Warthrop ne répondit rien. Vu la tension ambiante, je craignais qu'il ne perde son sang-froid, et bondisse à travers la pièce pour étrangler le vieil homme. Le vieux psychiatre ne connaissait pas le docteur aussi bien que moi ; même s'il était en apparence totalement calme et maître de ses émotions, au fond de lui brûlait un feu aussi puissant que le soleil, véritable rage que seule son incroyable volonté lui permettait de contrôler.

De nouveau, Starr jeta un coup d'œil vers la porte, comme s'il attendait quelque chose. Il poursuivit alors, toujours avec ce petit sourire aux lèvres :

— Ne voyez aucune offense dans mes propos, Warthrop. Mon domaine de compétence n'est pas plus estimable que le vôtre. Je ne voulais ni railler ni ridiculiser votre carrière, qui ressemble d'ailleurs en certains points à la mienne : nous avons dédié nos vies à chercher des fantômes. La différence entre nous est la nature de ces fantômes. Les miens existent dans l'esprit d'autres hommes ; vos fantômes existent dans votre propre esprit.

À ce point de la conversation, je m'attendais à ce que le docteur invite Starr à New Jerusalem afin qu'il voie de ses propres yeux la nature *fantomatique* de sa carrière. Mais mon maître ne pipa mot, et lui aussi jeta un coup d'œil vers la porte. Les deux hommes semblaient attendre quelque chose.

— C'est une vie difficile et solitaire que nous menons, chuchota le vieil homme. Nous sommes tous deux, War-throp, des voix criant dans le vide. Depuis cinquante ans, j'ai rendu un service inestimable à mes confrères. J'ai beaucoup sacrifié, ne subsistant que grâce à de maigres donations et dons philanthropiques. J'aurais pu choisir un poste beaucoup plus stable et bien plus rémunéra-teur à l'université, au lieu de cela j'ai préféré dédier ma vie à aider les pauvres malheureux, que le destin et les circonstances ont jetés en travers de ma route. Ne vous méprenez pas, je ne me plains pas, mais tout cela est très dur. Vraiment dur !

Le petit sourire s'était effacé, remplacé par des lèvres tremblantes. Une larme solitaire coula sur la joue du vieil homme.

— Et c'est ainsi que je finirai mes jours ! sanglota-t-il. Comme un pauvre diable indigent, avec une bourse bien mal garnie pour couvrir les dépenses de mes funérailles. Vous m'avez demandé quel était le diagnostic de ma maladie, je vous ai dit la vérité en répondant qu'il n'y en avait pas, car je ne peux pas me permettre de consulter un médecin. Moi, médecin aussi, j'ai sacrifié ma santé sur l'autel de l'altruisme, et me voilà obligé de subir une fin humiliante à cause de mes choix. Ah, Warthrop, c'est pitoyable – mais je n'attends aucune pitié ! Ma fierté m'achèvera, peu importe ! Je n'ai aucun regret. Plus de poumons non plus. Néanmoins, je préfère mourir comme un pauvre, mais avec honneur, plutôt que de vivre dans le déshonneur.

Secoué d'une nouvelle quinte de toux, Starr plaqua ses mains squelettiques sur son torse. Les manches de sa veste glissèrent jusqu'à ses coudes, révélant ses bras osseux. Il semblait se ratatiner sous nos yeux, se fondre en une masse tremblotante de chair défraîchie et de dents jaunâtres surdimensionnées.

Mon maître n'esquissa pas un geste. Il ne dit rien non plus. Les poings toujours crispés, il se contenta d'observer le psychiatre répéter son rituel du mouchoir.

Il attendit que la toux de Starr se calme, puis s'avança de quelques pas et jeta une pièce d'or à côté de sa tasse de thé. Le vieil homme contempla la pièce, détourna le regard.

— Je ne vous ai pas demandé la charité, docteur Warthrop, coassa-t-il. Vous ajoutez l'insulte à la blessure.

— Ce n'est certainement pas mon intention, docteur Starr. Il s'agit d'un prêt. Vous me rembourserez. La seule condition est que vous utilisiez cet argent pour voir un médecin.

Starr le fixa.

— Mon unique chance serait de consulter un spécialiste.

Une seconde pièce rejoignit la première.

— À Boston.

Une troisième pièce. Starr poussa un profond soupir en réponse au tintement du métal. Warthrop lâcha une quatrième pièce. Starr eut une toux rugueuse. Warthrop jeta une cinquième pièce sur le tas. Starr se redressa alors, et cria avec force, d'une voix étrangement claire :

— Madame Bratton ! Madame Braaaatton !

Elle apparut aussitôt sur le seuil. Depuis le début de l'entretien entre Warthrop et Starr, la vieille mégère qui nous avait accueillis attendait l'ordre du vieux psychiatre, cachée dans un coin. Elle pénétra dans la pièce enveloppée d'une odeur d'eau de Javel.

— Accompagnez le Dr Warthrop à la chambre du capitaine Varner, lui ordonna Starr.

Il n'esquissa pas un geste pour se joindre à nous. Toujours confortablement assis, il continua à siroter son thé, tenant sa tasse d'une main bien plus ferme que précédemment. L'argent que mon maître avait laissé tomber près de la soucoupe semblait l'avoir ragaillardi.

— Bien, docteur, répondit la vieille femme. Suivez-moi, dit-elle à Warthrop.

Tandis que nous quittions la pièce, Starr s'adressa à mon maître :

— Le garçon devrait peut-être rester ici avec moi.

— Le garçon est mon assistant, lui rappela le Dr Warthrop d'un ton sec. Ses services me sont indispensables.

Il suivit Mme Bratton en dehors de la pièce, sans m'enjoindre de l'accompagner, ni même regarder derrière lui pour s'assurer de ma présence ; il savait que j'obéirais.

Conduits par cette vieille femme tout de noir vêtue et parfumée à l'eau de Javel, nous grimpâmes le petit escalier étroit qui menait au deuxième étage. À mi-chemin, le docteur murmura :

— Rappelle-toi ce que je t'ai dit, Will Henry.

Au fil de notre ascension, ces gémissements étranges, ces cris à peine humains augmentèrent. Une voix gutturale s'éleva par-dessus le vacarme, en un furieux monologue entaché d'obscénités. D'une voix désespérée, une femme appelait sans relâche une personne prénommée Hanna. Un homme sanglotait sans pouvoir s'arrêter. Et, tel un courant souterrain dans cette mer de lamentations désincarnées, surgit ce rire frénétique que j'avais entendu depuis notre entrée au sanatorium. De plus en plus forte, aussi, cette odeur écœurante que j'avais remarquée dans le salon, sa composition répugnante hélas par trop évidente : un pot-pourri pestilentiel de chair crasseuse, de vieille urine et d'excréments humains.

Des deux côtés de ce long couloir du deuxième étage s'alignaient de lourdes portes en bois, équipées de vieux verrous en fer et de cadenas de la taille de mon poing, ainsi que d'une fente d'une quinzaine de centimètres au niveau des yeux, cette ouverture couverte par un petit volet de métal. Les vieilles lattes du plancher craquaient sous nos pas, avertissant les occupants de ces pièces barricadées de notre présence. Leurs cris s'élevèrent avec intensité, triplant de volume. L'occupant de l'une des chambres se rua sur sa porte, qui trembla sur ses vieux gonds. Quand nous dépassâmes le blasphémateur enragé, il plaqua ses lèvres contre le verrou et nous hurla une bordée de jurons dignes du plus ivre des marins. Les cris désespérés appelant cette fameuse Hanna retentirent de plus belle à nos oreilles. Je jetai un coup d'œil au docteur, cherchant un signe de réconfort dans cette tour de Babel de misère et de souffrances humaines, mais n'en trouvai aucun. Il avait l'air aussi calme et détaché qu'un homme se promenant dans un parc par une belle journée d'été.

Pour ma part, cette avancée dans ce couloir lugubre me paraissait sans fin, et bien loin d'une promenade au parc. Lorsque nous nous arrêtâmes devant la dernière porte, j'avais le souffle court tant j'étais obligé de respirer la bouche ouverte à cause de l'horrible puanteur. Notre guide sortit un gros anneau de la poche de son tablier, et commença à fouiller dans la douzaine de clés qui y étaient accrochées, opération bien plus complexe que l'on ne peut l'imaginer. En effet, elle fit courir son doigt sur les crans de chaque clé, comme si elle pouvait identifier la bonne juste en la touchant. Soudain, un coup violent fit trembler la porte derrière moi. Je sursautai, tandis qu'une voix rauque chuchotait :

— Bonjour, qui est là ? Qui est là ?

J'entendis un reniflement. L'homme avait plaqué son nez contre la porte.

— Je sais que vous êtes là. Je vous sens.

— Le patient n'était pas réveillé la dernière fois que je suis venue le voir, déclara Mme Bratton au docteur, tout en continuant à effleurer ses clés.

— Dans ce cas, nous le réveillerons, lâcha mon maître.

— Vous n'obtiendrez pas grand-chose de lui. Cela fait des semaines qu'il n'a pas parlé.

Warthrop ne répondit rien. Mme Bratton trouva enfin la bonne clé, déverrouilla le vieux cadenas, puis ouvrit la lourde porte en la poussant d'un coup d'épaule.

La pièce était étroite, à peine plus grande que mon alcôve d'Harrington Lane, sans autre meuble que le vieux lit bancal placé à deux pas de l'entrée. Une lampe à pétrole était posée par terre, juste à côté, sa flamme étant l'unique source de lumière de la chambre. Elle projetait nos ombres sur le plafond et sur le mur décrépi face à la fenêtre crasseuse, devant laquelle, sur le rebord couvert de poussière, s'alignaient des carcasses de mouches desséchées. Au-dessus d'elle, un groupe de leurs congénères bourdonnait en se traînant sur la vitre. Mes yeux commencèrent à me brûler tant l'odeur d'eau de Javel était omniprésente, et je compris alors pourquoi Starr avait retenu mon maître au rez-de-chaussée : Mme Bratton avait eu besoin de temps pour nettoyer et désinfecter la pièce avant de nous accompagner auprès du capitaine Varner.

Il était allongé dans son lit sous plusieurs couches de couvertures et de draps, le dernier aussi immaculé qu'un linceul d'enterrement, ne laissant que sa tête et son cou visibles. Le lit était étroit, et le paraissait plus encore à cause de son impressionnante silhouette. Je m'étais imaginé rencontrer un vieil homme fragile et ratatiné, ayant perdu toute trace d'humanité après plus de vingt ans d'emprisonnement et de privations. Au lieu de cela, je me trouvais face à un homme de proportions monstrueuses, pesant à mon avis plus de cent cinquante kilos, son imposante corpulence creusant une formidable dépression dans le matelas. Sa tête aussi était énorme ; si grosse qu'elle faisait passer le coussin sur lequel elle reposait pour une pelote à épingles. Ses yeux se perdaient entre les plis de sa chair grisâtre ; son nez, rouge et proéminent, surgissait d'entre ses joues creuses comme une patate sur une terre aride ; quant à sa bouche, ce n'était qu'un tunnel sombre et édenté, dans lequel sa langue enflée jouait sans cesse sur ses gencives nues.

Le docteur s'approcha du lit. La vieille femme tournait et retournait nerveusement son trousseau entre ses doigts. Le cliquètement des clés, la respiration rauque du patient et le bourdonnement des mouches contre la fenêtre étaient les seuls bruits régnant dans cet espace étroit à vous en rendre claustrophobe.

— Si j'étais vous, je ne le toucherais pas. Le capitaine Varner déteste être touché, déclara Mme Bratton. N'est-ce pas, capitaine Varner ?

L'homme ne répondit rien. Même si ses yeux étaient à peine visibles au milieu de ses rides, je remarquai qu'ils étaient ouverts. Du bout de sa langue, aussi grise que sa peau, il s'humecta les lèvres. Son menton, rien qu'une protubérance entre son cou et sa lèvre inférieure, brillait de salive.

Pendant un long moment, le Dr Warthrop contempla l'objet de sa quête, sans dire un mot ni afficher une quelconque émotion. Puis il sembla sortir de son envoûtement et se tourna brusquement vers la vieille femme.

— Laissez-nous !

— Je ne peux pas, répliqua-t-elle d'un ton sec. C'est contraire au règlement.

Mon maître répéta son ordre sans élever la voix, mais en détachant ses mots comme si la vieille femme ne l'avait pas bien compris.

— Laissez-… nous.

J'ignore ce qu'elle vit dans ses yeux, mais cela l'effraya à un point tel qu'elle détourna aussitôt le regard, s'éloigna en secouant furieusement son trousseau, symbole de son autorité, et s'écria :

— Le Dr Starr en sera informé, soyez-en sûr !

Warthrop s'était déjà retourné vers le mastodonte échoué sur le lit. Le tintement des clés s'évanouit dans le couloir ; la vieille femme avait laissé la porte de la chambre ouverte. Mon maître me fit signe de la refermer. Puis, alors que je restai le dos plaqué contre sa réconfortante épaisseur, Warthrop se pencha au-dessus du lit, approchant son visage de celui bouffi de l'homme allongé, et dit d'une voix forte :

— Hezekiah Varner ! Capitaine !

Varner ne répondit rien. Ses yeux continuèrent à fixer le plafond ; il gardait la bouche ouverte, sa langue passant sans fin sur sa lèvre inférieure, avant de se retirer dans cette sombre gueule édentée. Du plus profond de son torse s'élevait un bruit, quelque chose entre une sourde rumeur et un gémissement. Néanmoins, mis à part cette langue qui remuait sans cesse, il ne bougeait pas un muscle, si tant est qu'il restât un muscle sous cette couche de graisse.

— Varner, m'entendez-vous ?

Crispé de nervosité, Warthrop attendait une réponse… qui tardait à venir. Derrière lui, les mouches bourdonnaient contre la vitre. La chambre empestait l'eau de Javel. L'odeur était suffocante. Je respirais avec autant de retenue que possible. Une question me taraudait.

Le docteur verrait-il un inconvénient à ce que j'entrouvre la fenêtre pour laisser entrer un peu d'air frais ?

Warthrop éleva la voix et cria carrément au visage de l'homme :

— Savez-vous qui je suis, Varner ? Vous a-t-on dit qui venait vous rendre visite ce soir ?

L'obèse invalide poussa un geignement. Le docteur lâcha un soupir et me regarda.

— J'ai bien peur qu'il ne soit trop tard, affirma-t-il.

— Qui…, gémit l'ancien marin, comme pour contredire mon maître. Qui est là ?

— Mon nom est Warthrop.

— Warthrop ! s'écria le capitaine.

À la mention de ce nom, ses yeux s'agitèrent autant que sa langue, allant et venant dans leurs orbites, mais refusant de croiser le regard du docteur. Il fixait le plafond de part et d'autre, plafond sur lequel l'ombre de Warthrop dansait au-dessus de Varner comme un vilain démon.

— Vous connaissez mon nom.

L'énorme tête acquiesça d'un hochement.

— Que Dieu ait pitié de moi. Oui, je connais le nom de Warthrop. Tout fut de sa faute. Que le diable le maudisse, lui et toute sa famille.

— Alistair Warthrop était mon père.

L'homme n'ajouta rien, se contentant de gémir.

— Mon père, continua le monstrologue, qui vous a engagé en 1863, ou début 1864, je pense, afin que vous voguiez vers l'Afrique de l'Ouest, peut-être la Sénégambie ou la Basse-Guinée, pour en revenir avec une cargaison spéciale qui l'intéressait vivement. N'est-ce pas ?

— Non…, murmura le vieil homme.

— Non ? répéta le docteur, sourcils froncés.

— Non, ni la Sénégambie ni la Guinée. Mais le Bénin, grommela-t-il. Le royaume du Bénin ! Le berceau de cette parodie athée de royaume, pour y rencontrer le chef d'État maudit de ce pays maudit, l'Oba, et je jure qu'on ne peut trouver de barbare plus infâme ou de libertin plus répugnant où que ce soit dans le monde.

Mon maître paraissait stupéfait.

— L'Oba du Bénin a capturé des spécimens vivants d'*Anthropophagi* ?

— Il abritait tout un troupeau de ces horribles monstres dans une chambre sous son palais.

— Mais les *Anthropophagi* sont incapables de survivre en captivité. Ils meurent de faim, en pareil cas.

— Pas ceux-là, Warthrop, affirma le vieil homme. Je vous assure que ces monstres étaient bien portants, et très heureux ! Je les ai vus de mes propres yeux.

— Ils étaient nourris ? demanda le docteur d'un ton incrédule. Mais comment ?

— La plupart du temps, ils leur donnaient des enfants en pâture. Des filles de douze ou treize ans. Des prépubères. Parfois des bébés. Oui, j'ai entendu des bébés hurler, jetés nus dans l'abîme. Au centre du temple se trouvait un puits relié par un tunnel à la salle où ils étaient détenus. Et c'est dans ce puits que les prêtres lançaient leur victime. Je l'ai vu, Warthrop. Je l'ai vu de mes propres yeux ! Jetée par six mètres de fond, elle se précipite sur les parois lisses du gouffre sacrificiel, tentant de s'y agripper, cherchant une main, une corde qui viendrait la sauver, mais bien sûr, il n'y a rien. Non, aucune fuite n'est possible ! Le grand prêtre donne le signal. Alors, la lourde porte en bois s'ouvre, et ils arrivent. Vous sentez d'abord une puanteur atroce comme celle de corps en décomposition, puis un souffle puissant et le bruit de leurs crocs qui claquent alors que la victime innocente hurle, hurle, implorant la pitié de ses juges sans merci. La pitié, Warthrop ! Ils la fixent de leurs visages impassibles comme la pierre, et tandis que les monstres se ruent dans le puits, la terreur lui vole les dernières bribes de sa dignité : sa vessie se vide, tout comme ses intestins. Elle s'évanouit sur le sol sale, souillée par ses propres excréments pendant qu'ils se précipitent vers elle, les plus grands sautant directement dans le tunnel où elle se trouve, l'agneau sacrifié par ces païens dont la folie l'a condamné à un sort indigne même du pire scélérat. Mais leurs dieux assoiffés de sang exigeaient, et ils obéissaient.

» La tête est le prix le plus convoité. Le premier monstre à atteindre la victime l'arrache de son cou. Son cœur encore palpitant expulse le sang par l'orifice ainsi créé ; un geyser brûlant jaillit alors dans l'air et peint de rouge leurs corps d'albâtre. Ils grognent et s'écharpent pour un morceau de viande, car c'est ce qu'elle est, maintenant, de la viande ; et non plus un être humain. Des lambeaux de sa chair voltigent au-dessus du rebord du puits, éclaboussant les spectateurs des restes ensanglantés de son corps juvénile. J'ai été frappé de cécité, elle s'était comme dissoute dans la mêlée, mais après avoir été témoin d'une telle horreur, je bénis cet aveuglement. Aucune vision de l'enfer ne pourrait surpasser un tel cauchemar, Warthrop. Aucune image, aucun mot ne peuvent témoigner de ce que j'ai vu ce jour-là ! Ou tout du moins, c'est ce que je pensais, ajouta Varner après un moment de silence seulement troublé par le bourdonnement des mouches.

— Ce que vous pensiez ? Qu'entendez-vous par là ?

— Le roi répugnait à se séparer d'eux, car comment mettre un prix sur ceux qu'ils considéraient comme leurs dieux ?

— Mais l'Oba vous en a vendu, fit observer le docteur. C'est bien ce qu'il a fait, non ?

— Oui, oui, bien sûr. Après une nuit d'âpres négociations... mais pas autant d'individus que Warthrop le désirait. Votre père en voulait quatre, une paire d'adultes et deux spécimens de leur progéniture. Or nous ne sommes repartis qu'avec trois d'entre eux à notre bord : un petit de deux ans, un jeune mâle et le dernier...

Il ferma les yeux un bref instant et prit une profonde inspiration avant de poursuivre :

— C'était une femelle. Une femelle de l'enfer. La plus grosse de cette troupe féroce – plus grosse que le plus grand des mâles, qui mesurait déjà plus de deux mètres cinquante –, celle que l'Oba redoutait plus que tous les autres. C'est elle que nous avons emmenée. Cette diablesse.

Horrifié par ses souvenirs, malgré les vingt années qui s'étaient écoulées, le capitaine Varner frissonna sous ses draps.

— Mais pourquoi mon père en voulait-il quatre ? L'a-t-il expliqué ?

— Grand Dieu, non, il ne l'a pas dit, et je n'ai pas demandé ! J'ignorais même, en voguant vers cet affreux pays, quelles horribles choses nous attendaient là-bas. Warthrop m'avait offert une paye royale pour ce travail, et peu m'importait qu'il en veuille vingt ou quatre-vingts. Le *Feronia* avait subi d'importants dégâts à cause de la guerre. J'ai accepté son offre sans poser de questions, sans même y réfléchir.

Warthrop s'éloigna du lit. En deux enjambées il se retrouva face à la fenêtre, mains croisées dans le dos, scrutant le rebord crasseux. Avec précaution, il saisit l'une des mouches mortes, attrapa ses délicates ailes entre son pouce et son index, et la tint devant lui, comme pour étudier la cause de son trépas.

Le Léviathan échoué dans le lit ne le regardait pas. Il continuait à fixer le plafond et sa surface irrégulière jaunie, comme si elle pouvait lui apporter un quelconque réconfort, son corps toujours aussi immobile que celui d'un cadavre sous les draps immaculés. Depuis combien de temps était-il allongé ici, paralysé, incapable de bouger la tête ou un membre, obligé de fixer ce plafond heure après heure, jour après jour ? Et quelles terribles scènes, inconcevables pour nos pauvres esprits, son imagination aidée de son impitoyable mémoire avait-elle peintes dessus ? *Pauvre créature paralysée, pas étonnant que le vieux Dr Warthrop t'ait abandonnée !* Quel secours pouvait-il offrir à quelqu'un dont l'esprit avait trahi le corps qui l'hébergeait ? Même s'il le désirait, quel intellect pourrait se montrer plus fort que l'horreur qui fige la moelle et les membres ? La corde fantasmatique qui te ligote est bien plus épaisse que la plus grosse chaîne d'un cargo, Hezekiah Varner !

— Ou tout du moins *le pensiez-vous*, murmura le docteur, tournant la mouche entre ses doigts. Rien ne pourrait égaler les visions d'horreur que vous aviez vues ce jour... ou tout du moins *le pensiez-vous*.

Varner lâcha un rire, aussi fin et léger que la feuille d'automne qui craque sous les pas d'un homme corpulent.

— Quelque chose d'absolument terrible s'est passé lors de votre retour en Amérique, n'est-ce pas ? insista le monstrologue.

— Il a essayé de me prévenir.

— Qui ? Qui a essayé de vous avertir ?

— L'Oba ! Le matin de notre départ, ce vieux diable m'a demandé, avec un clin d'œil et un grand sourire, quelles provisions nous avions prévues pour eux. Il m'a expliqué que ces monstres pouvaient devenir « irascibles » après plusieurs jours sans leurs « victuailles » et m'a proposé deux de ses esclaves pour nous dépanner durant le voyage. J'ai réprimandé ce vieux sauvage, ce païen athée ! Moi, je suis un chrétien, lui ai-je dit. Je crains Dieu et son jugement.

— Mais au bout de quelque temps, vous avez dû vous en vouloir de ce reproche, fit observer Warthrop.

— J'avais des instructions très strictes du monstrologue, marmonna Varner. Nous avons renforcé la cale, posé des barreaux de fer sur les hublots, des serrures doubles sur les portes. Nous avions cent kilos de porc salé à bord, et à Sapele nous avions embarqué du bétail selon les quantités précises prescrites par Warthrop : douze chèvres, cinq jeunes veaux et sept chimpanzés. Essayez les chimpanzés si rien d'autre ne marche, avait-il dit. Ce sont les animaux qui se rapprochent le plus de leurs proies préférées. *Qui se rapprochent le plus !* Que le ciel nous vienne en aide !

Warthrop lâcha la mouche. Elle tomba sur le sol. Du bout de sa chaussure, il écrasa sa carcasse desséchée.

— Les mouches, murmura-t-il d'un air pensif. Qu'en est-il des mouches ?

Il les observa durant un moment bourdonner et se cogner contre la vitre sale avant de se retourner pour faire face au capitaine Varner.

— Ils ont refusé de se nourrir, affirma-t-il.

Ce n'était pas une question.

— Oui, ils ont refusé, comme vous le savez, et comme vous savez tout le reste. Alors, je ne dirai plus rien. J'ignore pourquoi vous êtes venu ici en plein cœur de la nuit pour poser des questions dont vous connaissez déjà les réponses. J'ignore pourquoi vous êtes venu tourmenter un vieil homme malade et mourant. J'ignore quel plaisir ma douleur vous procure, Warthrop. Vous êtes bien le digne fils de votre père ! Vous savez pertinemment quels ordres a passés le vieux Warthrop, et quel a été le sort de l'équipe du *Feronia*. Quel sadisme vous amène ici près de mon lit de mort ? Est-ce pour me remémorer ces jours atroces, l'effroi que j'ai vécu ? Pour enfoncer un peu plus le couteau que votre père a planté en moi, avant que je ne sois emporté par l'Ange de la Mort ? Ayez pitié de moi ! Ayez pitié de moi, Warthrop. Ayez pitié !

Le docteur ignora sa diatribe, cette prière angoissée ponctuée de gémissements et de pleurnicheries.

DESCENDANCE

— Ils ont tué sur-le-champ ce que vous leur avez donné, mais n'en ont rien mangé. En quelques jours, votre navire empestait plus qu'un abattoir.

— Non, chuchota Varner en fermant les yeux. Ça suffit, je vous en supplie !

— Alors, d'une façon ou d'une autre ils ont réussi à se sauver. Rien dans les écrits à leur propos ne suggère qu'ils sont capables de nager ; ils se sont donc échappés *à l'intérieur* du navire, et non *en dehors*. Au moins deux d'entre eux ont survécu jusqu'à ce que le bateau échoue à Swampscott. Les adultes, je pense.

Varner soupira, lâchant une exhalation grinçante, comme la semelle d'une chaussure crissant sur des galets. Il ouvrit alors les yeux et déclara :

— Ils ont mangé le plus jeune. C'était son enfant, comme l'avait dit l'Oba. Cette monstrueuse femelle a déchiqueté son propre petit en lambeaux. De mes yeux – ah, ces maudits yeux ! –, je l'ai vue enfourner son cœur encore battant dans son horrible gueule béante. Elle n'a laissé à son partenaire que quelques rares morceaux.

— C'était elle la dominante des deux spécimens ?

— Il était terrifié par sa compagne, ça au moins, c'était évident.

— Pourtant, elle ne s'est pas retournée contre lui – pourquoi ?

Le capitaine Varner ne répondit rien. Il avait de nouveau fermé les yeux. Les garder ainsi clos devait l'aider à oublier les atroces images qui dansaient sur le plafond, tout comme la présence du Dr Warthrop et la mienne. Il resta immobile pendant un si long moment que je craignis qu'il ait cessé de respirer.

— Vous m'avez demandé pourquoi j'étais venu, commença Warthrop en retournant à son chevet. C'est à cause d'elle que je suis ici, Hezekiah, car, comme vous, elle a survécu à son voyage dans le *Feronia*, et, par la suite, sa progéniture a prospéré dans les contrées où elle s'est réfugiée. Aujourd'hui, ses enfants sont plus d'une trentaine de spécimens en pleine forme, et se trouvent juste à trois heures de chevauchée d'ici.

Varner poussa un nouveau gémissement. Cela arrivait si fréquemment, que c'était désormais comme un bruit de fond, ainsi que celui des mouches se cognant la vitre. *Qu'en est-il des mouches ?* avait demandé Warthrop. *Qu'en est-il des mouches ?*

— Mon père s'est torturé à cause de votre sort, poursuivit-il. Cependant, il ne s'est nullement soucié du destin de votre cargaison particulière. Il avait beaucoup de défauts, mais c'était avant tout un scientifique. Jamais il n'aurait présumé sans raison que les *Anthropophagi* s'étaient perdus ou étaient morts de faim en pleine mer. Quelqu'un a dû lui assurer qu'il n'était nul besoin de continuer à faire des recherches sur le sujet, et aucun témoin n'aurait pu faire cela, mis à part un : le seul survivant du *Feronia*. Est-ce pour cette raison que mon père s'est mis à votre recherche après vingt ans ? Pour vous poser de nouvelles questions sur cette cargaison ?

À la lueur de la lampe, la chair de Varner brillait d'un gris maladif tandis qu'il transpirait sous sa montagne de couvertures, et pour la première fois je perçus une autre odeur que celle de l'eau de Javel. La puanteur de la décomposition. Je me demandai alors si par hasard un rat ne se serait pas faufilé sous le lit avant d'y mourir.

Cela aurait expliqué les mouches. Je jetai un coup d'œil vers la fenêtre crasseuse. *Qu'en est-il des mouches ?*

— Deux choses sont responsables du destin tragique du *Feronia*, marmonna Varner, cédant enfin à l'interrogation du monstrologue. La versatilité de la nature et la folie humaine. Lors de notre dix-neuvième journée en mer, nous avons atteint les zones de calme. Durant les jours suivants, il n'y eut aucun vent, juste une mer aussi plate qu'une prairie du Kansas, et ce terrible soleil tropical qui cognait sur nos têtes, jour après jour. L'équipage s'inquiétait de notre sort… Les marins se morfondaient et buvaient pour tromper leur ennui. Au final, ils étaient presque toujours ivres. Alors, pour se divertir et faire passer le temps, ils ont décidé de les tourmenter. De parier pour savoir combien de temps durerait le pauvre bétail qu'ils avaient chargé dans la cale, et quel monstre mettrait quel animal à mort. Ils s'amusaient à ouvrir les trappes, à les taquiner à travers les barreaux, à leur jeter tout un tas de choses et à rire de leur colère. La plus grande, la femelle, pouvait sauter du fond de la cale, c'est-à-dire d'environ six mètres jusqu'à moins de cinquante centimètres des barreaux ; ils pariaient sur ça aussi, essayant de deviner jusqu'où elle pourrait approcher ses griffes sans les toucher. C'est Wilson, le second, qui s'en amusait le plus. Et c'est lui qui a payé cette folie en premier.

Varner nous apprit ensuite que le dernier jour avant que le vent se lève, mettant fin au calme mortel qui avait retardé leur traversée, après une nouvelle journée brûlante durant laquelle les marins s'étaient de nouveau noyés dans le rhum, Wilson et deux de ses compagnons de bord décidèrent d'abattre l'un des veaux et d'en offrir un morceau sanguinolent à l'un des *Anthropophagi*. Le raisonnement de Wilson, complètement éméché, était celui-ci : *ces monstres refusent de manger ce que nous leur proposons parce qu'ils savent de quoi il s'agit ! Aucun bouffeur de chair humaine qui se respecte ne daignerait dîner d'une chèvre sanguinolente. Mais s'ils ignorent d'où vient la chair, ils pourraient la prendre pour de la chair humaine et la manger !* Le plan ne fut pas approuvé par le capitaine Varner ; il s'était retiré dans ses quartiers, pensant souffrir de malaria. Son équipage massacra l'animal sur le pont et jeta ses viscères ensanglantés par-dessus bord aux requins qui entouraient le navire, sans se rendre compte dans leur folie que la frénésie des squales n'était qu'un simple prélude au cauchemar qui allait suivre.

Wilson et un manœuvre du nom de Smith entaillèrent un gros morceau de l'un des flancs du veau et le fixèrent à un grappin qu'ils attachèrent à une corde d'une bonne dizaine de mètres. Wilson fit alors glisser l'appât à travers les barreaux, s'allongeant sur le ventre pour vérifier le résultat de son expérience.

C'était le crépuscule. Un moment de la journée durant lequel les *Anthropophagi* somnolaient, nichés dans leurs terriers de paille, une sorte de nid qu'ils avaient mis des heures à construire minutieusement, et encore plus à entretenir, comme nous en informa le capitaine. Les *Anthropophagi* sont des chasseurs nocturnes et passent une bonne partie de la journée à dormir, à nourrir leur progéniture, ou à s'adonner à des rituels de camaraderie avec les autres membres de leur groupe, le principal et le plus bizarre étant leur habitude de retirer les morceaux de chair humaine logés entre les dents de leurs congénères du bout de leur plus longue griffe, celle de leur majeur. L'opération est un exercice délicat, qui fait appel à la confiance et à la maîtrise de soi, étant donné que le bénéficiaire doit rester parfaitement immobile pendant que son compagnon fouille tout au fond de sa gueule incrustée de dents. S'il bouge, la griffe acérée comme un rasoir risque de lui entailler la gencive, ce qui l'amènerait, par réflexe, à refermer illico sa mâchoire, sectionnant ainsi la main de celui qui lui rend ce service indispensable.

Wilson avait du mal à voir les monstres, blottis l'un contre l'autre dans le coin le plus éloigné de la cale. Les barreaux de fer soudés sur les hublots limitaient la lumière, même quand le temps était clair, et à ce moment de la journée le soleil se couchait ; les créatures n'étaient que de sombres ombres au milieu d'ombres plus claires, à peine discernables des monticules de paille qui les entouraient. Difficile alors de dire si la masse entrevue était un tas de paille… ou l'un des monstres. Wilson balança la corde d'avant en arrière, appelant doucement les monstres, les informant que le dîner était servi. Cela faisait plus de trois semaines qu'ils n'avaient rien avalé, ils devaient être affamés. Ses compagnons, Smith, et le navigateur, Burns, se tenaient chacun d'un côté de lui, et se penchaient, scrutant l'obscurité, incapable de retenir leurs gloussements. Ils encourageaient Wilson. « Plus bas ! » l'exhortaient-ils. « Balance-le plus près pour qu'ils puissent le sentir ! » Ils appelaient les monstres au fond de ce trou obscur et fétide, cette prison qui avait autrefois contenu d'importantes cargaisons humaines, des esclaves pour les champs de coton de Géorgie et les plantations d'indigo de Louisiane – car le *Feronia* avait été un navire d'esclaves dont il faisait commerce illégal dans les années précédant la guerre.

À présent, sa cale exhalait les relents des carcasses en décomposition de chèvres, des restes des pauvres petits chimpanzés eux aussi victimes d'une fin horrible, et les excréments puants des *Anthropophagi*, qui avaient déchiré les corps de ces animaux avec la même facilité que des enfants arrachent les ailes des mouches. « Allez, les monstres ! Réveillez-vous, et venez dîner ! » Il n'y eut aucune réponse à leurs appels. Incapable d'approcher la viande suffisamment près des carnivores endormis, Wilson glissa son bras droit entre les barreaux, faisant ainsi descendre la corde un peu plus bas dans la cale. « Soyez prêts à me tirer en arrière, les gars », dit-il à ses compagnons tout en balançant le gros morceau de veau ensanglanté du bout de ses doigts. Ils peuvent être rapides ces... »

Il ne termina jamais sa phrase. Par contre, en moins de trente effroyables secondes, tout fut *terminé* pour lui.

Plus tard, avant de connaître le même sort atroce que cet idiot de Wilson, Burns, fou de terreur, se précipita dans la cabine du capitaine et apprit à Varner ce qui venait de se passer durant cette horrible demi-minute. Émergea-t-elle du nid de paille ou d'ailleurs ? Personne ne put le dire – Burns parce qu'il ne la vit pas, Wilson et Smith parce qu'ils étaient tous les deux morts. Par peur de la faire tomber, Wilson avait enroulé la corde deux fois autour de son poignet. À l'instant même de l'attaque, le marin lâcha prise. La corde se déroula de son poignet et tomba au fond de la cale. Mais la force de l'assaut lui avait coincé le bras et l'épaule dans le petit espace entre les barreaux de fer. D'une voix à la fois rauque à cause du rhum et intensifiée par l'hystérie, Wilson hurla à ses compagnons de le tirer. La vit-il dans l'obscurité en dessous de lui ? Les yeux sombres et sans âme brillant dans la lueur du soleil mourant croisèrent-ils ceux du marin avant que l'épouvantable gueule ne s'entrouvre et que la créature bondisse de plus de six mètres ?

Les griffes qui frappèrent l'infortuné transpercèrent les muscles et les tendons de son avant-bras, et, tandis que la bête agrippait le marin, elle referma son autre serre sur l'un des barreaux, barreaux inaccessibles avant que Wilson lui offre généreusement son aide. Horrifiés, ses compagnons reculèrent, terrifiés à la fois par les grognements sauvages de la bête et les cris de peur et de douleur de leur ami. Ses jambes tressautèrent. De ses pieds, il poussa sur les planches patinées pour essayer de se libérer, mais son bras prisonnier le bloquait irrémédiablement. Soudain, il cambra la nuque en arrière, balançant la tête de droite à gauche. La bête avait enfin lâché son bras déchiqueté. À présent ses griffes entaillaient le visage du marin et s'acharnaient sur sa gorge parfaitement exposée. L'une des griffes dut lui trancher la carotide, car Burns déclara que les cris de Wilson s'arrêtèrent tout net, se transformant en un gargouillis, et que, tout à coup, un véritable geyser de sang jaillit, giclant à grands jets dans la gueule béante du monstre. La tête du marin retomba en avant, heurtant les barreaux de métal. Il y eut un dernier spasme de ses jambes, puis Wilson se figea.

Smith se souvint trop tard du revolver à sa ceinture. Le temps qu'il le sorte de son étui, la femelle *Anthropo-*

*phagus* avait arraché deux barreaux, les brisant « aussi facilement qu'un homme casse un cure-dent », ces deux barreaux qui se trouvaient à présent sous le corps sans vie de Wilson ; son bras était finalement libre, mais trop tard, et le marin tomba dans la cale, où le compagnon de la créature, excité par le remue-ménage, et sans aucun doute par l'odeur âcre du sang frais, l'attendait. Smith faisait feu sans relâche tandis que la femelle, accrochée par l'une de ses griffes, tordait deux barreaux de son autre patte. Burns était incapable de dire si les tirs avaient atteint leur cible ; il avait pris la poudre d'escampette et fuyait à toute allure. Les vieilles lames du plancher craquaient sous le poids de sa course. Le couloir résonnait du bruit des coups de feu et des cris hystériques de Smith. Alors que Burns grimpait l'étroit escalier qui menait au pont arrière, les coups de feu cessèrent brutalement : soit Smith était désormais à court de munitions, soit la femelle avait réussi à s'extirper de sa cage, et Smith, comme Wilson, ne faisait plus partie de ce monde.

Quand les soldats de l'Union montèrent à bord du *Feronia*, ce qui restait de Smith aurait pu, selon les termes du capitaine Varner tenir « dans un sac en toile de jute ».

À ce moment de son sinistre récit, Varner fit une pause. Toute couleur s'était retirée de son visage, et il tremblait sous les draps. Les souvenirs peuvent apporter du réconfort aux personnes âgées et infirmes, mais ils peuvent aussi être d'implacables ennemis, une armée vicieuse de fantômes qui reviennent vous tourmenter jusqu'au crépuscule de votre vie. Il avait supplié Warthrop de ne pas l'obliger à se rappeler ces horribles événements, car certains souvenirs, comme je ne le sais que trop bien aujourd'hui, demeurent frais à votre esprit même des dizaines d'années plus tard.

Il resta silencieux, et Warthrop n'insista pas pour qu'il continue son récit. Peut-être avait-il compris – comme moi-même, hélas – qu'après avoir emprunté certains chemins de notre mémoire, nous n'avons plus aucune échappatoire. Ces chemins doivent être poursuivis jusqu'à leur amer terminus. C'est la même compulsion qui nous force à regarder un terrible accident ou à fixer avec une curiosité dépourvue de honte la pauvre victime d'un numéro de cirque. Le capitaine n'était pas maître de ses souvenirs des effroyables derniers jours à bord du navire condamné. C'étaient ses souvenirs qui le possédaient.

— Nous nous sommes faufilés dans la cale et nous avons rapporté toute la nourriture et l'eau que nous pouvions rassembler, puis nous avons bloqué l'accès aux ponts inférieurs, chuchota le vieil homme. Des gardes armés se sont relayés vingt-quatre heures sur vingt-quatre pour surveiller les lieux. La météo a tourné en notre faveur ; avec un peu de vent et un ciel convenable, nous avons repris une bonne allure. Les journées étaient calmes, mais c'était un calme étrange, trompeur, car dès que le soleil se couchait sur la mer, le martèlement commençait, ainsi que ce grattement incessant, infernal. Nous les entendions qui testaient chaque planche sous nos pieds, tapant, grattant, examinant, cherchant des faiblesses dans le bois. Les hommes faisaient des gardes de nuit à plusieurs, mais personne ne parvenait à dormir plus d'une heure ou deux, et chacune de ces heures paraissait plus longue qu'un jour, et chaque nuit semblait durer plus d'un an.

L'équipage était divisé et se disputait âprement. Certains pensaient que nous devions quitter le navire, prendre les canots de sauvetage et prier pour notre salut. D'autres prétendaient que notre seul espoir était de prendre ces monstres par surprise, de les attaquer pendant leur sommeil. J'ai rejeté les deux propositions. Nous naviguions à une bonne cadence, et le navire tenait le coup malgré leurs assauts. En abandonnant le *Feronia*, nous risquions de connaître le même sort que Wilson à cause du danger d'insolation et de famine. Nous avons donc continué notre route.

Au début, la décision du capitaine sembla avisée, car la trêve imposée – et la météo clémente – se maintint. Il en alla ainsi durant une semaine, puis deux, jusqu'au matin de leur quarante et unième jour en mer, lorsque l'archipel des Bermudes apparut vers le nord. Le vent, qui soufflait doucement de l'est depuis des jours, se leva brutalement. Le ciel vira du cobalt à un noir d'acier et dans l'heure qui s'ensuivit la mer se souleva d'un pied, puis de deux, puis de quatre, alors que le soleil disparaissait derrière de sombres nuages. Le *Feronia* tanguait dans la mer agitée. Des vagues de vingt pieds s'écrasaient par-dessus son bastingage. Le vent soufflait jusqu'à cinquante nœuds, forçant l'équipage à baisser les voiles de peur qu'elles ne soient arrachées des mâts. La pluie cinglait, une pluie impitoyable poussée par des vents violents. Pendant des heures, les hommes se rassemblèrent sur le pont exposé aux éléments, tandis que les créatures anthropophages restaient au chaud et au sec – une ironie qui ne passa pas inaperçue. Le débat reprit alors. Déjà l'un des marins avait failli être emporté par une déferlante. La tempête enflait d'heure en heure, la foudre claquait autour du mât principal, la pluie – fouettée par le vent – redoublait, rendant chaque manœuvre, chaque geste même, difficile ; et, alors que la journée s'étirait et que la température chutait, se profilait le danger de l'hypothermie. On abandonna les tours de garde et les patrouilles. La nuit tombait ; l'équipage du *Feronia* se réunit en un groupe tremblant de peur sur le pont arrière, sa crainte de la colère divine surpassée par celle des monstres.

— J'ignore qui l'a remarqué en premier, confessa Varner. Nos lampes s'éteignaient sans cesse. La foudre était le seul point de lumière au cœur de cette tempête. « Il y a quelque chose sur le pont ! » cria quelqu'un. Le souffle court, nous attendîmes tous le prochain éclair, mais, quand il zébra le ciel, nous ne vîmes rien, juste des ombres et un nuage de pluie. Il y eut un deuxième éclair, et un troisième, puis quelqu'un d'autre hurla : « Là-bas ! Vous voyez ? Là-bas ! Près du mât d'artimon ! » Mes hommes levèrent aussitôt leurs armes, que je leur ordonnai de baisser – il aurait fallu être extrêmement chanceux pour toucher une cible dans ce sombre maelström. À dire vrai, je vous jure que je n'ai pas pensé une seule seconde que ces ombres bondissantes puissent être les bêtes prisonnières dans la cale sous nos pieds. Le marin disait l'avoir vue surgir par-dessus le bastingage. Comment ces créatures auraient-elles pu réussir à grimper sur la coque glissante du *Feronia* avec un tel vent ? C'était plus vraisemblablement un gros poisson propulsé là par une vague plus forte. L'autre éventualité… n'était tout bonnement pas envisageable.

— Et pourtant, rétorqua Warthrop, elle l'était.

Il était adossé au mur à côté de la tête de lit, les bras croisés sur la poitrine, le menton baissé, les yeux clos. Je me rappelai ses paroles d'avertissement au cimetière : *Surveille bien les alentours, Will Henry. Ce sont d'excellents grimpeurs.*

— Ils avaient dû arracher un hublot, hasarda Varner. Puis grimper ensuite le long de la coque – mais ce n'est que mon avis. J'ai vu le crâne d'une de leurs victimes au Bénin, et les trous creusés par leurs griffes dans les os. Ces griffes acérées et dures comme de l'acier. J'ai encore du mal à le croire aujourd'hui – et à l'époque cela me semblait impossible –, mais oui, il a dû grimper le long de la paroi du *Feronia* en s'y agrippant avec ses griffes. Cela dit, je ne comprends toujours pas pourquoi il avait décidé d'abandonner son abri.

— C'est peut-être la faim qui l'en a fait sortir, dit le Dr Warthrop. Pourtant, j'en doute. La peur peut-être, ou bien ces terribles conditions météorologiques qui lui étaient complètement étrangères… ou, plus vraisemblablement, la crainte de sa compagne. Ils ont cela de commun avec nous : en période de grand stress, ils se retournent les uns contre les autres.

— Pas cette nuit-là, gémit Varner. Cette nuit-là, il a choisi des victimes plus faciles. Que ce soit la faim ou la peur qui l'ait incité à grimper, il a bel et bien grimpé, se déplaçant plus vite que la foudre elle-même, surgissant d'un bond sur le pont au milieu de nous tous, et dans le vacarme infernal qui a suivi – les cris d'angoisse de mon équipage, les grognements de la bête, les coups de feu tirés de tous côtés, le hurlement du vent, le déferlement des vagues, le grondement du tonnerre –, de cet enfer, Warthrop, j'ai été entraîné au bas de l'escalier puis poussé jusqu'à la porte de ma cabine.

Ce fut Burns, le navigateur, seul survivant de la première attaque, qui mena avec force le capitaine dans ses quartiers, puis claqua la porte, alors que la bataille faisait rage au-dessus d'eux. Le capitaine, hébété et toujours affaibli par sa crise de fièvre tropicale, s'effondra sur le sol tandis que Burns arrachait la lourde armoire du mur et la plaquait en barricade contre la porte. Il revint auprès du capitaine, mais, s'il attendait de quelconques remerciements pour sa vivacité d'esprit et son sang-froid dans la tourmente, il fut vite détrompé. Le capitaine le réprimanda avec violence. Il avait perdu son pistolet durant sa course forcée, et, à présent, ils étaient faits comme des rats – certes leur sort était peut-être un peu meilleur que celui des pauvres marins sur le pont supérieur, néanmoins, ils étaient quand même prisonniers. Burns endura les reproches sans dire un mot, puis traîna son commandant près du lit, lui enjoignant de ne plus bouger. De leur emplacement, ils avaient un bon angle de tir sur la porte et si jamais *quelque chose* regardait par le hublot du côté du lit, on ne les remarquerait pas.

— Dans mon placard ! cria le capitaine d'une voix forte pour couvrir le vacarme sur le pont juste au-dessus de leurs têtes. Dépêchez-vous, Burns !

Burns rampa jusqu'au placard – craignant d'attirer l'attention à travers le hublot s'il se redressait. À l'intérieur, il trouva un fusil pour chasser l'éléphant et des cartouches. Varner lui prit le tout des mains et lâcha un rire amer en chargeant l'arme.

— C'est un cadeau du roi d'Ashanti. Il n'a jamais servi. Espérons que nous n'aurons pas à le tester cette nuit, Burns !

Ils s'installèrent côte à côte au pied du lit. La foudre jaillissait à travers le hublot, projetant de longs éclairs sur le sol. Le navire, toujours à la merci de la mer déchaînée, continuait à tanguer avec violence. À l'étage au-dessus, le vacarme des armes à feu diminuait graduellement. On n'entendait plus qu'un coup tiré de temps en temps. Les cris de l'équipage s'étaient tus. Les vagues claquaient, le tonnerre vous assourdissait, le vent soufflait… c'était tout. Burns et Varner tendirent l'oreille cherchant à percevoir le bruit de l'équipage sur le pont. Les hommes s'étaient-ils sauvés tous ensemble pour se réfugier sur le pont inférieur ? Combien avaient survécu ? Y avait-il seulement des survivants ? Et où était la bête ? Elle devait être morte, ou en tout cas gravement blessée. Aucune créature, même de cette taille et avec une telle agilité, ne pouvait survivre à plus de vingt hommes lourdement armés. À moins que ? Serait-ce quand même possible ? Burns et Varner s'interrogeaient à voix basse, tandis que le tonnerre continuait à gronder. Claquant des dents, trempés jusqu'à la moelle, caressant nerveusement leurs armes du bout des doigts, ils firent maintes suppositions sans pour autant prévoir de plan d'action. Chaque moment qui passait sans nouvel incident était une victoire ; chaque seconde de survie était un triomphe.

Mais les secondes s'étiraient, les minutes s'allongeaient, et au bout de quelque temps ils demeurèrent silencieux, épuisés par ces questions auxquelles ils n'avaient aucune réponse. Aucun ne parla jusqu'à ce que Varner demande d'une voix grave à Burns combien de balles il lui restait dans son arme.

— J'ai tiré deux fois quand nous étions là-bas, mon capitaine. Il m'en reste donc quatre.

— Gardez-en deux.

— Deux, mon capitaine ?

— Tirez deux fois, si vous y êtes obligé, mais gardez les deux dernières. Une pour moi, l'autre pour vous-même, Burns, si nous devons en arriver à cette extrémité. Je ne tiens pas à connaître le même sort que Wilson.

Burns déglutit et prit un moment pour répondre. Peut-être essaya-t-il de trouver un argument, une objection faisant appel à la foi ou à la raison de son supérieur, mais vraisemblablement il n'en trouva pas, car il se contenta d'un bref :

— Oui, mon capitaine.

— Dites-moi, Burns, est-ce que vous priez ?

— Je suis chrétien, mon capitaine.

Varner gloussa et repoussa l'arme posée sur ses genoux. Le lourd fusil lui bloquait la circulation sanguine.

— Moi aussi, mais ce n'est pas la même chose, Burns. Est-ce que vous priez ?

— Ça ne m'arrivait guère quand j'étais plus jeune, confessa Burns. Mais je le fais souvent maintenant, mon capitaine.

— Très bien. Dites une prière, Burns, et faites en sorte que votre capitaine la comprenne.

Consciencieusement, Burns baissa la tête et commença à réciter lentement le Notre-Père. Quand il eut fini, les deux hommes étaient fort émus. Varner lui demanda s'il connaissait le vingt-troisième psaume, son préféré. *Si je devais traverser la vallée où règnent les ténèbres de la mort...* vous le connaissez, Burns ? Dites-le, si c'est le cas.

C'était bien le cas. Varner ferma les yeux tandis que Burns déclamait : *L'Éternel est mon berger. Je ne manquerai de rien...* Ces paroles réconfortèrent Varner. Elles lui rappelaient son enfance, sa mère, la manière dont elle lui tenait la main à l'église, les longues promenades lors de dimanches après-midi ensoleillés, et les agréables dîners familiaux qui s'étiraient tard le soir. *Il me rend des forces neuves...* Comme sont paisibles les jours heureux de l'enfance ! L'avenir paraît alors si lointain, et il arrive pourtant si vite ! En deux battements des ailes du temps, le petit garçon potelé assis près de sa mère sur le banc de l'église se retrouve à la cinquantaine, recroquevillé dans l'obscurité. *Pour moi tu dresses une table en présence de mes ennemis...*

— C'est parfait, Burns, murmura-t-il. Parfait.

— Merci, mon capitaine. On se sent mieux, maintenant, non ?

À peine eut-il prononcé ces paroles que ses jambes tressaillirent. Sa tête se renversa en arrière et heurta violemment le pied du lit. Ses yeux se révulsèrent dans leurs orbites, un jet de sang jaillit de sa bouche, gicla sur sa chemise et se répandit sur ses jambes tremblantes. Son estomac se gonfla comme une baudruche. Un bouton de sa chemise voltigea à travers la cabine. Puis la main, deux fois plus grande que celle d'un homme adulte, écarta le tissu trempé de sang. La peau d'albâtre se teinta alors d'écarlate. Des morceaux d'intestins pendaient des ongles acérés, longs de plus de dix centimètres. Un avant-bras puissamment musclé surgit alors. L'instant d'après, la tête de Burns se retrouva au creux de la serre griffue. Avec un bruit écœurant, la créature l'arracha de ses épaules et la tira à travers le trou creusé dans son ventre.

Varner poussa un cri d'effroi et s'écarta d'un bond, entraînant son fusil avec lui. Il ne prit même pas le temps de le lever, et tourna illico l'arme vers le corps désormais sans tête de son marin. Tremblant malgré lui, le bras douloureux à cause du poids du fusil, s'efforçant de garder l'équilibre tandis que le navire oscillait dans les vagues, Varner retint son souffle, priant son cœur qui tambourinait à tout rompre de se calmer. La lumière affrontait l'obscurité ; un éclair zébra le ciel, puis l'instant d'après, un noir total s'abattit.

Mais la bête sous le lit était patiente. Elle attendrait le temps qu'il faudrait pour gagner la bataille. Elle lancerait son assaut quand sa proie serait la plus vulnérable, quand elle aurait perdu le plus précieux de ses sens. Un million d'années d'évolution l'avait préparée à ce moment. C'était le prédateur ultime, contrairement à sa proie dont l'espèce ne régnait sur terre que depuis quelques milliers d'années. Chassés de leur ancien territoire de savane et des plaines côtières, ces *Anthropophagi* – ceux qui n'avaient pas été tués ou capturés par des tribus, comme au Bénin, pour des sacrifices – avaient trouvé refuge dans les vastes forêts du Congo et des côtes de Guinée, mais leur nombre avait considérablement baissé au fil des années. Malgré cela, l'évolution de l'humanité lui avait été bénéfique, et pas seulement en lui fournissant des proies en abondance pour se nourrir : pour survivre dans un habitat toujours plus restreint, les *Anthropophagi* étaient devenus plus gros, plus forts, plus rapides. Quand les premières pyramides s'étaient élevées des sables égyptiens, le mâle *Anthropophagus* moyen mesurait un peu plus d'un mètre quatre-vingts des pieds aux épaules ; cinq mille ans plus tard, à peine une seconde dans l'histoire de l'évolution, il atteignait plus de deux mètres. Ses griffes étaient plus longues, tout comme ses cuisses et ses bras puissants. Ses yeux s'étaient élargis jusqu'à trois fois la taille des nôtres, car nous l'avions condamné à l'obscurité, le chassant de son refuge au sein des branches d'acacias vers les cavernes sombres de Kinshasa et celles des montagnes de l'Atlas. La nature avait peut-être conçu la bête embusquée sous le lit, mais c'était l'évolution de l'homme qui l'avait poussée à se perfectionner.

Varner n'aurait qu'une seule chance : dans sa fuite effrénée à travers la pièce, il avait abandonné sa boîte de munitions. S'il ratait sa cible, elle fondrait sur lui en l'espace d'une seconde. L'image de la victime nue dans le puits, de son cadavre décapité affalé dans la boue et dans ses propres excréments lui vint à l'esprit.

C'est alors que le monstre l'attaqua. Le pied du lit se brisa en deux quand la femelle émergea de sa cachette ; ce fut ce bruit assourdissant de bois cassé qui alerta Varner. Il fit feu… et manqua sa cible. Quelque chose lui retenait la jambe : la créature avait planté ses griffes dans le talon de sa botte. Il la frappa entre les épaules, la martelant avec la crosse de son fusil tandis qu'elle l'entraînait vers sa gueule béante. Il plaqua alors le bout de sa botte sur le talon prisonnier de la griffe et poussa avec force, libérant enfin son pied pris au piège. Varner tituba vers son bureau, tentant de garder l'équilibre au milieu du roulis.

Des années plus tôt, à Bornéo, il avait acquis un kriss auprès d'un forgeron malaisien doué de ses mains pour fabriquer des armes : c'était une dague à la lame ondulée dont il se servait pour ouvrir son courrier, ou, quand il n'avait rien d'autre sous la main, pour se curer les dents. La providence lui sourit en cet instant. La pièce fut soudain illuminée par un éclair zébrant le ciel, et Varner vit la lame posée sur son bureau. Il attrapa le kriss et se retourna, fendant l'air à l'aveuglette.

— J'ignore ce que c'était, chuchota le vieil homme cloué au lit, vingt-trois ans plus tard. La chance ou le destin. La bonne fortune, ou mon ange gardien guidant ma main... Toujours est-il que la lame atterrit droit dans l'œil noir de cette bête maudite ! La créature a hurlé sa peur et sa douleur, ses cris couvrant carrément le bruit des déferlantes et celui du tonnerre, puis elle a reculé et je l'ai entendue tomber sur ce qui restait de mon lit. Peut-être a-t-elle trébuché sur ce pauvre Burns ; je l'ignore. J'étais déjà à la porte.

La chance, ou le destin, lui avait offert une opportunité. À présent, la peur et son bienfaisant rejeton, l'adrénaline, lui donnaient la force de la saisir. Il balança l'armoire hors de son chemin, ouvrit en grand la porte de sa cabine et courut sous la pluie.

— Je n'ai regardé ni à droite ni à gauche, déclara Varner. J'ai foncé droit vers les canots de sauvetage.

Hélas, à cause du vent, la corde qui maintenait les canots au *Feronia* s'était emmêlée. Accroupi dans l'eau glacée qui baignait le fond de l'embarcation, luttant contre la pluie battante, Varner tirait désespérément sur cette corde essayant de la dénouer de ses doigts engourdis.

La tête toujours penchée en avant, les yeux toujours clos, Warthrop chuchota :

— Le poignard.

— Oui, Warthrop ! Le poignard. Je me suis finalement rappelé que je l'avais, j'ai coupé la corde, et lancé le canot droit dans la mer.

À la fin de ce récit, personne ne prononça un mot durant un moment. Warthrop demeurait figé contre le mur, et Varner restait allongé comme il l'était depuis notre arrivée, aussi immobile qu'un cadavre, sa langue jouant entre ses lèvres violacées, ses yeux rivés au plafond décrépi. Quant à moi, j'avais l'impression d'être calé contre cette porte depuis des heures. Si je n'avais pas vu de mes propres yeux la dépouille d'Elizabeth Bunton, ou la fin atroce d'Erasmus Gray, j'aurais sans aucun doute considéré ce récit comme une fable, le produit d'un esprit torturé, un cauchemar né chez un vieil homme atteint de démence, cauchemar qui ne valait pas mieux que toutes ces histoires de sirènes ou de Léviathan capables d'avaler un navire et son équipage entier. Pouvait-il exister ironie plus cruelle ? Bien qu'il ait réussi à échapper à cet enfer, c'est la vérité qui avait amené le capitaine Varner dans cet asile, car seul un homme fou est apte à croire ce que savent pertinemment tous les enfants : il y a bel et bien des monstres cachés sous nos lits.

— Quelle chance pour vous, Hezekiah Varner, dit le docteur, rompant enfin le silence, d'avoir survécu non seulement à cette terrible nuit, mais aussi d'avoir tenu jusqu'à ce que vous soyez secouru !

— Je les ai tous perdus, tous ! poursuivit Varner. Et j'ai passé les vingt-trois années suivantes dans cet horrible endroit, dont les cinq dernières, confiné dans ce lit avec pour toute compagnie cette détestable bonne femme et son trousseau de clés. Vous parlez d'une chance, Warthrop ! Si la vie est une question, alors je connais la réponse : impossible d'y échapper. On ne peut frauder le destin. J'étais le capitaine de ce navire. Lc *Feronia* et moi appartenions l'un à l'autre, et je l'ai trahi. Je l'ai trahi et abandonné, mais le sort, lui, ne peut être ni trahi ni abandonné. Il peut juste être repoussé. Mon sort était d'être dévoré par cette bête, et même si j'ai pu faire plier le destin il y a vingt-trois ans, cette fois, je dois payer mon dû.

Warthrop se raidit. Pendant un moment, il fixa le visage gonflé de Varner, ses yeux mouillés de larmes qui s'agitaient sans cesse, tout comme cette langue boursouflée. Il ramassa la lampe par terre et me fit signe d'approcher.

— Tiens ceci, Will Henry, m'ordonna-t-il. Plus haut. À présent, recule.

Il agrippa les couvertures à deux mains. Cette fois, Varner tourna les yeux dans sa direction et chuchota :

— Non !

Warthrop ignora sa supplique, écarta les draps. Malgré moi, je poussai un petit cri et trébuchai en arrière.

Énorme masse de graisse gélatineuse, Hezekiah Varner était étendu aussi nu que le jour de sa naissance. Son corps était de la même teinte grisâtre que son visage. Un véritable patchwork de gaze était posé en divers endroits de sa colossale anatomie. Je n'avais jamais vu d'obèse aussi volumineux, mais ce ne fut pas cette vision qui me fit reculer ni crier ; ce fut l'odeur. Cette puanteur de chair en décomposition que j'avais décelée dès notre entrée dans la maison, multipliée ici par dix, cette senteur répugnante que j'avais attribuée au cadavre d'un rat sous le lit. Je jetai un coup d'œil à mon maître, qui affichait une mine sombre.

— Plus haut, Will Henry. Tiens-la au-dessus de lui pendant que je l'examine.

J'obéis, bien sûr, m'efforçant de respirer au minimum. Tandis que je brandissais la lampe au-dessus du corps immobile du capitaine, le docteur se pencha vers lui et commença avec douceur à retirer l'un des bandages. Varner gémit, mais ne bougea pas un muscle.

— Non ! Ne me touchez pas !

Là encore, Warthrop l'ignora.

— J'ai été stupide de ne pas m'en apercevoir sur-le champ ! Il ne peut y avoir qu'une explication à leur présence, Will Henry.

J'acquiesçai d'un hochement de tête, une main tenant la lampe pour éclairer son travail, l'autre plaquée sur ma bouche et mon nez. Oui, je hochai la tête, mais sans comprendre. Une explication à quoi ? Warthrop continua à retirer la gaze. Le bandage, comme tous les autres qui recouvraient son corps, paraissait incroyablement blanc à côté de sa chair grise. Le pansement était frais. Pendant que Starr nous retenait dans son salon au rez-de-chaussée, Mme Bratton avait dû s'affairer à nettoyer la pièce à l'eau de Javel, à retirer à Varner son pyjama dégoûtant, à le couvrir de ces bandages, à empiler sur lui ces draps et couvertures propres, tout cela pour dissimuler… quoi ? Pas les escarres, tout à fait normales sur un homme cloué au lit et d'une corpulence telle que celle du capitaine Varner. La réponse, en fait, bourdonnait sur la vitre derrière nous.

*Pourquoi toutes ces mouches ?*

— Ne me touchez pas, chuchota Varner.

Le bandage retiré par Warthrop recouvrait auparavant une bonne partie du flanc droit du capitaine. En dessous se trouvait une large plaie de forme ovale, dont les bords irréguliers étaient enflammés, une cavité béant jusqu'à ses côtes où, à la lueur tremblante de la lampe, je pouvais distinguer une matière grisâtre. Du pus ensanglanté dégoulinait du bord du trou puis s'écoulait entre deux plis de graisse abdominale avant de s'étaler sur le drap taché de moisissures que Mme Bratton n'avait pu changer ; Varner était trop lourd à soulever.

Warthrop grommela, approcha son visage à quelques centimètres de la plaie, scruta l'intérieur de ce point suppurant.

— Non, murmura-t-il soudain. Non, pas ici... ah ! oui ! Notre bonne Mme Bratton en a raté quelques-uns. Tu les vois, Will Henry ! Regarde avec attention ; tu vois, là, en dessous de la deuxième côte ?

Je suivis son doigt du regard jusqu'à l'endroit où ils se tortillaient dans le fumier organique du torse violacé de Varner : trois larves exécutant un délicat ballet dans la chair infectée, leurs têtes noires brillant comme de petites perles.

— Ne... me... touchez pas.

— Nous sommes aveugles dans nos perceptions, Will Henry, souffla le docteur. Nous peuplons nos cauchemars des mauvais carnivores. Vois-tu, les larves modestes consomment plus de chair crue que les lions, les tigres et les loups réunis. Mais qu'est-ce que ceci ?

Il passa devant moi pour gagner le pied du lit. Je m'étais trompé en croyant que le capitaine était complètement nu. Ce n'était pas le cas. Il portait des bottes au cuir craquelé, dont les lacets n'étaient plus que des morceaux de nœuds emmêlés. Mon maître se plaça face à la jambe droite. Avec douceur, il appuya du doigt sur la chair rouge et gonflée juste au-dessus de la botte. Varner poussa illico un cri de douleur. Warthrop glissa une main entre le talon et le matelas. À ce simple contact, le capitaine se crispa.

— Pour l'amour de Dieu, si vous avez un peu de pitié, Warthrop... !

— Le pied est enflé, et très infecté, comme le gauche, je suppose, chuchota le monstrologue, ignorant la supplique du capitaine. Approche la lampe, Will Henry. Tiens-toi là, au pied du lit. Si seulement j'avais un couteau, je pourrais les couper.

— Pas mes bottes ! Je vous en supplie, pas mes bottes !

Warthrop attrapa la vieille chaussure à deux mains, et tira avec force. Ces bottes étaient-elles celles qui lui avaient sauvé la vie vingt-trois ans plus tôt ? me demandai-je. Était-il resté allongé là tout ce temps en refusant de les enlever par superstition ? Je vis les muscles du cou du docteur se crisper alors qu'il tirait sur la botte. Varner se mit à pleurer sans relâche. Il maudit mon maître puis s'abandonna à une bordée de blasphèmes et d'injures mêlés de sanglots.

Le docteur réussit enfin à lui retirer sa botte qui se brisa entre ses mains. Aussitôt, la puanteur de chair en décomposition nous submergea en vagues nauséeuses. Quand la botte eut lâché, la peau nécrosée vint avec, en une masse coagulée ; un flot de pus épais et visqueux, de la couleur d'algues pourrissantes, se déversa alors entre les draps.

Warthrop recula d'un pas, avec une expression de dégoût et de consternation.

— Que Dieu les maudisse !

— Remettez-la ! cria le capitaine. Ça fait mal ! Ça fait mal !

— Trop tard, marmonna Warthrop.

Il contempla le visage strié de larmes de Varner.

— L'infection s'est étendue jusque dans ses os, souffla-t-il. Il n'en a plus que pour quelques heures. Une journée au maximum.

Il laissa tomber la botte par terre et se rapprocha de la tête du lit. Avec une infinie douceur, il posa sa main sur le front du vieil homme et le regarda droit dans les yeux.

— Hezekiah, Hezekiah ! C'est très mauvais. Je ferai tout ce que je peux, mais...

— Je ne désire qu'une seule chose, murmura Varner.

— Dites-moi. Je ferai tout ce qui est en mon pouvoir.

Avec un effort monumental, véritable triomphe de la volonté humaine dans ces circonstances inhumaines, le vieil obèse souleva sa tête de l'oreiller d'à peine quelques centimètres et souffla :

— Tuez-moi.

Le docteur ne répondit rien. Il resta silencieux durant un moment, continuant à caresser le front enfiévré, puis se redressa avec un très léger hochement de tête et s'adressa à moi :

— Will Henry, va m'attendre dehors.

— De… dehors, monsieur ? bafouillai-je.

— Si tu la vois rôder dans le couloir, frappe deux fois à la porte.

Il se pencha vers le mourant, confiant comme toujours en mon indéfectible obéissance. Alors, il glissa une main sous la nuque de Varner, et de l'autre, tira l'oreiller. Et sans se donner la peine de se retourner vers moi, il ajouta d'une voix lourde :

— Fais ce que je te dis, Will Henry.

Je posai la lampe par terre. Tel un sombre linceul, l'ombre en travers du lit obscurcit le visage du docteur et celui de l'homme sur lequel il était penché. Je les abandonnai, figés en ce sinistre tableau, et refermai la porte derrière moi. Une fois dans le couloir j'inspirai profondément, aspirant l'air à grandes goulées, comme un nageur qui se libère de l'étreinte d'une vague cruelle. Je m'adossai contre le mur entre la porte de la chambre de Varner et celle de son voisin, puis, avec lenteur, je me laissai glisser à terre, entourant de mes bras mes jambes repliées avant d'enfouir mon visage trempé de larmes entre mes genoux. Il y eut un bruit de grattement derrière la porte du voisin, puis la voix gutturale entendue plus tôt.

— Re-bonjour, mon petit. Tu es de retour pour me voir ? Ne sois pas timide. Je sais que tu es là.

La personne derrière la porte émit un violent reniflement.

— Je te sens d'ici. Allez, approche. Sois un bon garçon, ouvre-moi la porte. Nous pourrons jouer ensemble. Je serai gentil. Je te le *promets*.

C'en était trop pour moi. Je plaquai mes mains sur mes oreilles.

Combien de temps restai-je ainsi dans cet horrible couloir avec cette voix désincarnée qui chuchotait, m'implorant de lui ouvrir la porte ? Je l'ignore. J'étais anéanti, inconsolable, hanté par le souvenir du bourdonnement des mouches contre la vitre sale et les cris de terreur d'Hezekiah Varner – *Pas mes bottes. Je vous en supplie, pas mes bottes !* Le temps s'écoulait différemment dans des endroits tels que le sanatorium de Motley Hill. Comme pendant l'expédition fatale du *Feronia*, chaque heure semblait plus longue qu'un jour, et chaque nuit plus longue qu'une année. Quel réconfort, en un tel endroit, de savoir que le jour succède à la nuit, quand chaque jour n'est composé que de la même et fastidieuse routine ? Quelle signification a une heure, quand cette heure ne se distingue pas des autres ? Un nouveau matin se lève, une nouvelle saison arrive puis s'enfuit, une année s'écoule, ensuite une autre, et encore une autre, jusqu'à ce que vingt-trois ans aient glissé dans l'oubli. Ah, Hezekiah ! Il n'est guère étonnant que vous vous souveniez de votre dernière expédition comme si votre plongée dans les eaux saumâtres datait seulement d'hier. Les années intermédiaires sont aspirées dans ces couloirs infernaux comme la lumière l'est par un trou noir tandis qu'impuissant, vous chancelez à son horizon, là où le temps se mesure au battement des ailes d'une mouche.

Comme j'avais été stupide de juger le docteur pour avoir ôté la vie à Erasmus Gray. *Vois-tu, il n'y a pas plus absurde que ce précepte :* « *Tant qu'il y a de la vie, il y a de l'espoir* », avait-il dit, et quelle meilleure preuve à ses propos que le cas d'Hezekiah Varner, capitaine d'un navire condamné. Certes, il était encore en vie, mais quel espoir pour lui ? Son sort n'était guère différent de celui de la jeune vierge jetée dans le gouffre sacrificiel de l'Oba – non, en fait il était pire, car, pour cette adolescente, la mise à mort frénétique ne durait que quelques secondes, alors que les larves tuaient le capitaine à petit feu, des semaines durant. Quel sort pouvait être plus effrayant, plus désespéré que le sien ? Se faire dévorer tout en étant conscient de l'être. Nul doute qu'Erasmus aurait supplié, comme Varner, *tuez-moi*, et nul doute, comme le docteur l'avait assuré, qu'il l'aurait remercié.

Ce fut donc une surprise quand le docteur ouvrit la porte – son ombre projetée par la lampe sur le mur en face de nous –, s'assit à côté de moi d'un air résigné, plaqua ses poings sur ses yeux ourlés de noir et déclara :

— Je ne peux pas le faire, Will Henry.

Il lâcha un rire amer et ajouta :

— Je suis incapable de décider s'il s'agit d'un triomphe de la volonté, ou d'un échec. Peut-être les deux. Tu comprends pourquoi je préfère la science à la morale, Will Henry. Ce qui est *est*. Ce qui pourrait être reste uniquement au stade du possible. Ils l'ont laissé là, allongé dans ce lit sans bouger jusqu'à ce que son poids déclenche la formation d'escarres, des plaies ouvertes dans lesquelles les mouches ont pondu leurs œufs, et maintenant cette infection a atteint ses os. Il est condamné, Will Henry. Il n'a aucun espoir de s'en sortir.

— Dans ce cas, pourquoi ne pouvez-vous… ? chuchotai-je.

— Parce que je n'ai pas confiance en mes propres motivations. J'ignore quelles mains tiendraient véritablement l'oreiller, les siennes… ou les miennes.

Il poussa un lourd soupir, se leva, et m'incita à faire de même.

— Viens, Will Henry. Nous avons quelque chose à terminer ici. Les larves qui se nourrissent du corps de Varner ; les vers du doute et de la culpabilité qui se sont nourris de l'âme de mon père... Vois-tu, Will Henry, il y a des monstres tels que les *Anthropophagi*, et puis il y a des monstres d'apparence bien plus banale. Ce qui est, Will Henry, est et sera toujours.

Il avança sans un regard en arrière. Je me précipitai derrière lui, soulagé à l'idée que notre séjour ici touche à sa fin. Nous parcourûmes le long couloir, dans lequel, même à cette heure tardive de la nuit, résonnaient les cris et les gémissements, les grincements et les hurlements des « invités » confinés dans cette demeure, puis apparut enfin le petit escalier qui nous ramena au rez-de-chaussée, où nous attendait l'austère Mme Bratton. Une tache de poudre blanche s'étalait sur son nez aussi crochu que celui d'une sorcière. Elle avait revêtu un tablier et affichait un curieux sourire.

— En avez-vous terminé avec le patient, docteur ? demanda-t-elle d'un ton doucereux.

— Non, je n'en ai pas fini, lâcha Warthrop, mais lui est bientôt arrivé au terme de son voyage. Où est Starr ?

— Le docteur s'est retiré pour la nuit. Il est très tard.

Mon maître eut un rire moqueur.

— Certes. *Il est très tard.* Que gardez-vous ici contre la douleur ?

Mme Bratton fronça les sourcils – attitude qui semblait bien plus naturelle chez elle que son sourire artificiel.

— Pour la douleur, docteur ?

— Du laudanum… ou de la morphine, si vous en avez. Elle secoua la tête.

— Nous avons de l'aspirine. Si le patient n'est vraiment pas bien, le docteur lui accorde une goutte ou deux de whisky.

— Rien de tout cela ne servira dans notre cas, rétorqua Warthrop.

— Le capitaine Varner se sent-il mal ? demanda-t-elle d'un air impassible. Il ne s'est pas plaint auprès de moi.

— Il ne vivra pas jusqu'à demain, affirma mon maître, les joues empourprées de colère.

Je savais qu'il faisait appel à son incroyable sang-froid pour résister à la tentation d'attraper la vieille femme par son cou émacié et de l'étrangler.

— Apportez-moi le whisky !

— C'est impossible sans l'approbation du docteur ! protesta-t-elle. Et il a laissé des instructions strictes pour ne pas être dérangé.

— Vous avez mon autorisation pour le « déranger », madame Bratton, grommela Warthrop. Sinon, j'irais chercher un policier pour le faire à votre place.

Il pivota sur ses talons et se dirigea vers l'escalier. Mon cœur se serra. Je redoutais que notre séjour, comme cette nuit, ne finisse jamais. Alors que nous passions devant le salon, Warthrop me fit signe de prendre le petit rocking-chair près de la cheminée. Je le suivis dans l'escalier en portant le siège.

— Le whisky, madame Bratton ! cria-t-il par-dessus son épaule. Et un flacon d'aspirine.

Nous retournâmes dans la chambre de Varner. Warthrop l'avait recouvert, mais la puanteur de la décomposition humaine planait toujours dans l'air. Je posai le rocking-chair à côté du lit, Warthrop s'y installa, et la veillée funèbre commença. Mme Bratton arriva avec la bouteille de whisky et le flacon d'aspirine. Elle refusa de franchir le seuil et jeta un regard furieux à Warthrop pendant que je m'emparais de son plateau.

D'un ton curieusement détaché en ces circonstances douloureuses, elle proposa :

— J'ai cuisiné des muffins à la canneberge. Peut-être que vous ou votre fils aimeriez y goûter, docteur ?

— Non, merci. Je n'ai pas faim.

— Comme vous voudrez. Aurez-vous besoin d'autre chose, docteur ?

Il l'ignora. Elle me regarda. Je détournai les yeux. Elle nous quitta.

— Ferme la porte, Will Henry.

Il souleva la tête de Varner et glissa quatre cachets d'aspirine dans sa bouche entrouverte. Puis il plaqua la bouteille contre les lèvres décolorées du vieux capitaine.

— Buvez, Hezekiah. Buvez.

Durant l'heure suivante, le capitaine sombra à plusieurs reprises dans l'inconscience, marmonnant des propos incompréhensibles, grognant, gémissant, soupirant, ses yeux toujours en mouvement, même lorsque ses paupières étaient baissées. Le Dr Starr ne nous rejoignit pas.

— Cette affaire est une véritable hydre, Will Henry, déclara Warthrop en caressant le front de Varner. Pour chaque énigme résolue, deux autres surgissent. Nous savons désormais que seulement deux créatures ont été amenées sur nos rivages. Si l'on s'en tient à un taux de natalité moyen de deux nouveau-nés par an, et en comptant les pertes dues à un accident ou à la maladie, il semble que ces deux-là ont dû survivre au naufrage du *Feronia*, et que le troupeau que nous avons rencontré est la progéniture du seul couple d'origine. Trente à trente-cinq individus, donc... mais pas plus.

Il soupira.

— Ce qui amène la question du *pourquoi* ? Pourquoi mon père voulait-il plus qu'une de ces créatures ? S'il désirait étudier cette espèce, que ce soit dans la nature ou en captivité au Bénin, pourquoi ne s'est-il pas rendu lui-même en Afrique ? Ma mère était décédée ; moi, j'étais au collège à Londres. Rien ne le retenait à New Jerusalem. Dans le passé, il n'avait jamais montré aucune hésitation à aller où le menaient ses recherches, et ce n'aurait pas été la première fois qu'il serait parti pour une longue expédition. Il voulait que des spécimens vivants soient amenés ici, et il a payé une fortune pour cela. Pourquoi ?

Il caressait le front du vieux capitaine d'un air absent, comme si ces bons soins pouvaient lui fournir une réponse à sa question. *Pourquoi ?*

Mais ni le vieil homme mourant ni ma petite personne n'étions à même de lui fournir d'explication plausible. Le capitaine était inconscient et pour ma part j'avais atteint les limites de mon endurance. Je m'assis par terre, dos plaqué contre le mur, incapable de retenir mes bâillements ou d'empêcher mes lourdes paupières de se fermer. La silhouette du docteur disparut de ma vue, et le son de sa voix se fondit parmi les ombres de la chambre. Le bourdonnement des mouches, le souffle rauque du capitaine, le balancement du rocking-chair, et même la sourde symphonie des gémissements des autres patients qui résonnaient dans le couloir – tout s'évanouit, se transformant en un unique ronronnement. Je m'endormis alors que l'aube approchait. Le docteur, lui, restait éveillé, portant sur ses épaules le fardeau que son père lui avait transmis. Il ne se reposa pas un seul instant et continua à veiller le capitaine. Même si son corps était parfaitement immobile, son esprit, lui, s'agitait avec fureur.

Je me réveillai avec un torticolis et un violent mal de tête. La fenêtre crasseuse laissait filtrer la lueur du soleil matinal, dont les frêles rayons se brisaient comme des vagues sur cet océan de poussière et de saleté. Les sens en alerte, le docteur était toujours installé dans son rocking-chair, le menton posé au creux de sa main gauche. Les yeux injectés de sang, il observait la forme immobile devant lui. Durant les quelques heures où je m'étais endormi, Warthrop avait relevé les draps sur la tête du capitaine.

Hezekiah Varner était mort.

Jambes tremblantes, je me levai en m'appuyant sur le mur. Le docteur ne me jeta pas un seul regard, poussa un lourd soupir et se passa une main sur le visage.

— C'est terminé, Will Henry.

— Je suis désolé, monsieur.

— Désolé ? Oui, moi aussi je suis désolé.

D'un geste, il désigna le lit.

— Tout cela est vraiment *désolant*, Will Henry.

Il se leva à son tour, tituba un instant. Ses jambes semblaient tout aussi flageolantes que les miennes. Je le suivis hors de la chambre de Varner. Ensemble, nous parcourûmes le long couloir, qui résonnait toujours des cris des patients tourmentés. Mme Bratton nous attendait au pied de l'escalier. En nous voyant, elle eut un petit hochement de tête impassible.

— Comment se porte le capitaine Varner ce matin, docteur Warthrop ?

— Il est mort. Où se trouve Starr ?

— Le Dr Starr a été appelé pour une affaire urgente.

Le monstrologue la fixa durant un moment qui sembla ne jamais devoir finir, puis il lâcha un rire amer.

— Ça, je n'en doute pas ! s'exclama-t-il. Et je suis sûr que vous allez être très occupée durant son absence. Il y aura tant à faire une fois que j'aurai prévenu la police, n'est-ce pas, madame Bratton ?

— J'ignore ce dont vous voulez parler, docteur Warthrop !

— À mon grand regret, il pourrait très bien en être ainsi, reconnut mon maître d'un ton glacial. Et c'est encore plus effrayant si c'est le cas ! Votre négligence honteuse est plus que déplorable – elle est inhumaine. Veuillez informer votre maître que je n'en ai pas terminé ici. Par contre, tout est bien fini pour Motley Hill. Je veillerai personnellement à ce que le Dr Starr soit puni par la loi pour l'homicide d'Hezekiah Varner.

Il avança d'un pas vers elle. Elle tressaillit, semblant se rétrécir face à sa violente indignation.

— Et je prie pour que la loi fasse preuve, envers lui et envers vous, de la même pitié dont vous avez fait preuve envers ces pauvres âmes confiées à vos soins.

Il la dépassa sans rien ajouter d'autre. Une fois près de la sortie, il ouvrit la porte avec une telle force qu'elle claqua contre le mur en un fracas terrible. À mi-chemin de la pelouse, le docteur arrêta sa monture et se retourna sur sa selle pour contempler la vieille demeure à la peinture écaillée et au toit fatigué, dont la façade sombre se dressait face à la lumière du soleil matinal.

— Quoi que Varner ait pu dire sur l'inutilité de sa vie, lâcha-t-il, on ne peut en dire autant au sujet de sa mort, Will Henry. Non, sa mort ne sera pas inutile. Il y aura une justice pour Hezekiah Varner et pour tous ceux qui souffrent encore entre ces murs maudits. Je veillerai à cela. Oui, par Dieu, je le jure, j'y veillerai !

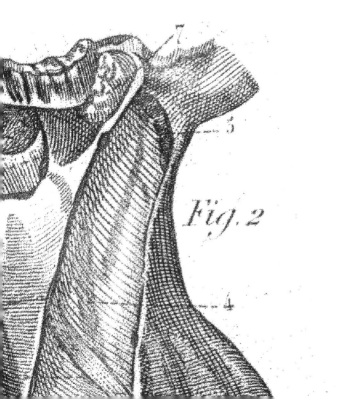

*Fig. 2*

# LIVRE II
*Résidus*

# SEPT

*Tu m'as déçu*

J'ignorais à quoi m'attendre lors de notre retour au 425 Harrington Lane. Tout ce que j'espérais, c'était quelque chose pour mon estomac vide et un oreiller pour ma tête, si lourde. D'après les courtes missives que j'avais postées par courrier express la veille, je présumai que le docteur avait l'intention de patienter jusqu'à l'arrivée de ce fameux John Kearns pour partir en chasse contre les *Anthropophagi*, mais je n'osais lui poser la question car il affichait un air de plus en plus renfrogné au fil des kilomètres. Non, rien dans son attitude n'invitait à la conversation.

Il me laissa prendre soin des chevaux pendant qu'il disparaissait à l'intérieur de la maison. Une fois que je leur eus donné leur ration d'eau et de fourrage, que je les eus brossés, et après une brève visite à la vieille Bessie, je pénétrai à mon tour dans notre demeure avec le mince espoir de trouver sur la table quelque chose d'à peu près convenable à manger. Espoir vain !

La porte de la cave était ouverte, les lumières du sous-sol brillaient, et de l'étroit escalier montait un vacarme de tiroirs ouverts puis fermés avec force, d'objets bousculés ou jetés à terre. Après plusieurs minutes de ce tapage, il remonta du sous-sol, le souffle court, les joues en feu. M'ignorant, le docteur se précipita dans le couloir puis dans son bureau. De nouveau, le bruit de tiroirs claqués avec violence. Quand je jetai un coup d'œil par la porte, je le trouvai assis à son bureau, farfouillant dans un tiroir.

— Il doit bien y avoir quelque chose, marmonnait-il à lui-même. Une lettre, une facture pour le chargement, un contrat, quelque chose…

Je sursautai quand il claqua le tiroir pour le refermer. Il leva alors les yeux d'un air surpris, comme si son seul compagnon dans la vie était la dernière personne qu'il s'attendait à voir.

— Qu'y a-t-il ? Pourquoi restes-tu planté là comme ça, Will Henry ?

— J'allais vous demander…

— Oui, oui. Vas-y ! Demande.

— Oui, monsieur. J'allais vous demander, monsieur, si vous vouliez que j'aille au marché.

— Au marché ? Pour y faire quoi, Will Henry ?

— Pour acheter des provisions, monsieur. Nous n'avons plus rien ici, et vous n'avez pas mangé depuis…

— Pour l'amour de Dieu, mon garçon, est-ce donc tout ce à quoi tu es capable de penser ?

— Non, monsieur.

— À quoi d'autre, alors ?

— À quoi d'autre, monsieur ?

— Oui, quoi d'autre. Mis à part la nourriture, à quoi d'autre penses-tu ?

— Eh bien, je… je pense à beaucoup de choses, monsieur !

— Certes, mais à quoi ? C'était là ma question.

Il me fixa, pianotant des doigts sur le bureau.

— Tu sais ce qu'est la gloutonnerie, Will Henry.

— Oui, monsieur. Et la faim aussi, monsieur.

Il réprima un sourire. Enfin, c'est ce que je crus ; il aurait tout aussi bien pu résister à l'envie de me jeter l'objet le plus lourd de la pièce à la tête.

— Eh bien ? insista-t-il.

— Monsieur ?

— Quoi d'autre occupe tes pensées ?

— Je tente de… de comprendre, monsieur.

— De comprendre quoi ?

— Ce que je suis censé… le but de… les choses que vous essayez de m'enseigner, monsieur…, mais à dire vrai… pour être honnête, monsieur, étant donné que le mensonge est la pire des mascarades, j'essaie de ne pas penser à plus de choses que les choses auxquelles je tente de penser… si vous pouvez me comprendre, monsieur.

— Pas vraiment, Will Henry. Pas vraiment.

D'un geste méprisant de la main, il ajouta :

— Tu sais où se trouve l'argent. Va au marché, si tu y tiens, mais sans musarder en route ! Ne parle à personne, et si jamais quelqu'un t'adresse la parole, assure-lui que tout va bien. Raconte que je suis très occupé avec mon dernier traité, ou ce qui te semblera le plus naturel, tant que tu ne dévoiles pas la vérité. Rappelle-toi cela, Will Henry : certains mensonges sont nécessaires.

Le cœur plus léger, je le laissai fouiller ses tiroirs. J'étais content de ce bref répit – il n'était pas facile d'être un apprenti chez un monstrologue avec le tempérament du docteur – et j'étais doublement ravi d'accomplir ces tâches sans intérêt dont se plaignent la plupart des gens. Les corvées et les courses simples qui remplissaient mes journées étaient des sursis bienvenus en compensation de nos travaux nocturnes, peuplés de visites inattendues et de paquets mystérieux, de séjours tardifs dans le laboratoire et d'expéditions dans les contrées les plus reculées du monde, là où les indigènes ne se sont pas laissé civiliser au point d'en oublier la peur du noir et de ce qui s'y cache. Non, ces besognes quotidiennes ne me déplaisaient pas. Après avoir répertorié les organes internes d'une créature de cauchemar, faire la vaisselle était un exercice divertissant.

Je grimpai donc les escaliers pour aller me laver. Je changeai de chemise. (Elle sentait vaguement l'odeur de la chambre du capitaine Varner, un mélange particulier d'eau de Javel et de putréfaction.) Néanmoins, il me manquait un accessoire et, avant de quitter la maison, je me mis à la recherche du docteur. Je le trouvai dans la bibliothèque. Il retirait des livres au hasard sur les étagères, en feuilletait les pages en hâte puis jetait les ouvrages à terre.

— Ah ! te voilà de retour ? Parfait. J'ai besoin de toi. Commence à l'autre bout de cette étagère.

— En fait, monsieur, je ne suis pas encore parti.

— Eh bien, tu iras plus tard, Will Henry. Tu t'es déjà absenté pendant un bon moment.

— Seulement pour me laver, monsieur.

— Pourquoi ? Étais-tu sale ?

Il n'attendit pas ma réponse et poursuivit :

— Tu as donc décidé que tu n'avais pas faim, finalement ?

— Non, monsieur.

— Tu n'as pas faim ?

— Si, j'ai faim, monsieur.

— Pourtant, tu viens de dire le contraire.

— Monsieur ?

— Je t'ai demandé si tu avais *finalement* décidé que tu n'avais pas faim, et tu as répondu : « Non, monsieur. » Enfin, c'est le souvenir que j'ai de notre échange.

— Non, monsieur. Je veux dire, oui, monsieur. Je veux dire… je me demandais… en fait, je voulais savoir si vous aviez trouvé mon chapeau.

Il me regarda d'un air intrigué, comme si je venais de m'exprimer en langue étrangère.

— Ton chapeau ?

— Oui, monsieur. Mon chapeau. Je crois bien l'avoir perdu au cimetière.

— J'ignorais que tu possédais un chapeau.

— C'est pourtant le cas, monsieur. Je le portais au cimetière, l'autre nuit, et il doit être tombé lorsqu'ils… quand nous sommes partis, monsieur. Je voulais savoir si vous l'aviez trouvé quand vous êtes retourné là-bas pour… pour mettre un peu d'ordre.

— Je n'ai vu aucun chapeau, sauf celui que je t'ai demandé de détruire. Quand as-tu acheté un chapeau, Will Henry ?

— Je l'avais déjà quand je suis venu, monsieur.

— Quand tu es venu… où cela ?

— Ici, monsieur. Habiter ici. C'était mon chapeau, monsieur. C'est mon père qui me l'avait donné.

— Je vois. Était-ce le sien ?

— Non, monsieur. C'était le mien.

— Oh. Je pensais qu'il avait une valeur sentimentale.

— C'était le cas, monsieur. Je veux dire, c'est le cas.

— Pourquoi ? Qu'est-ce que ce chapeau a donc de si particulier, Will Henry ?

— C'est mon père qui me l'avait donné, répétai-je.

— Ton père. Will Henry, puis-je, moi, te *donner* un conseil ?

— Oui, monsieur. Bien sûr, monsieur.

— Ne t'attache pas trop aux choses matérielles.

— Non, monsieur.

— Évidemment, ce trait de sagesse ne vient pas de moi. Quoi qu'il en soit, il est plus que valable concernant ce chapeau. Ai-je satisfait ta demande, Will Henry ?

— Oui, monsieur. Je suppose qu'il est perdu pour de bon.

— Rien n'est jamais vraiment perdu, Will Henry. Enfin, tant que nous ne parlons pas des preuves que mon père doit avoir laissées derrière lui au sujet de ses affaires profanes. Ou de la raison pour laquelle tu restes planté là sans m'aider pendant que je les cherche.

— Pardon, monsieur ?

J'étais complètement perdu.

— Soit tu pars au marché, soit tu te rends utile ici, Will Henry ! Du nerf, mon garçon ! J'ignore comment tu as réussi à m'entraîner dans ces digressions philosophiques.

— Je voulais juste savoir si vous aviez trouvé mon chapeau, monsieur.

— Eh bien, non.

— C'est tout ce que je demandais.

— Si tu veux ma permission pour acheter un nouveau chapeau, Will Henry, dans ce cas, va t'en procurer un aujourd'hui chez la mercière.

— Je ne veux pas de nouveau chapeau, monsieur. Je veux juste retrouver le mien.

Il soupira. Je m'éloignai avant qu'il ne lance une autre repartie. Les choses me paraissaient pourtant simples. Soit il avait trouvé mon chapeau au cimetière, soit il ne l'avait pas trouvé. Un simple « non, je n'ai pas retrouvé ton chapeau, Will Henry » aurait été suffisant. Je ne me sentais nullement responsable des dérapages de notre conversation. Parfois, bien qu'il soit né aux États-Unis et ait été éduqué en Grande-Bretagne, la discussion la plus normale semblait le déconcerter.

J'arrivai en ville sans chapeau, mais heureux. Au moins, durant un certain temps, j'étais libéré de toutes ces histoires d'*Anthropophagi*. Les deux jours précédents avaient été particulièrement éprouvants. D'ailleurs, ne s'était-il écoulé que deux jours depuis que le vieux pilleur de tombes était apparu sur notre seuil avec son horrible paquet ? Il me semblait que cela remontait plutôt à deux mois. Alors que je me hâtais dans les rues pavées du centre-ville trépidant de New Jerusalem, humant profondément l'air vif et frais de ce printemps précoce, j'envisageai, l'espace d'un bref moment – comme cela m'était arrivé à plusieurs reprises depuis que j'étais venu vivre avec lui (et comme cela arriverait à n'importe quelle personne à ma place) – de m'évader.

Le docteur n'avait pas posé de barreaux sur mes fenêtres ; il ne m'enfermait pas à clé le soir dans ma petite alcôve, pas plus qu'il ne me retenait prisonnier le jour. Néanmoins, quand il n'avait pas besoin de mes « indispensables services », il notait à peine ma présence. Si je disparaissais pendant qu'il s'abandonnait à l'une de ses longues périodes de mélancolie, il pouvait s'écouler un bon mois avant qu'il se rende compte de mon absence. Comme le pauvre esclave travaillant dans les champs de coton du vieux Sud, je ne m'inquiétais pas de savoir où j'irais, ni comment, ni ce que je ferais une fois à destination. Tout cela me semblait trivial. Après tout, le but de la liberté, c'est la liberté elle-même.

Souvent, au fil des années, je me suis demandé pourquoi je ne m'étais jamais enfui. Qu'est-ce qui me retenait auprès de lui, mis à part l'inertie à laquelle tous les humains se laissent aller ? Je n'étais pas lié à cet homme par le sang. Ni par aucun serment. Pas même par la loi. Pourtant, chaque fois que cette envie d'évasion surgissait à ma conscience, elle disparaissait aussitôt, aussi éphémère qu'un feu follet. Le quitter n'était pas une chose impensable – j'avoue y avoir souvent songé –, mais me trouver loin de lui l'était. Était-ce la peur qui me gardait à son côté ? La peur de l'inconnu, d'être livré à moi-même, la peur de subir un sort bien plus effrayant qu'être au service d'un monstrologue ? Ce que l'on connaît, aussi désagréable soit-il, est-il préférable à un inconnu imprévisible ?

Non, ce n'était pas seulement la peur. Pendant les onze premières années de ma vie, j'avais été témoin de l'estime – non, je dirais plutôt de la profonde crainte mêlée d'admiration – que mon père adoré éprouvait envers cet homme. Bien avant que je rencontre Pellinore Warthrop en personne, je l'avais rencontré un nombre incalculable de fois *en esprit*, cet immense génie à qui ma famille devait tout et chez qui nous habitions. *Le Dr Warthrop est un grand homme engagé dans de grands travaux. Sache que je ne lui tournerai jamais le dos, même si les feux de l'enfer s'élevaient pour m'engloutir...* Il n'est pas exagéré de dire que mon père avait pour lui une affection qui confinait à l'idolâtrie, tout comme il est évident que cette même affection l'a conduit au sacrifice ultime : mon père est mort pour Pellinore Warthrop. Voilà la vérité crue : ses sentiments pour le docteur ont coûté la vie à mon père.

Peut-être, alors, était-ce l'amour qui me faisait rester. Non pas de l'amour pour le docteur, bien sûr, mais pour mon père. En restant dans la maison d'Harrington Lane, j'honorais sa mémoire. Partir aurait été trahir sa croyance la plus précieuse, la seule chose qui rendait son service auprès du monstrologue supportable : l'idée que Warthrop était engagé dans de grands travaux et qu'en étant son assistant, vous étiez, vous aussi, un élément de ce vaste schéma ; que, sans vous, ses affaires n'auraient jamais pu atteindre ce niveau exaltant. Oui, en fuyant, j'aurais tacitement reconnu que mon père était mort en vain.

— Eh bien ! Grand Dieu, regardez un peu qui voilà ! lança M. Flanagan en se précipitant vers la porte quand il entendit tinter la clochette. Bobonne, viens voir un peu qui le vent nous amène !

— Je suis occupée, cria sa femme d'un ton grognon depuis l'arrière-boutique. Qui est-ce ?

Le marchand de fruits et légumes posa une main sur mon épaule et me scruta de ses grands yeux verts. Il dégageait une odeur de cannelle et de vanille.

— Le petit Will Henry ! lança-t-il par-dessus son épaule. Jésus Marie Joseph, cela fait bien un mois que je ne t'ai pas vu ! Comment ça va pour toi, mon garçon ?

— Qui ? maugréa sa femme.

Flanagan me fit un clin d'œil et se retourna pour crier de plus belle :

— Le maître du 425 Harrington Lane.

— Harrington Lane ! hurla-t-elle.

Elle apparut soudain à la porte de l'arrière-boutique, un grand couteau à découper dans ses immenses mains aux jointures rougies. Mme Flanagan faisait facilement deux fois la taille de son mari et trois fois son volume sonore. Quand elle parlait, les vitres tremblaient dans leur cadre.

— Oh, monsieur Flanagan ! gronda-t-elle quand elle me vit. Ce n'est que Will Henry.

— *Que* Will Henry ! Écoute-toi un peu, Bobonne !

Il se retourna et me sourit.

— Ne fais pas attention à ce qu'elle dit.

— Non, monsieur, répondis-je automatiquement. (Puis, soudain, songeant que je risquais d'offenser cette amazone armée d'un couteau, j'ajoutai bien vite :) Bonjour, madame Flanagan. Comment allez-vous ?

— J'irais bien mieux si l'on cessait de m'interrompre sans arrêt, maugréa-t-elle. Mon mari, que ma sainte mère m'avait pourtant enjointe de ne pas épouser, croit que je n'ai rien d'autre à faire durant toute la journée que de supporter ses plaisanteries idiotes et ses ridicules énigmes.

— Elle est de mauvaise humeur, chuchota l'épicier.

— Je suis toujours de mauvaise humeur ! rétorqua-t-elle.

— Depuis la famine de 1848, murmura son époux.

— J'ai entendu !

— Quarante ans, Will Henry ! Quarante ans, dit-il en poussant un soupir théâtral. Mais je l'aime ! Je t'aime, Bobonne ! cria-t-il à son intention.

— Oh, arrête ton cirque, monsieur Flanagan !

Elle se tourna alors vers moi

— Will Henry, tu as maigri, non ? réponds-moi franchement.

— Non, madame Flanagan. J'ai juste grandi un peu.

— C'est cela, Bobonne , intervint son époux. Sa silhouette s'est simplement modifiée, n'est-ce pas, mon garçon ?

— Qu'est-ce que tu racontes là ? Mes yeux ne sont pas encore aussi mauvais ! Observe un peu ce gamin, monsieur Flanagan. Regarde ses joues creuses, et ce front proéminent. Ses poignets ne sont pas plus gros que le cou d'une poule. Tu parles de famine ? Je dirais qu'il y en a actuellement une qui sévit dans cette horrible maison d'Harrington Lane.

— Il ne s'agit pas juste de famine, si les histoires que j'ai entendues contiennent une once de vérité, hasarda Flanagan en haussant un sourcil. Tu sais ce que l'on raconte, Will Henry ? Il paraît qu'il y a chez vous de mystérieuses allées et venues, des visites nocturnes, des paquets apportés au beau milieu de la nuit, et que ton maître s'absente parfois fort longtemps. Tu es courant de tout ça, n'est-ce pas ?

— Le docteur ne discute pas de son travail avec moi, répondis-je avec précaution, me remémorant son conseil : *certains mensonges sont nécessaires.*

— Le *docteur*, oui. Mais quelle est sa spécialité, au juste ? demanda Mme Flanagan, faisant étrangement écho à la question d'Erasmus Gray.

Ma réponse fut la même que celle faite au vieil homme :

— En philosophie, madame.

M. Flanagan hocha la tête avec gravité.

— Le Dr Warthrop est un penseur profond. Et Dieu sait que nous avons besoin de gens comme lui.

— C'est un homme particulier avec des habitudes encore plus particulières, le coupa sa femme, agitant son couteau dans sa direction. Tout comme son père et son grand-père. Tous les Warthrop sont de curieux hommes !

— J'appréciais beaucoup son père, dit son mari. Il était bien plus – oh, comment dit-on, déjà ? – aimable que Pellinore. Très amical, même. Réservé, certes, et un peu – oh, quel est ce mot ? – distant, mais pas du tout hautain. Un homme cultivé. De bonne famille, je dirais.

— Mon cher époux, tu peux affirmer ce que tu veux, comme tu le fais toujours, mais Alistair Warthrop n'était pas différent des autres Warthrop. Mesquin, snob, froid. Un curieux bonhomme dépourvu d'amis, si ce n'est les vagabonds malpropres qu'on voyait souvent sur son seuil.

— Des racontars, Bobonne, insista Flanagan. Rien que des racontars et des rumeurs.

— C'était un sympathisant. Ça, ce n'est pas une rumeur !

— Ne l'écoute pas, Will Henry ! Elle aime parler pour ne rien dire.

— J'ai entendu ! Mes oreilles fonctionnent aussi bien que mes yeux, monsieur Flanagan.

— Peu m'importe que tu aies entendu ou non !

Rendu nerveux par cette dispute naissante, j'attrapai une pomme dans le cageot à côté de moi. Peut-être que si je commençais à faire mes achats, la mauvaise humeur se dissiperait et les époux Flanagan songeraient un peu plus à leur commerce.

— Ils sont venus poser des questions à son sujet, continua sa femme, son visage à présent aussi rouge que la pomme dans ma main. Tu t'en souviens aussi bien que moi, monsieur Flanagan.

L'épicier ne répondit pas. La petite lueur qui illuminait ses yeux irlandais s'était évanouie. Il crispa les lèvres.

Je ne pus résister à la curiosité.

— Qui est venu poser des questions à son sujet ? bredouillai-je.

— Personne, grogna M. Flanagan. Les gens ne font que…

— Les Pinkerton, voilà qui !

— … qu'imaginer des choses là où il n'y a rien à voir, hurla-t-il.

— Qui sont les Pinkerton ?

— Des enquêteurs ! répondit Mme Flanagan.

— Il y en avait deux.

— Ils sont arrivés tout droit de Washington. C'était à l'été 1861.

— Non, au printemps 1862.

— Avec des ordres du département de la Guerre – du secrétaire Stanton lui-même.

— Non, il ne s'agissait pas de Stanton.

— Oh, que si !

— Dans ce cas, cela ne pouvait pas être au printemps 1861, Bobonne. Stanton n'est devenu secrétaire qu'en janvier 1862.

— Je sais encore ce que je dis ! J'ai vu les documents de mes propres yeux.

— Pourquoi des agents secrets du gouvernement auraient-ils montré leurs documents à une femme d'épicier ?

— Que voulaient-ils ? demandai-je.

L'année (ou les années) en question correspondait pratiquement à la mission au Bénin. La proximité de ces deux événements, la visite des agents de l'Union et le naufrage du *Feronia* deux ans plus tard, était-elle plus qu'une coïncidence ? Le gouvernement avait-il appris d'une façon ou d'une autre que le vieux Dr Warthrop avait l'intention de ramener des *Anthropophagi* en Amérique ? Mon cœur se mit à battre la chamade. Cette discussion imprévue était-elle la clé de l'énigme qui hantait le docteur, la réponse à ce *pourquoi ?* posé au capitaine mourant lors de sa veillée funèbre. Que penserait-il si je rentrais à la maison avec la solution à cette énigme, lui qui semblait croire que je n'avais rien entre les deux oreilles, que je n'étais qu'un gamin stupide, incapable de répondre à une simple question sans me figer et perdre ma langue ? Comme je prendrais soudain de l'importance à ses yeux ! Cette fois, je me rendrais réellement « indispensable ».

— Ils voulaient savoir s'il était vraiment partisan de l'Union, ce qui était bien le cas, répliqua Flanagan, coupant la parole à sa femme. Et si tu t'en souviens bien, Bobonne, ce n'était pas vraiment à son sujet qu'ils posaient des questions. C'était surtout à propos de ces deux messieurs, ces Canadiens... je suis incapable de me rappeler leurs noms. Il faut dire que cela fait bientôt vingt-six ans !

— Slidell et Mason, glapit-elle. Et ce n'étaient pas des Canadiens, mais des espions rebelles !

— Les Pinkerton ne nous ont pas raconté grand-chose, lâcha M. Flanagan avec un clin d'œil à mon intention.

— Ces deux hommes sont allés dans cette maison. Celle d'Harrington Lane. Et plus d'une fois !

— Ça ne prouve rien à propos de Warthrop, argumenta son mari.

— Cela prouve qu'il s'était associé avec des traîtres et des rebelles. Et qu'il s'agissait bien d'un sympathisant !

— C'est peut-être ce que tu penses, Bobonne, et ce que tu racontes encore, comme tout le monde l'a fait à l'époque, mais ce n'est pas pour autant la vérité. Les Pinkerton ont quitté la ville, et le Dr Warthrop est resté chez lui, n'est-ce pas ? S'ils avaient eu une quelconque preuve contre lui, ils l'auraient embarqué, non ? Alors, tu peux continuer à déblatérer sur cet homme – cet homme bon qui n'a jamais nui à personne, pour autant que je sache –, mais ce ne sont que des commérages ! Ce n'est pas bien, Bobonne, de parler ainsi des morts.

— Il fricotait avec les rebelles ! hurla-t-elle.

Ses cris commençaient à me donner mal aux oreilles.

— Il est devenu différent après la guerre, et ça, tu le *sais* très bien, monsieur Flanagan ! Il est resté enfermé chez lui pendant des semaines et, quand il se montrait enfin, il errait en ville comme un homme qui aurait perdu son meilleur ami. Jamais aucun « bonjour » ne franchissait ses lèvres, même quand on le croisait dans la rue. Il était hébété en permanence, à croire qu'il avait le cœur brisé !

— C'était peut-être le cas, ma chère épouse, concéda Flanagan avec un lourd soupir. Pourtant tu ne peux pas dire que c'est à cause de la guerre. Le cœur d'un homme est une chose compliquée, un peu moins que celui d'une femme, je l'admets, mais compliqué quand même. Peut-être que quelque chose l'a bel et bien brisé, comme tu le dis, mais tu ne peux pas prétendre savoir ce que c'est.

Moi aussi, j'ignorais ce qui avait pu briser le cœur de cet homme aujourd'hui décédé, mais je pensais en avoir une bonne idée : à la fin de la guerre, les mains d'Alistair Warthrop étaient tachées de sang. Pas du sang répandu sur le champ de bataille, mais celui versé par les créatures à bord du *Feronia* – ce sang-là, et celui de toutes les futures victimes de ces monstres qu'il avait tant voulu ramener sur notre sol, toutes ces victimes sacrifiées sur l'autel de sa « philosophie ».


Je trouvai le docteur dans son bureau, assis dans son fauteuil préféré, près de la fenêtre. Les stores étaient baissés, la pièce plutôt sombre. J'avais failli ne pas le voir quand j'avais jeté un coup d'œil à l'intérieur. Je l'avais tout d'abord cherché au sous-sol, n'y trouvant rien d'autre que des boîtes retournées et des dossiers éparpillés sur sa table de travail, puis je m'étais rendu dans la bibliothèque, tout aussi en désordre : des livres avaient été renversés des étagères, de vieux journaux et des périodiques étaient étalés par terre. Le bureau n'était pas en meilleur état que la bibliothèque : le contenu de chaque tiroir et de chaque placard était empilé en un véritable fouillis sur la moindre surface disponible. À voir un tel désordre, on avait l'impression que nous venions d'être cambriolés.

— Will Henry, j'espère que ta quête s'est avérée plus fructueuse que la mienne.

Le docteur semblait inquiet, plus que je ne saurais le décrire.

— Oui, monsieur, répondis-je, essoufflé. J'aurais pu rentrer plus tôt, mais j'avais oublié de passer chez le boulanger, et je sais à quel point vous aimez ses scones à la framboise. Alors j'y suis retourné. J'ai acheté les derniers, monsieur.

— Des scones ?

— Oui, monsieur. Je me suis aussi arrêté chez le boucher et chez M. Flanagan. Il vous envoie tout son respect, monsieur.

— Pourquoi halètes-tu comme ça ? Tu es malade ?

— Non, monsieur. J'ai couru, monsieur.

— Tu as couru ? Pourquoi ? On te poursuivait ?

— À cause de quelque chose qu'a dit Mme Flanagan.

J'étais sur le point d'exploser. Sous peu, sa mélancolie serait balayée par les informations que j'avais recueillies. Ça, j'en étais certain.

— Quelque chose à mon sujet, sans aucun doute, grommela-t-il. Tu ne devrais pas parler à cette femme, Will Henry. Discuter avec des femmes est en général dangereux, mais, avec celle-ci, le risque est démultiplié.

— Ce n'était pas à votre sujet, monsieur, enfin, pas pour la partie la plus importante. C'était à propos de votre père.

— Mon père ?

Le souffle court, je lui déballai tout au sujet de Slidell et Mason ainsi que des détectives Pinkerton et de leur enquête en ville (des faits confirmés par Noonan le boucher et Tanner le boulanger), de la croyance générale comme quoi son père était un sympathisant de la Confédération, de sa curieuse réaction à la défaite du Sud, le tout coïncidant avec l'expédition du *Feronia*. Le docteur ne m'interrompit qu'une fois pour me demander de répéter le nom des hommes auxquels son père était accusé de s'être associé ; à part cela, il m'écouta en me scrutant d'un air impassible, mains croisées. Une fois mon récit terminé, j'attendis le cœur battant, sûr qu'il allait bondir de son siège pour m'enlacer et me remercier avec effusion d'avoir enfin tranché le nœud gardien.

Au lieu de cela, à ma grande déception, il secoua la tête et me dit doucement :

— C'est tout ? C'est pour ça que tu as couru aussi vite ? Pour me raconter cela ?

— Vous saviez déjà ?

J'étais découragé.

— Mon père était coupable de bien des choses, mais certainement pas de trahison. Il est possible qu'il ait rencontré ces hommes, tout comme il est possible que leur mission ait été de nature séditieuse. Peut-être avaient-ils un but insidieux à l'esprit – après tout, la nature particulière de ses travaux était connue dans certains cercles –, mais je suis sûr qu'il aurait rejeté tout projet de complot.

— Comment pouvez-vous le savoir, monsieur ? Vous ne viviez pas ici, à l'époque.

Il fronça soudain les sourcils.

— Comment sais-tu où je vivais ?

Je baissai la tête pour éviter l'intensité de son regard.

— Vous m'avez dit qu'il vous avait envoyé étudier ailleurs pendant la guerre.

— Je ne me rappelle pas t'avoir raconté cela, Will Henry.

Évidemment, il n'en avait rien fait. Je l'avais déduit de la lettre que j'avais dérobée dans la vieille malle. Mais certains mensonges sont nécessaires, n'est-ce pas ?

— C'était il y a longtemps, murmurai-je.

— Eh bien, cela doit vraiment être le cas, parce que je n'ai aucun souvenir d'avoir partagé cette information avec toi. De toute façon, même si ces deux événements étaient proches, cela ne signifie pas pour autant qu'ils étaient liés, Will Henry.

— Mais cela a peut-être quand même quelque chose à voir ! insistai-je.

J'étais déterminé à l'impressionner avec mon raisonnement.

— Si c'étaient des espions de la Confédération, il n'en aurait parlé à personne. C'est sûrement à cause de leur visite qu'il a préféré ne laisser aucune trace de son contrat avec le capitaine Varner. Voilà pourquoi vous ne pouvez rien trouver, monsieur ! Et cela pourrait expliquer aussi son souhait de rapporter plus d'un spécimen de ces créatures. Vous avez dit qu'il était impossible qu'il les ait fait amener pour les étudier, alors, pour quoi ? Peut-être que ces bêtes n'étaient pas du tout pour votre père, mais pour

Slidell et Mason. Peut-être qu'*eux* voulaient les *Anthropophagi*, docteur !

— Et dans quel but ?

Il continua à me scruter tandis que je trépignais, emballé par mon histoire.

— Je ne sais pas. Peut-être afin de les amener à se reproduire. Pour élever une armée de ces bêtes ! Imaginez un peu les troupes de l'Union face à une centaine de ces créatures !

— Les *Anthropophagi* ne donnent naissance qu'à un ou deux nouveau-nés par an, rappela-t-il. Il aurait fallu beaucoup de temps pour en produire une centaine, Will Henry !

— Mais il en a suffi de deux pour décimer tout l'équipage du *Feronia*.

— Parce qu'ils ont eu de la chance – je parle des *Anthropophagi*, évidemment. Ils n'auraient pas été aussi victorieux s'ils avaient dû se battre contre un régiment de soldats armés. C'est une théorie intéressante, Will Henry, mais elle ne tient pas la route. Même si l'on suppose que ces mystérieux visiteurs ont fait appel à mon père pour fomenter une rébellion avec des créatures afin de tuer ou terroriser l'ennemi, il aurait pu leur en fournir une bonne demi-douzaine d'autres qui lui auraient fait courir bien moins de risques et engendrer beaucoup moins de dépenses qu'un couple d'*Anthropophagi*. Tu me suis, Will Henry ? *Même si* c'était leur but, étant donné tout ce que je sais de lui, il aurait refusé cette demande. *Et si jamais* il avait accepté, il n'aurait pas choisi cette espèce particulière.

— Mais ça, vous ne pouvez pas en être sûr ! protestai-je, peu enclin à laisser tomber le sujet.

Je voulais désespérément avoir raison, pas tant pour prouver au docteur qu'il se trompait, mais pour *avoir raison*.

Sa réaction à mon insistance fut immédiate. Il bondit de son siège, le visage déformé par la colère. Je tressaillis : jamais je ne l'avais vu aussi furieux. Je m'attendais carrément à ce qu'il me gifle.

— Comment oses-tu parler ainsi de lui ! cria-t-il. Qui es-tu pour mettre en doute l'intégrité de mon père ? Qui es-tu pour souiller de la sorte mon nom de famille ? Ce n'est donc pas suffisant que la ville entière répande des calomnies à mon sujet ? À présent, mon assistant, le garçon envers qui je n'ai montré que gentillesse et pitié, avec qui je partage ma maison et mon travail, pour qui j'ai sacrifié mon droit à l'intimité, se joint au chœur de ces misérables ! Et, comme si ce n'était pas encore assez, l'enfant qui me doit tout, même sa propre vie, désobéit au seul ordre – le seul ordre ! – que je lui aie jamais donné ! Quel était-il, cet ordre, Will Henry ? T'en souviens-tu, ou étais-tu tellement distrait par ton envie de scones que tu l'as oublié ? Que t'ai-je dit avant que tu quittes la maison ?

Je tremblai, effrayé par la férocité de sa diatribe. Me surplombant de toute sa haute silhouette, il hurla :

— Qu'est-ce que je t'ai dit ?

— De... de ne... parler à personne, bégayai-je.

— Et quoi d'autre ?

— Ne pas répondre si l'on m'adressait la parole.

— Et quelle impression penses-tu avoir laissée à ces gens, Will Henry, en discutant avec eux des espions de la Confédération, des agents du gouvernement et de notre demeure ? Explique-moi.

— J'essayais seulement… je voulais juste… je ne voulais pas amener la conversation là-dessus, monsieur, je vous le jure. Ce sont les Flanagan qui ont commencé à en parler !

Il poussa un véritable cri de colère.

— Tu m'as déçu, Will Henry !

Il me tourna le dos et traversa la pièce, donnant au passage un coup de pied dans l'une des piles de vieilleries.

— Et pire que tout, tu m'as trahi !

Il se retourna pour me faire face :

— Et pour quoi ? Pour jouer au détective amateur, pour satisfaire ton insatiable curiosité, pour m'humilier en prenant part aux commérages et aux trahisons qui ont conduit mon père à l'isolement et ont fait de lui un homme brisé et amer avant de le mener droit à la tombe. Tu m'as mis dans une position insoutenable, Will Henry, car je sais désormais que ta loyauté s'arrête là où commence ton égoïsme, alors que tout ce que j'exige, c'est justement une loyauté aveugle et totale. Personne n'a demandé que je te prenne chez moi, que je partage mes recherches avec toi. Ce n'est même pas par fidélité envers ton père que je l'ai fait. Mais je l'ai fait, et voici donc la récompense ! Quoi ? Tu es en colère, maintenant ? T'ai-je offensé ? Parle !

— Je n'ai pas demandé à venir ici !

— Et moi, je n'ai pas *demandé* à me charger de toi !

— Quelqu'un se serait bien occupé de moi.

Il fit un pas vers moi. Dans la pénombre, j'étais incapable de déchiffrer son visage.

— Ton père avait compris le risque, souffla-t-il.

— Pas ma mère ! Et moi non plus !

— Que veux-tu que je fasse, Will Henry ! Que je les sorte de leur tombe ?

— Je déteste vivre ici ! criai-je à l'ombre du monstrologue, mon mentor – l'homme de tous mes tourments. Je déteste vivre ici, je déteste que vous m'ayez amené ici, et je vous déteste, vous !

Je courus dans le couloir, grimpai l'escalier en hâte, puis l'échelle qui conduisait à ma petite alcôve, et claquai la porte derrière moi. Je me jetai alors sur mon lit, et enfouis mon visage dans les coussins, pleurant de rage, de chagrin et de honte. Oui, de honte, car il était tout ce que j'avais, et je l'avais déçu. Le docteur avait son travail ; je l'avais, lui ; et c'était tout, pour chacun de nous.

Au-dessus de moi, les nuages filaient dans le bleu vitriol du ciel d'avril, et le soleil plongeait vers l'horizon, les peignant d'une teinte dorée. Quand mes larmes furent sèches, je roulai sur le dos et contemplai la lumière du monde qui déclinait. Mon corps réclamait de la nourriture et du repos, mon âme du répit. Je pourrais manger et je pourrais dormir, mais comment diminuer cette douloureuse solitude, ce chagrin inconsolable, cette peur incurable ? Comme Erasmus Gray prisonnier des griffes du monstre, comme Hezekiah Varner mourant dans la fermentation de sa propre chair, avais-je atteint le point de non-retour ? Tout espoir avait-il été dévoré par le feu qui avait tué mes parents, comme les *Anthropophagi* avaient dévoré Erasmus, et les vers Hezekiah ? La mort avait mis un terme à leur souffrance. N'y aurait-il rien d'autre qu'une visite du même Ange des Ténèbres pour abolir la mienne ?

J'attendis que le sommeil – ce doux substitut de la mort – m'emporte. Hélas, il m'évita et je me levai, la tête lourde d'un torrent de larmes et de cette douleur qui me vrillait l'estomac. J'ouvris la trappe et m'avançai sur la pointe des pieds jusqu'à l'échelle. Ensuite, je filai droit à la cuisine. La porte du sous-sol était fermée. J'étais certain qu'il se trouvait en bas ; comme l'alcôve dans mon cas, la cave était pour lui un refuge. Je mis la poêle sur le feu et me préparai un repas pour calmer ma faim, faisant rôtir deux belles côtelettes d'agneau, cadeau de Noonan le boucher. Je vidai mon assiette aussi vite que je l'avais remplie. C'était l'un de mes meilleurs repas, encore plus délectable, car concocté par mes propres soins, même si j'avais mangé beaucoup trop vite pour réellement l'apprécier.

Alors que je sauçais le jus des côtelettes avec un gros morceau de pain, cadeau de Tanner, le boulanger, la porte du sous-sol s'ouvrit et le docteur apparut.

— Tu as cuisiné.

— Oui, répondis-je, omettant délibérément le « monsieur ».

— Qu'est-ce que tu as préparé ?

— De l'agneau.

— De l'agneau ?

— Oui.

— Des côtelettes ?

J'acquiesçai d'un hochement de tête.

— Avec des petits pois et des carottes.

Je portai mon assiette à l'évier. Je sentais le regard du docteur sur moi pendant que je faisais la vaisselle. Je posai mon assiette et ma tasse sur l'égouttoir pour qu'elles sèchent, puis fis face au docteur qui se tenait toujours dans l'embrasure de la porte.

— Avez-vous besoin de moi pour quelque chose ?

— Je ne... non, je n'ai pas besoin de toi.

— Dans ce cas, je retourne dans ma chambre.

Il n'ajouta rien. Ce ne fut qu'au moment où je parvins au pied de l'escalier, qu'il s'avança et me cria de l'autre bout du couloir :

— Will Henry !

— Oui ?

Il hésita un instant, puis me lança d'un ton résigné :

— Bonne nuit, Will Henry.


Bien plus tard, avec la même curieuse habileté qu'il avait démontrée dans le passé à me déranger au moment exact où, après des heures à me tourner et à me retourner dans mon lit, je glissai enfin dans le sommeil, le docteur m'appela d'une voix haut perchée qui pénétra dans mon petit sanctuaire.

— Will Henry ! Will Henryyyyyyyyy !

Titubant après le court répit que j'avais pu glaner, je me faufilai hors de mon lit en poussant un lourd soupir. Je connaissais ce ton ; je l'avais entendu si souvent ! Je descendis de mon échelle et gagnai l'étage inférieur.

— Will Henry ! Will Henryyyyyyyyy !

Je le trouvai dans sa chambre, allongé sur son couvre-lit, entièrement vêtu. Il remarqua ma silhouette dans l'embrasure de la porte et, d'un geste impatient de la main, me fit signe d'entrer. Toujours éprouvé après notre dispute, je ne m'approchai pas jusqu'à son lit, me contentant d'avancer d'un seul pas dans la pièce.

— Will Henry, que fais-tu ?

— Vous m'avez appelé.

— Pas maintenant, Will Henry. Que faisais-tu *là-bas* ? demanda-t-il en désignant le couloir.

— J'étais dans ma chambre, monsieur.

— Non, c'est faux. Je t'ai parfaitement entendu faire du bruit dans la cuisine.

— J'étais dans ma chambre, répétai-je. Peut-être avez-vous entendu une souris.

— Une souris qui remue des poêles et des casseroles ? Dis-moi la vérité, Will Henry. Tu cuisinais quelque chose.

— Je vous dis la vérité. J'étais dans ma chambre.

— Tu suggères donc que j'ai eu des hallucinations.

— Non, monsieur.

— Je sais ce que j'ai entendu.

— Je vais aller en bas et vérifier, monsieur.

— Non ! Non, reste ici. Mon imagination doit me jouer des tours. Je me suis peut-être endormi. Je ne sais pas.

— Oui, monsieur. Est-ce que ce sera tout, monsieur ?

— Comme tu le sais, je n'y suis pas habitué.

Il demeura silencieux, attendant que je pose la question évidente, mais j'en avais assez de ce jeu : il était à nouveau dans un de ses moments sombres. Mon rôle était bien défini, et d'habitude je le jouais avec autant de cran que possible, or les événements des derniers jours m'avaient sapé le moral. Je n'étais vraiment pas d'humeur.

— Partager ma maison avec quelqu'un, dit-il comme je ne pipai mot. Tu sais, j'ai songé à faire insonoriser cette pièce. Chaque petit bruit…

— Oui, monsieur, répondis-je, en bâillant délibérément

— Ce bruit doit vraiment être un produit de mon imagination, concéda-t-il. L'esprit peut nous jouer des tours quand il ne se repose pas suffisamment. J'ai du mal à me rappeler à quand remonte ma dernière nuit de sommeil...

— Cela fait au moins trois jours.

— Ou de même mon dernier repas décent.

Je ne répondis pas. S'il était incapable de me demander vraiment ce qu'il voulait, je ne lui tendrais pas la perche. S'il tenait à se montrer têtu... eh bien, je le serais aussi.

— Tu sais, Will Henry, quand j'étais plus jeune, je pouvais passer une semaine entière sans dormir en me contentant d'un seul morceau de pain. Une fois, j'ai fait une excursion dans les Andes avec une unique pomme dans ma poche... tu es bien certain que tu n'étais pas en bas ?

— Oui, monsieur.

— Le bruit s'est arrêté quand je t'ai appelé. Peut-être que tu marchais dans ton sommeil.

— Non, monsieur, j'étais dans mon lit.

— Bien sûr.

— Ce sera tout, monsieur ?

— Tout ?

— Avez-vous besoin d'autre chose ?

— Peut-être que tu ne veux pas me le dire à cause des scones.

— Des scones, Monsieur ?

— Tu t'es faufilé en bas pour grignoter quelque chose, et tu sais à quel point je les aime.

— Non, monsieur. Nous avons toujours des scones.

— Ah. C'est très bien.

Aucun moyen d'y échapper. Il ne s'y rendrait pas de lui-même et, à l'évidence, il n'avait pas l'intention de me le demander. Si je me contentais de regagner mon lit, il attendrait que je sois de nouveau endormi et, une fois de plus, mon nom résonnerait à travers la maison : Will Henryyyyy ! jusqu'à ce que je me réveille. Je trottinai donc jusqu'à la cuisine, où je mis une casserole d'eau à bouillir et déposai les scones sur une assiette. Je préparai du thé. Appuyé contre l'évier et bâillant à n'en plus finir, j'attendis qu'il infuse. Puis je pris le plateau et le lui apportai.

Durant mon absence, le docteur s'était redressé. Il était adossé contre la tête du lit, bras croisés, tête penchée, perdu dans ses pensées. Il tourna le regard vers moi pendant que je posais le plateau sur sa table de chevet.

— Qu'est-ce que c'est ? Du thé et des scones ! Comme c'est gentil de ta part, Will Henry !

D'un geste du bras, il me désigna une chaise. Je m'y laissai tomber avec un soupir. Là non plus, pas moyen d'y échapper. Si je me retirais, il me rappellerait dans un bref moment. Si je piquais du nez, il hausserait la voix, claquerait des doigts et, avec une ingénuité parfaite, me demanderait si j'étais fatigué.

— Ces scones sont délicieux, dit-il après en avoir avalé une bouchée. Mais je ne pourrai pas les manger tous les deux. Prends-en un, Will Henry.

— Non merci, monsieur.

— Tu vois, je pourrais considérer ton manque d'appétit comme une preuve évidente que tu étais en bas, un peu plus tôt. Tu as vu quelque chose, au fait ?

— Non, monsieur.

— Ce pourrait bien être une souris. As-tu mis un piège pendant que tu étais en bas ?

— Non, monsieur.

— N'y va pas, Will Henry, protesta-t-il, même si je n'avais pas bougé d'un doigt. Cela peut attendre demain matin.

Il but une gorgée de thé.

— Cela dit, pour faire un tel vacarme, ce devait être une grosse souris ! Peut-être que, comme Protée, elle a le pouvoir de se métamorphoser. Elle a dû se changer en homme pour préparer une sauce au fromage pour sa famille. Ha ! ha ! C'est plutôt drôle, n'est-ce pas, Will Henry ?

— Oui, monsieur.

— Pourtant, comme tu le sais, je ne suis pas de nature comique, sauf quand je suis fatigué. Et je suis très fatigué, Will Henry.

— Moi aussi, monsieur.

— Dans ce cas, pourquoi restes-tu assis là ? File au lit.

— Oui, monsieur. Je crois que c'est ce que je vais faire.

Je me levai, lui souhaitant une bonne nuit sans beaucoup de conviction, persuadé que la mienne risquait d'être courte. Sachant très bien à quoi m'attendre, je quittai sa chambre, mais pas le couloir. Je commençai à compter, et à peine avais-je atteint « quinze » qu'il me rappela.

— Je n'ai pas fini de t'expliquer mon idée, lâcha-t-il, après m'avoir fait signe de me rasseoir. Penser à notre souris hypothétique m'a fait songer au protée, le *Proteus anguinus*.

— Si, monsieur, vous avez bien évoqué Protée.

Il secoua la tête d'un air impatient, frustré par ma stupidité.

— Sache, Will Henry, que le *Proteus anguinus* est une espèce amphibie totalement aveugle, que l'on trouve dans les montagnes Carpathes. Et, bien sûr, cela m'a amené à penser à Galton et à l'eugénisme.

— Bien sûr, monsieur, répondis-je, même si je n'avais évidemment jamais entendu parler du *Proteus anguinus*, de Galton ou de l'eugénisme.

— Ce sont des créatures fascinantes, affirma le monstrologue. Elles sont un excellent exemple de la sélection naturelle. Elles vivent dans des cavernes sans lumière, malgré la structure vestigiale de leurs yeux. Après son expédition à Adelsberg, Galton en a rapporté les premiers spécimens depuis son Angleterre natale. C'était un ami de mon père – et de Darwin. Mon père était passionné par son travail, en particulier sur l'eugénisme. Il y a d'ailleurs un exemplaire dédicacé de son livre *Hereditary Genius* dans la bibliothèque.

— Vraiment ? murmurai-je mécaniquement.

— Je sais qu'ils correspondaient régulièrement, même si, selon son habitude, mon père a dû détruire leurs échanges, comme il le faisait avec ses journaux, et toutes les lettres qu'il a reçues durant sa vie.

*Presque toutes les lettres.* Je songeai au paquet des missives d'un fils à son père, ces courriers qui n'avaient jamais été ouverts, à l'encre fanée sur du parchemin jauni, au fond d'une vieille malle oubliée. *J'espère que vous m'écrirez bientôt.*

— Quand je suis rentré de Prague en 1883 pour l'enterrer, je n'ai pas trouvé grand-chose à part ses carnets. Juste sa malle et diverses notes sur des espèces variées qui l'intéressaient, des notes que, je suppose, il n'avait pu se résoudre à détruire. En effet, il détruisait ou jetait tous ses effets personnels, jusqu'à ses dernières chaussettes et chaussures, et je suis certain qu'il en aurait fait autant avec la vieille malle s'il s'était rappelé l'avoir enfouie sous l'escalier. C'était comme si, au crépuscule de sa vie, il avait voulu éliminer toute preuve de son existence. À l'époque, j'avais attribué cela à cette autodétestation morbide dans laquelle il était tombé durant ses dernières années, ce mélange de remords inexplicable et de ferveur religieuse. Et comme si sa vie était revenue à la case départ, il a été trouvé un matin sur son lit par la femme de ménage, complètement nu, en position fœtale.

Le docteur poussa un soupir.

— J'ai été fort surpris par ce que j'ai découvert. J'ignorais dans quel abîme il s'était enfoncé.

Il ferma un instant les yeux.

— Dans la fleur de l'âge, c'était un homme extrêmement digne, Will Henry, très pointilleux quant à son apparence, jusqu'au point de vanité. Qu'il termine sa vie de façon aussi avilissante était impensable. En tout cas, pour moi.

Il resta silencieux, fixant le plafond. Je songeai à Hezekiah Varner, qui n'avait nullement choisi sa fin.

— Cela dit, poursuivit le docteur, l'image que j'avais de lui était figée dans l'ambre de ma mémoire ; quand il est décédé, cela faisait presque dix ans que je ne l'avais pas vu, et l'Alistair Warthrop de l'époque, était un être humain bien différent, et non cette coquille nue recroquevillée sur elle-même.

Mon maître secoua la tête comme pour s'arracher à sa rêverie. Il roula sur le côté pour faire face à ma chaise, et posa son visage dans sa paume ouverte. Ses yeux sombres scintillaient à la lueur de la lampe.

— Je me suis à nouveau laissé emporter, n'est-ce pas, Will Henry ? Tu devrais lire *Hereditary Genius*. Après *L'Origine des espèces*, mais avant *La Filiation de l'homme* pour des raisons thématiques autant que chronologiques. Son influence se ressent d'ailleurs dans *La Filiation*. Le concept de transmission des caractéristiques à la fois mentales et physiques d'un organisme à sa progéniture est révolutionnaire. Mon père s'en est immédiatement rendu compte, il m'a même écrit à ce sujet. C'est l'une des rares lettres qu'il m'ait jamais envoyées ; je l'ai encore quelque part. Galton venait de lui envoyer la première version de son texte, et mon père était persuadé que cette théorie avait des applications dans son propre champ d'étude, ce qui représentait une alternative excitante à la capture ou à l'éradication des espèces les plus malveillantes, comme nos amis les *Anthropophagi*. Si une reproduction sélective permettait de développer les caractéristiques les plus désirables et de supprimer les indésirables, cela pourrait transformer notre discipline ! L'eugénisme serait ainsi la clé pour sauver ces sujets de l'extinction. L'évolution de l'homme mettait leur survie en péril, à moins que, comme mon père le croyait, l'on puisse les domestiquer, comme le loup dangereux a été métamorphosé en chien fidèle.

Il s'interrompit, attendant visiblement une réponse de ma part. Comme je restais muet, il se redressa et cria d'un ton excité :

— Tu ne comprends donc pas, Will Henry ! Cela résout la question du *pourquoi* ? C'est pour cela qu'il voulait un couple reproducteur d'*Anthropophagi* – pour mettre la théorie de Galton en pratique, pour éliminer le côté sauvage de cette créature ainsi que son goût pour le sang humain. C'était une entreprise de taille, avec des enjeux énormes et un coût ahurissant, évidemment bien au-delà de ses moyens, ce qui pourrait justifier son rendez-vous avec ces mystérieux agents en 1862. Ce n'est qu'une supposition de ma part, impossible à prouver, à moins que nous puissions trouver ces hommes, s'ils sont toujours en vie, ou une trace de leur accord – s'il en a jamais existé un. Quoi qu'il en soit, c'est à mes yeux la seule raison capable d'expliquer pourquoi il aurait rencontré de telles personnes : il devait estimer que leur cause diabolique pourrait faire avancer la sienne.

Il se tut, attendant à nouveau ma réaction. Il frappa le matelas d'une main, et ajouta :

— Ne reste pas assis là bêtement, Will Henry ! Dis-moi ce que tu en penses !

— Eh bien…, monsieur.

À dire vrai, j'ignorais quoi en penser.

— Vous connaissiez votre père… et moi pas.

— Je le connaissais à peine ! En tout cas, beaucoup moins que la plupart des fils ne connaissent leur père. Je me hasarde peut-être, mais ma théorie correspond à ce que je sais des faits. Seule sa passion pour son travail pourrait l'avoir incité à s'associer à de tels traîtres. Son travail : c'était tout ce qu'il avait. Il n'aimait rien d'autre. Rien !

Il s'allongea sur le dos, la tête nichée au creux de ses mains, les yeux fixés sur le plafond ; les possibilités de ce qui aurait pu advenir de sa relation avec son père ne tenaient qu'aux limites de son imagination florissante. Ce que nous ignorons de nos proches laisse toute place à nos plus folles suppositions, même si ce proche est notre propre père. Dans ce grand vide existentiel galopent nos souhaits et nos doutes, nos désirs et nos regrets pour le père qui a été et celui qui aurait pu être. Même si mon père n'avait pas été un homme froid et distant comme le sien, sur ce sujet nous étions comme deux frères. Nos pères ne nous avaient rien légué d'autre que des souvenirs. Mis à part mon petit chapeau, l'incendie m'avait ravi tout témoignage tangible de ma vie avec mes parents. Alistair Warthrop n'avait rien laissé à son fils. Tout ce qu'il restait de ces deux hommes, c'était *nous,* et quand nous disparaîtrions, ils disparaîtraient eux aussi définitivement. Nous étions les tablettes sur lesquelles leurs vies étaient écrites.

Je restai à son chevet durant la nuit tandis que le docteur tombait dans un sommeil léger, pour en émerger peu après. Inévitablement, chaque fois que je commençais à m'assoupir, il se réveillait en sursaut et appelait d'une voix paniquée :

— Will Henry ! Will Henry, tu dors ?

Ce à quoi je répondais :

— Non, monsieur, je suis réveillé.

— Oh. Tu devrais te reposer, Will Henry. Nous aurons besoin de toutes nos forces dans les heures à venir. John Kearns a dû recevoir ma lettre, à présent, et comme je le connais, il sera à bord du premier train en partance.

— Qui est John Kearns ? Un monstrologue ?

Le docteur laissa échapper un rire amer.

— Pas dans le sens strict du terme, non. Il est chirurgien de profession – et un brillant chirurgien, je dois dire.
Je ne peux hélas pas en dire autant de son tempérament.
J'aurais préféré faire venir Henry Stanley, si seulement je
savais où le trouver. Tous deux ont chassé des *Anthropophagi* dans la nature, et Stanley est un gentleman de la
vieille école, pas comme Kearns.

— C'est un chasseur ?

— On peut dire cela. Il a bien plus d'expérience que
moi, étant donné que la mienne, concernant les *Anthropophagi*, est nulle.

Il ajouta d'un ton soudain devenu grave :

— Je dois te prévenir d'une chose, Will Henry : évite-le
autant que possible.

— Pourquoi ?

Sa réponse fut des plus curieuses.

— Il lit beaucoup trop. Ou plutôt, pas assez. Je n'en
ai jamais été certain. Quoi qu'il en soit, ne reste pas
dans les pattes du Dr John Kearns, Will Henry ! C'est
un homme dangereux, mais vu les circonstances, nous
avons besoin de lui. Oui, nous devons avoir recours à
toutes les aides efficaces possibles ! Cela va faire deux
nuits qu'ils ne se sont pas alimentés. Ils vont bientôt se
remettre en chasse.

— Peut-être qu'ils le sont déjà ? demandai-je, soudain
effrayé.

— Non, je t'assure que cela n'est pas le cas. Le malheureux M. Gray devrait les tenir occupés au moins un
jour ou deux de plus.

Je m'abstins de formuler la question qui me brûlait les lèvres. *Et si jamais vous vous trompez ?* Que Dieu me pardonne, je ne dis rien. *Peut-être* que si je m'étais exprimé, le docteur aurait révisé son hypothèse. *Peut-être* que si j'avais insisté, si j'avais fait part de mes doutes, négligeant la confiance et la déférence que je lui devais, six victimes innocentes ne seraient pas mortes dans d'inimaginables souffrances. Car, pendant qu'il formulait ces paroles rassurantes, une famille entière était massacrée. Oui, alors que nous devisions tranquillement pour faire passer les dernières heures de la nuit, les monstrueuses créatures se délectaient de leur sang.

# HUIT

*Je suis un scientifique*

L'aube s'était déjà levée quand je titubai jusqu'à mon lit. Je retirai mes vêtements et me glissai sous les couvertures. Hélas, les heures de sommeil dont j'avais tant besoin furent insuffisantes et peuplées d'horribles visions de vermines voraces : des larves et des vers grouillants, et ces créatures aveugles, sans nom, sans couleur, qui vivent dans le noir sous les pierres ou le bois en putréfaction. Je me réveillai plus épuisé qu'au moment de me coucher, un goût amer dans la bouche et le cœur serré d'effroi. En ce milieu de matinée, le ciel était d'un beau bleu cobalt, sans nuages, véritable provocation printanière à mon humeur morbide. Malgré mes efforts, je ne pouvais m'ôter de l'esprit la certitude que quelque chose de terrible se profilait à l'horizon. Néanmoins, il n'était pas question de faire part de mon pressentiment au docteur : il le rejetterait en riant, et j'aurais droit à un sermon m'expliquant que les superstitions ne sont qu'un écho de notre passé, quand les prémonitions étaient des réponses efficaces à un environnement peuplé de prédateurs trop contents d'entretenir nos peurs.

Traînant les pieds, je descendis à la cuisine, remarquant au passage que la porte du sous-sol était ouverte et les lumières allumées dans la cave. Je mis la théière à chauffer et m'appuyai contre le comptoir, attendant que l'eau bouille tout en luttant contre une extrême fatigue, tant physique que mentale. On comprendra donc que je n'aie pas entendu le coup frappé à la porte. Et l'on ne s'étonnera pas que j'aie poussé un petit cri, un moment plus tard, non pas à cause des coups qui redoublaient, mais à cause du docteur qui m'admonestait depuis la cave :

— Will Henry ! On frappe ! Réponds !

— Oui, monsieur ! Tout de suite, monsieur !

J'ouvris la porte. Sur le seuil se tenait une haute et mince silhouette, la tête enveloppée dans le nuage de fumée qui montait de sa pipe en sépiolite. L'homme s'appuyait avec précaution sur une canne. La lumière matinale qui brillait sur les verres de son pince-nez, combinée à l'ovale parfait de son visage et à l'épaisseur de sa moustache, lui donnait l'air sérieux d'une chouette.

— Ah ! tu es Will Henry, n'est-ce pas ? Parfait, parfait ! lâcha le commissaire Morgan en franchissant le seuil. Où est Warthrop ? Je dois lui parler sur-le-champ !

Le docteur surgit dans l'embrasure de la porte de la cave, la mine dénuée d'expression. La soudaine apparition de l'officier de police en chef de la ville ne semblait pas le décontenancer le moins du monde.

— Que se passe-t-il, Robert ? demanda le docteur avec détachement.

Son calme était en contrepoint total avec l'agitation évidente du commissaire.

— Une abomination ! Voilà ce qui se passe. Une véritable horreur ! Complètement en dehors de mon champ d'expérience !

— Mais pas en dehors du mien, vu votre venue.

Le commissaire acquiesça d'un hochement de tête.

— Quelque chose de terrible est arrivé, dit-il, le souffle court. Vous devez m'accompagner illico !

Quelques moments plus tard, nous étions installés dans la voiture du commissaire qui filait dans les étroites rues pavées de New Jerusalem. Les deux hommes élevaient la voix pour s'entendre par-dessus le bruit des roues, le claquement des sabots et le vent qui soufflait à travers les vitres ouvertes.

Le commissaire, qui était sans nul doute venu soutirer des réponses au docteur suite à son horrible découverte de la matinée, se trouva, comme beaucoup confrontés à Warthrop en pareille situation, soumis à l'interrogatoire qu'au départ il comptait mener. M'étant moi aussi retrouvé en position similaire, j'adressai en silence toute ma sympathie au commissaire. Les questions fusaient à un rythme effréné.

Le docteur : « Quand le crime vous a-t-il été rapporté ? »

Le commissaire : « Ce matin, peu après l'aube. »

— Des témoins ?

— Oui. Un – le seul survivant. Avant d'avoir découvert la scène de mes propres yeux, j'ai pensé, comme tout homme raisonnable l'aurait cru lui aussi, qu'il n'était pas seulement témoin, mais coupable. Son récit était tellement stupéfiant que cela ne pouvait être qu'un mensonge.

— Vous l'avez arrêté ?

Le commissaire hocha la tête, tout en tapant nerveusement l'extrémité de sa canne entre ses bottes. Serré contre lui, je ne pouvais m'empêcher de sentir l'odeur écœurante qui émanait de ses vêtements – l'odeur désormais trop familière de la mort que la lente combustion de sa pipe ne parvenait pas à camoufler complètement.

— Nous l'avons arrêté pour sa propre protection, Warthrop. Quand j'ai examiné la scène… Aucun être humain n'est capable d'un pareil crime. J'ai bien peur que ce qu'il a vu ne lui ait fait perdre la raison.

— Qu'a-t-il vu ?

— Je le laisserai vous en faire le récit, mais ce que j'ai vu, *moi*, dans cette maison, corrobore son histoire. C'est… c'est au-delà des mots, Warthrop. Au-delà des mots !

Le docteur ne répondit rien. Il se détourna pour observer le paysage inondé de la lumière dorée du printemps, les collines verdoyantes et les prairies luxuriantes éclatantes de fleurs. *Ils ont découvert le vieil homme – ou ce qu'il reste de lui – et la fille – ou ce qu'il reste d'elle –*, songeai-je en me demandant si le docteur pensait de même. *Le commissaire nous emmène au cimetière.*

À ma grande surprise, le conducteur tourna dans une petite ruelle, quittant la rue qui menait au cimetière de Old Hill – dont on apercevait néanmoins toujours les murs –, et ralentit alors que la ruelle se rétrécissait et qu'une colline s'élevait devant nous. Le soleil était un peu plus chaud à présent, et une douce brise pénétrait par la vitre. Bien que légère, elle éloignait la puanteur qui émanait du commissaire. Je percevais une odeur de chèvrefeuille. Soulagé, j'inspirai profondément.

Hélas, le répit ne fut que de courte durée. Une fois en haut de la côte, le conducteur serra les rênes entre ses mains. Warthrop sauta au bas de la voiture avant que nous soyons complètement arrêtés. Plus par sens du devoir (après tout, mes services lui étaient « indispensables ») que par impatience de découvrir ce que le commissaire avait appelé une « abomination », je trottinais à quelques pas derrière lui. Devant nous, au sommet de la colline se dressaient une église et, à un jet de pierre, son presbytère – au toit en pignon – dont les parterres de fleurs explosaient en une profusion de bulbes blancs, roses, indigo et dorés – édifice au charme à la fois désuet et menaçant, comme la maison dans laquelle le pauvre Hansel et la malheureuse Gretel avaient failli brûler vifs. Deux hommes armés de fusils se tenaient à la porte. En nous voyant approcher, ils se redressèrent, leurs doigts effleurant leurs gâchettes jusqu'à ce qu'ils remarquent le commissaire qui grimpait le chemin à nos côtés. Néanmoins, leur comportement changea de nouveau quand ils reconnurent le docteur. La méfiance et la peur obscurcirent alors leurs visages : Warthrop n'était pas un homme populaire à New Jerusalem. À une autre époque, il aurait sans nul doute été accusé de comploter avec le diable et aurait été brûlé vif.

— Dieu merci, nous ne sommes pas dimanche ! haleta Morgan, épuisé d'avoir grimpé si vite. Les ouailles du révérend seraient bien en peine de croire à l'existence du Seigneur par un jour comme ça !

Il baissa les yeux vers moi et ajouta :

— Je ne doute pas que lors de ses expéditions Warthrop ait vu bien pire, mais tu n'es qu'un enfant, Will
Henry, et pas du tout habitué à ce genre de choses. Tu
ne devrais pas venir avec nous.

— Bien sûr que si, il vient avec nous ! rétorqua le docteur d'un ton impatient.

Le commissaire se rembrunit.

— Pourquoi ? À quoi pourrait-il nous servir ?

— Will Henry est mon assistant. Il doit se familiariser
avec ce « genre de choses ».

Connaissant bien le docteur, le commissaire savait qu'il
était inutile d'insister. Il poussa un soupir, tendit sa pipe
à l'un des gardes, puis sortit son mouchoir de sa poche
et le plaqua contre son nez et sa bouche.

Ma présence devait néanmoins le perturber, car il me
dévisagea de nouveau un long moment avant d'affirmer
– ses paroles étouffées par son mouchoir :

— Il n'y a pas de mots pour décrire une telle situation,
Will Henry. Pas de mots !

Il ouvrit la porte au-dessus de laquelle une pancarte
avait été accrochée. Les mots qui y étaient gravés étaient
comme une préface ironique au charnier qui nous attendait à l'intérieur : LE SEIGNEUR EST MON BERGER.

Un corps masculin était allongé face contre terre à
deux mètres de l'entrée, vêtu des restes ensanglantés de
sa chemise de nuit, les bras étendus. Ses deux jambes
avaient disparu. Tout comme cinq de ses doigts, deux à
la main gauche, trois à la droite. Sa tête était posée sur
un bras, presque perpendiculairement à son corps, car
son cou avait été en partie arraché de ses épaules, exposant sa colonne vertébrale, les vrilles serpentines de ses

vaisseaux sanguins et les tendons visqueux de sa chair. Il avait reçu un coup à l'arrière de la tête et les restes de son cerveau en bouillie jaillissaient du crâne, bordant la blessure comme la moutarde vieillie tache le bord d'un pot mal refermé. Durant l'autopsie, le docteur m'avait informé de son ton morne du penchant singulier des *Anthropophagi* pour le plus noble des organes, l'apogée de la création de la nature : le cerveau humain.

La pièce empestait le sang, et dans l'air flottait la même puanteur nauséeuse de fruits pourris que j'avais perçue au cimetière. Cette odeur vous retournait l'estomac, vous brûlait le nez et les yeux. Pas étonnant que le commissaire se soit couvert le visage avant d'entrer.

Morgan et moi nous attardâmes sur le seuil, hésitant entre la lumière extérieure et l'obscurité au sein de la pièce, mais Warthrop, lui, était déjà en action. Il se précipita vers le corps, laissant des traces de pas dans le sang qui s'étalait de toute part, s'agenouilla près de la tête pour examiner la blessure ouverte. Il l'effleura, puis frotta des morceaux de matière cérébrale entre son pouce et son index.

Il demeura immobile un moment, les avant-bras posés sur ses genoux, observant la scène. Puis il se pencha un peu plus en avant, tentant de garder son équilibre comme il le pouvait, pour étudier le visage de la victime ou tout du moins ce qui en restait.

— C'est Stinnet ? demanda-t-il.

— Oui, c'est bien le révérend, confirma Morgan.

— Et les autres ? Où est le reste de la famille ?

— Il y en a deux dans le salon : sa femme et sa plus jeune fille, Sarah, je crois. Un autre enfant dans le couloir. Le quatrième est dans l'une des chambres.

— Plus celui qui s'est échappé. Il en reste donc un dans la nature.

— Non, Warthrop. Il est là.

— Où ça ?

— Tout autour de vous, répondit le commissaire d'une voix lourde de révulsion et de pitié.

Et c'était bien le cas. Le révérend, dont le corps était encore plus ou moins intact, avait capté notre attention comme pièce principale du massacre, mais sur les murs, le plancher et même sur le plafond au-dessus de nos têtes, comme des éclairs projetés par une centrifugeuse diabolique, s'étalaient des lambeaux de chair, des fragments humains méconnaissables cimentés par le sang sur presque toutes les surfaces, touffes de cheveux, morceaux d'entrailles, éclats d'os, copeaux de muscles. En certains endroits, les murs en étaient tellement saturés qu'ils dégoulinaient littéralement de sang. À croire que l'enfant avait été enfermé dans un broyeur, et ses restes propulsés dans toutes les directions. À quelques centimètres de la chaussure droite du docteur se trouvait le pied tranché du jeune garçon, la seule partie de son corps reconnaissable après la visite des *Anthropophagi*.

— Il s'appelait Michael, dit le commissaire. Il avait cinq ans.

Le docteur ne répondit rien. Il arpentait la scène en cercles lents, les mains posées sur les hanches, se tournant et se retournant pour étudier le carnage, l'air à la fois fasciné et détaché, s'émerveillant de la barbarie de l'attaque tout en étant troublé par son horreur, le cœur séparé de l'esprit, les émotions de l'intellect – lui, la quintessence du scientifique, si différent de la race à laquelle il appartenait. Il se tenait ainsi, tel un temple encore dressé au milieu des ruines, et quelles que soient ses pensées, elles demeuraient cachées dans les vénérables couloirs de sa conscience.

Visiblement impatient devant la déconcertante réserve du docteur, en ce moment qu'il considérait d'extrême urgence, le commissaire pénétra dans la pièce et demanda :

— Eh bien ? Voulez-vous voir les autres ?

L'épouvantable visite commença. D'abord par la chambre où dormait le plus âgé des enfants. Nous y trouvâmes les restes d'une fillette dont le prénom, comme le commissaire nous en avait informés, était Elizabeth. Comme celui de son frère, le corps d'Elizabeth avait été lacéré ; cependant son torse éviscéré était par ailleurs intact. Il reposait sur les vestiges de la vitre brisée. Les rideaux en dentelle, tachés de son sang, voletaient dans la douce brise, et au-delà des morceaux de verre toujours accrochés au cadre de la fenêtre, je percevais l'étendue d'herbe verdoyante qui luisait dans le soleil matinal.

— Le point d'entrée ? hasarda Morgan.

— Peut-être, répondit le docteur en se penchant pour examiner le cadre de la fenêtre et les tessons de verre éparpillés autour. Néanmoins, je ne pense pas. À mon avis, c'est plutôt par là que notre témoin est sorti.

Ensuite, Morgan nous conduisit dans le couloir où nous trouvâmes la quatrième victime, pareillement démembrée et éviscérée, le crâne fracassé et vidé de son cerveau, des fragments de ses organes vitaux répandus par terre ou collés par le sang sur les murs. Ce fut là, dans ce corridor, sur le plancher maculé de sang, que nous découvrîmes la première preuve de la présence des *Anthropophagi* : des traces de leurs pas dans le sang coagulé de leurs victimes. En les voyant, le docteur lâcha un cri de satisfaction, puis s'agenouilla aussitôt pour les observer plusieurs secondes.

— Il y en a au moins huit ou dix, murmura-t-il. Celles-ci sont des empreintes de femelles, et celle-là doit être celle d'un jeune mâle.

— Des femelles ? Des femelles, dites-vous ? Qui laisseraient des empreintes plus grandes que celles d'un homme adulte ?

— Une femelle adulte mesure plus de deux mètres des pieds aux épaules.

— Une femelle adulte de quelle espèce, Warthrop ?

Le docteur hésita une seconde avant de lâcher :

— Une espèce d'hominidés carnivores appelée *Anthropophagi*.

— Anthro… popa…

— *Anthropophagi*, corrigea le docteur. Pline les nommait *Blemmyae*, mais *Anthropophagi* est la désignation usuelle.

— Et, Dieu du ciel, d'où viennent-ils ?

— Ils sont originaires d'Afrique, et de certaines îles au large des côtes de Madagascar, déclara le docteur avec précaution.

— C'est tout de même loin de la Nouvelle-Angleterre ! fit remarquer le commissaire avec sévérité.

Il scruta le docteur, attendant sa réponse.

— Robert, je vous assure, à la fois en tant que scientifique et gentleman, que je n'ai rien à voir avec leur présence ici.

— Et moi, Warthrop, je vous assure qu'*en tant qu'homme de loi*, il est de mon devoir de découvrir qui est responsable de ce massacre.

— Ce n'est pas moi ! lança le docteur d'un ton cassant. Je suis aussi choqué que vous par leur présence ici, et je compte bien élucider ce mystère, vous pouvez en être certain.

Morgan hocha la tête, mais continua avec suspicion :

— Je ne peux cependant m'empêcher de constater qu'il est extrêmement curieux, Pellinore, que des créatures aussi monstrueuses surgissent justement dans la ville où réside le meilleur spécialiste du pays – si ce n'est du monde !

Bien qu'il se soit exprimé de la manière la plus courtoise, la remarque du commissaire stupéfia visiblement le docteur. Il se redressa avec raideur, les yeux brillants d'indignation.

— Me traitez-vous de menteur, Robert ? demanda-t-il d'une voix dangereusement sourde.

— Mon cher Warthrop, nous nous connaissons depuis toujours. Bien que vous soyez l'homme le plus secret que j'aie jamais rencontré, et que votre travail demeure un mystère pour moi, je ne vous ai jamais entendu proférer de mensonge délibéré. Vous me dites que leur présence ici vous choque, je vous crois, mais vous ne pourrez m'empêcher de songer que cette coïncidence est extrêmement curieuse.

— J'ai bien conscience de l'ironie de la situation, Robert, admit mon maître. L'on pourrait dire que les singularités font partie de mon travail, et ce cas en comporte un bon nombre.

Avant que le commissaire décide de pousser le sujet plus loin, il ajouta bien vite :

— Allons voir les autres.

Nous reprîmes le couloir qui menait à l'avant du presbytère. Là, dans le petit salon douillet, où sans nul doute la famille du révérend avait l'habitude de se réunir autour du piano pour une agréable soirée à chanter des airs joyeux, ou de se caler confortablement dans des fauteuils bien rembourrés devant un bon feu pendant que le vent du nord soufflait, là nous fûmes confrontés à la scène finale, particulièrement terrible : un corps sans tête gisait au milieu de la pièce, tenant blottis contre sa poitrine les restes d'un nourrisson. Sa chemise de nuit, qui devait avoir été blanche, était à présent d'un rouge vif et traînait sur le sol, là où ses jambes auraient dû se trouver. Nous découvrîmes l'une des jambes, partiellement déchiquetée, jetée sous la fenêtre brisée qui surplombait la petite allée menant à la maison. La deuxième n'était nulle part en vue – pas plus que sa tête, bien que le docteur m'ait demandé de la chercher, ce que je fis, rampant à quatre pattes pour vérifier sous les meubles. Il examina le corps de la mère pendant que Morgan s'attardait sur le seuil, son souffle lourd faisant voleter les pans de son masque improvisé.

— Les deux épaules ont été disloquées, dit le docteur.

Il fit courir ses mains le long des bras de la femme, ses doigts s'enfonçant dans la chair toujours souple.

— L'humérus droit a été brisé, ajouta-t-il.

À présent, il tâtait les doigts refermés autour du petit corps.

— Cinq doigts brisés, deux à la main droite, trois à la gauche.

Il tenta de libérer le bébé des mains de sa mère – sa mâchoire se crispant sous l'effort. Incapable de parvenir à ses fins à cause de la rigidité cadavérique, il renonça et examina le nourrisson sans le retirer des bras figés de sa mère.

— Multiples blessures et lacérations, mais le corps est intact. Le bébé a saigné à mort, ou bien ses poumons ont été écrasés. À moins que cette petite ait été étouffée par la poitrine de sa mère. Cruelle ironie, si c'est le cas.

Il poussa un soupir, puis déclara :

— Vois à quel point l'instinct maternel est puissant, Will Henry ! Bien qu'ils lui aient déboîté les épaules et brisé les os, elle n'a pas abandonné son enfant. Ils lui ont cassé les bras et arraché la tête, mais elle a continué à tenir sa fille avec fermeté. Fermeté ! Même quand elle s'est transformée en grotesque imitation de ces bêtes qui ont dévoré sa couvée, elle a tenu bon ! C'est fantastique ! C'est merveilleux !

— Pardonnez-moi, Warthrop, si je ne considère pas les faits qui se sont déroulés ici comme « merveilleux » ! lâcha le commissaire avec dégoût.

— Vous ne me comprenez pas. Et vous jugez prématurément des faits que vous ignorez. Jugeons-nous le loup ou le lion ? Reprochons-nous au crocodile d'obéir aux impératifs de sa nature ?

Tout en parlant, le docteur observait la Pietà ensanglantée à ses pieds, d'un air impassible. Impossible de deviner ses émotions. Quelle colère, quelle rage se cachait derrière cette façade de glace ? Ce tableau macabre lui rappelait-il les paroles qu'il avait prononcées quelques heures plus tôt ? *Le malheureux M. Gray devrait les tenir occupés au moins un jour ou deux de plus.* Ce genre de paroles proférées avec cette assurance souvent prise pour de l'arrogance – ou serait-il effectivement juste de la qualifier ainsi ? Il ne serait pas honnête de ma part de prétendre que je comprenais cet homme, celui à qui je devais tout, celui qui avait pris le petit orphelin que j'étais sous son aile pour sculpter l'homme que je suis devenu. Que ce soit par caprice ou à dessein – ou une combinaison des deux – les adultes qui tiennent nos vies entre leurs mains sont capables de nous sauver ou de nous détruire. Je dois confesser que je ne comprends pas cet homme. Même après tout ce temps et le recul que cela me donne, je ne *comprends toujours pas* le Dr Pellinore Xavier Warthrop. Était-il réellement persuadé de ne pouvoir être qualifié de responsable du meurtre horrible de ces six innocents ? De quelle logique tordue usait-il pour ignorer la signification symbolique du sang de la famille Stinnet sur ses mains ? Ou bien voyait-il au-delà des faits – d'un regard sans pitié – pour en tirer les conclusions évidentes même pour un garçon de douze ans ? Chaque possibilité était aussi probable que l'autre, et son expression si stoïque ne laissait rien deviner. Non, tandis qu'il contemplait en silence la mère dépourvue de tête et le bébé contre son sein, ces deux êtres sans vie à ses pieds comme des offrandes à un dieu sanguinaire, il ne laissait transparaître aucun sentiment.

— Où se trouve le témoin ? s'enquit-il d'un ton détaché.

Nous nous arrêtâmes un instant dans le jardin pour respirer un peu d'air frais et nettoyer nos poumons des miasmes fétides de la mort. Le commissaire en profita pour rallumer sa pipe. Son visage était tout rouge, et quand il approcha l'allumette de la pipe en sépiolite, je remarquai que ses doigts tremblaient.

— Je dois vous confesser, Warthrop, que tout cela est largement en dehors du champ de mon expérience.

Le regard de Morgan s'attarda sur les mots gravés au-dessus de la porte du presbytère. *Le Seigneur est mon berger.* Le message ne parut pas le réconforter. Bien au contraire, il semblait troublé jusqu'à la moelle. En tant que commissaire de la ville, il avait souvent été témoin du manque d'humanité dont peuvent faire preuve les hommes les uns envers les autres. Néanmoins, rien ne l'avait préparé à cela, à cette confrontation brutale avec une injustice aussi répugnante, à cet horrible rappel que, malgré les honneurs dans lesquels nous baignons, nous ne sommes, finalement, que de la nourriture pour les créatures prétendument inférieures dont j'avais rêvé la nuit passée, qui sont tout autant que nous l'œuvre du Seigneur. Il ne devait pas être plaisant pour un homme comme le commissaire, à l'expérience limitée et de nature sensible, d'être confronté à la sauvagerie moqueuse des *Anthropophagi*, qui tournait en ridicule toutes nos aspirations humaines, nos absurdes et grandioses ambitions, notre orgueil toujours plus fort.

— Il est dans le sanctuaire. Venez, c'est par là.

Nous le suivîmes sur le chemin de gravier qui menait à la petite église faisant face à Old Hill Cemetery. Un autre garde se tenait là. Sans dire un mot, il s'écarta pour nous laisser passer. À l'intérieur, il faisait frais et sombre. La lumière matinale s'infiltrait à travers les vitraux, des rayons bleus, verts et rouges dansant dans l'air poussiéreux. Nos pas résonnèrent sur le vieux plancher. Deux silhouettes sombres étaient assises, dos voûté, sur le premier des bancs. Quand nous approchâmes, l'une se leva, fusil en main. L'autre ne bougea pas, ne releva même pas la tête.

À voix basse, le commissaire informa l'homme armé que les corbillards arriveraient bientôt et qu'il devait attendre à l'extérieur pour aider à déplacer les corps des victimes. L'homme ne sembla pas particulièrement enchanté de cet ordre, mais approuva d'un bref hochement de tête avant de quitter les lieux.

Les pas du garde s'évanouirent. Nous nous retrouvâmes seuls avec notre témoin. Avachi sur le banc, bras croisés sur la poitrine, ses mains agrippant les bords de la couverture enroulée autour de son torse nu, le garçon devait avoir quinze ou seize ans. Il avait les cheveux sombres, et de grands yeux bleus qui lui dévoraient le visage. Bien qu'assis, je remarquai qu'il était grand pour son âge ; ses jambes allongées devant lui étaient immenses.

— Malachi, dit le commissaire d'une voix douce, voici le Dr Warthrop. Il est là pour…

Il s'interrompit un instant, comme s'il ignorait en quoi mon maître pouvait être utile au jeune garçon.

— … pour t'aider.

Un moment s'écoula. Malachi resta muet. Ses lèvres remuaient sans bruit et il avait le regard fixe, semblant observer un espace au-delà de notre sphère mortelle. Comme s'il regardait – sans voir – en lui-même.

— Je ne suis pas blessé, chuchota-t-il enfin.

— Ce n'est pas ce genre de docteur, déclara le commissaire.

— Je suis un scientifique, expliqua Warthrop.

Le regard incroyablement bleu de Malachi se posa sur mon visage, et il resta ainsi à me fixer, sans ciller, pendant de longues secondes qui me mirent mal à l'aise.

— Qui es-tu ? demanda-t-il.

— C'est Will Henry, répondit le docteur à ma place. Mon assistant.

Même si Malachi continuait à me scruter, je savais qu'il avait cessé de me voir. De nouveau, il fixait quelque chose qu'il était le seul à percevoir. Et nous, nous luttions pour gagner son attention. J'ignorais ce que les deux hommes à mes côtés pensaient ; pour ma part, je m'inquiétais de son état. Son psychisme avait visiblement souffert de blessures terrifiantes, pourtant, physiquement, il était sorti indemne de la féroce attaque. Comment était-ce possible ?

Le docteur posa un genou à terre devant lui. Le garçon ne cilla pas pour autant. Il continuait à me scruter, et ne bougea pas plus quand Warthrop mit une main sur sa cuisse. D'une voix douce, le docteur prononça son prénom, caressant avec douceur la jambe sous sa main, comme s'il cherchait à ramener le garçon de très loin.

— Malachi, peux-tu me raconter ce qui s'est passé ?

De nouveau, ses lèvres remuaient, mais aucun son ne sortait de sa bouche. J'étais à la fois perturbé qu'il continue à me fixer ainsi et incapable de détourner les yeux de ce regard intense de gravité.

— Malachi ! Je ne peux pas t'aider si tu ne me dis pas…

— Vous êtes allés là-bas, non ? cria Malachi. Vous n'avez pas vu ?

— Si, Malachi, répondit le docteur. J'ai tout vu.

— Alors, pourquoi me posez-vous des questions ?

— Parce que j'aimerais savoir ce que toi tu as vu.

— Ce que j'ai vu.

Ses grands yeux, d'un bleu qui paraissait sans fond – comme l'effarante mâchoire de Charybde –, ne me quittaient pas. Il s'adressait au docteur, mais s'exprimait en me fixant :

— J'ai vu la gueule de l'enfer s'ouvrir et des suppôts de Satan en sortir. Voilà ce que j'ai vu !

— Malachi, les créatures qui ont tué ta famille n'ont rien de surnaturel. Ce sont des prédateurs qui appartiennent à notre monde, comme le loup ou le lion, et dont nous sommes, malheureusement, les proies.

Entendit-il la remarque du docteur ? Impossible à dire. Impossible de savoir s'il avait compris. Malgré sa couverture et la douce température dans le sanctuaire, il ne cessait de frissonner. Il ouvrit la bouche et, cette fois, s'adressa à moi :

— Tu as vu ?

J'hésitai. Le docteur me chuchota à l'oreille :

— Réponds, Will Henry !

— Oui, bredouillai-je, j'ai vu.

— Je ne suis pas blessé, répéta-t-il à mon intention, comme s'il redoutait que je n'aie pas entendu précédemment. Je m'en suis sorti indemne !

— Tu as eu de la chance dans cette épreuve ! fit remarquer le docteur.

De nouveau, il fut ignoré. Poussant un soupir de frustration, Warthrop me fit signe d'approcher. À l'évidence, Malachi voulait bien parler, mais seulement à moi.

— Quel âge as-tu ? s'enquit-il.

— Douze ans.

— C'est l'âge de ma sœur. Elizabeth. Sarah, Michael, Matthew et Elizabeth. Je suis l'aîné. Tu as des frères et des sœurs, Will Henry ?

— Non.

— Will Henry est orphelin, expliqua le Dr Warthrop.

— Que s'est-il passé ? me demanda Malachi.

— Il y a eu un incendie.

— Tu étais là ?

— Oui.

— Qu'est-ce que tu as fait ?

— J'ai fui.

— Moi aussi.

Il garda son air impassible, mais une larme coula sur sa joue.

— Tu crois que Dieu nous pardonnera, Will Henry ?

— Je... je ne sais pas.

À mon âge, j'étais plutôt néophyte en matière de théologie.

— Mon père disait toujours que le pardon nous serait accordé si nous nous repentions.

Son regard se porta sur la croix accrochée au mur derrière moi.

— J'ai prié. J'ai tant prié ! J'ai imploré son pardon. Mais je n'entends aucune réponse de sa part. Je ne ressens rien !

— L'instinct de préservation est un droit inaliénable et un devoir, Malachi, affirma le docteur d'un ton légèrement impatient. Tu ne peux pas être tenu responsable d'avoir mis ce droit en pratique.

— Non, non ! murmura Morgan. Vous ne comprenez rien, Warthrop.

Il s'assit à son tour sur le banc, à côté de Malachi, et lui passa un bras autour des épaules.

— Peut-être as-tu été épargné pour une bonne raison, Malachi, dit-il. As-tu songé à cela ? Tout arrive pour une raison… n'est-ce pas là la base même de notre foi ? Tu es ici – nous sommes tous ici – parce que nous faisons partie d'un vaste plan qui a été préparé avant la création de la Terre. Et il nous appartient de comprendre – avec humilité – quel est notre rôle dans ce plan. Je ne prétends pas connaître le mien, ni celui de quiconque, mais il est possible que tu aies été épargné afin que d'autres innocents puissent vivre. Si tu étais resté dans cette maison, tu aurais certainement péri avec toute ta famille, et, dans ce cas, qui serait venu nous avertir ? En sauvant ta vie, tu en as sauvé tant d'autres !

— Mais pourquoi moi ? Pourquoi ai-je été épargné ? Pourquoi pas mon père ? ou ma mère ? ou mes sœurs et mes frères ? Pourquoi moi ?

— C'est une question à laquelle personne ne peut répondre, répliqua Morgan.

Le docteur poussa un nouveau soupir et abandonna toute fausse compassion. Il s'adressa d'un ton dur au garçon déjà éprouvé :

— Ton apitoiement ridiculise ta foi, Malachi Stinnet. Et chaque minute dans laquelle tu t'y complais est une minute perdue. Les plus grands esprits de l'Europe médiévale se disputaient afin de savoir combien d'anges pouvaient danser sur la tête d'une épingle, pendant que la peste emportait des millions de vies. Il n'est pas l'heure de se lancer dans un débat ésotérique sur les caprices des dieux ! Dis-moi, aimais-tu ta famille ?

— Bien sûr que je l'aimais !

— Dans ce cas, oublie ta culpabilité et enterre ton chagrin. Tes parents, tes frères et tes sœurs sont morts, et ni la peine ni le remords ne les ramèneront à la vie. Je t'offre un choix, Malachi Stinnet, un choix auquel nous faisons tous face un jour ou l'autre : tu peux t'allonger sur les rives de Babylone et continuer à pleurer, ou t'attaquer à l'ennemi ! Ta famille n'a pas été exterminée par des démons ou par la colère d'un Dieu vengeur. Ta famille a été agressée et tuée par des prédateurs qui attaqueront de nouveau, aussi certainement que le soleil se lèvera demain. D'autres innocents connaîtront le même sort tragique que les tiens, à moins que tu me dises, et que tu me dises *immédiatement* ce que tu as vu.

Tout en parlant, le docteur se penchait de plus en plus près de Malachi. Finalement, il posa ses deux mains sur le banc, des deux côtés du garçon. Son visage se retrouva alors à quelques centimètres de celui de Malachi. Ses yeux brûlaient de passion dans l'attente d'une réponse. Ils portaient tous deux un fardeau commun, mais seul Warthrop en avait connaissance, et lui seul avait le pouvoir de l'exorciser. J'en avais connaissance aussi, bien sûr, et aujourd'hui, en tant que vieil homme qui revoit la scène à travers les yeux de mes douze ans, je perçois l'ironie amère de tout cela, le terrible et curieux symbolisme : sur ses mains immaculées, Malachi sentait couler le sang de sa famille, tandis que l'homme dont les mains en étaient littéralement souillées le réprimandait pour qu'il abandonne tout sentiment de responsabilité et de remords !

— Je n'ai pas tout vu ! J'ai fui !

— Mais tu étais bien dans la maison quand tout a commencé ?

— Oui, évidemment. Où aurais-je pu me trouver ? Je dormais. Nous dormions tous. Il y a eu un bruit horrible ! Celui du verre brisé quand ils ont pénétré par les fenêtres. Même les murs ont tremblé ! J'ai entendu ma mère crier. Une ombre est apparue à ma porte, et ma chambre s'est emplie d'une puanteur qui m'a serré la gorge. Je ne pouvais plus respirer. L'ombre est devenue de plus en plus grande... elle était immense... et elle n'avait pas de tête... elle soufflait et reniflait... comme un porc. J'étais paralysé. Puis l'ombre a dépassé ma porte. Elle est partie, j'ignore pourquoi.

Il poursuivit :

— La maison était saturée de cris. Les nôtres. Les leurs. Elizabeth s'est jetée dans mon lit. Je ne pouvais plus bouger. J'aurais dû barricader la porte. J'aurais dû briser la fenêtre et m'enfuir. Mais je n'ai rien fait ! Je suis resté allongé dans le lit en tenant Elizabeth contre moi, et j'ai plaqué ma main sur sa bouche pour que ses cris ne les attirent pas. Je les voyais passer devant ma porte, ces ombres sans tête, avec des bras si longs que leurs griffes traînaient par terre. Dans le couloir devant la porte, deux d'entre eux ont commencé à se bagarrer. J'entendais des grognements de rage, des sifflements, des bruits de mâchoires pendant qu'ils se disputaient le corps de mon frère. Je savais qu'il s'agissait de Matthew ; il était trop grand pour que ce soit Michael.

» Ils l'ont déchiqueté sous mes yeux, puis ils ont jeté son torse démembré dans le couloir. Je l'ai entendu rebondir sur le sol. Alors le martèlement et les grognements des monstres se sont faits plus forts… pendant qu'ils se ruaient sur lui. C'est à ce moment-là que j'ai senti le corps d'Elizabeth devenir tout mou. Elle s'était évanouie.

» Il n'y avait plus aucun cri dans la maison, mais j'entendais toujours les bêtes dans le couloir, et dans l'entrée, leurs grognements, leurs sifflements, le bruit horrible de leurs mâchoires et le craquement des os. Pourtant, j'étais toujours incapable de bouger. Et si jamais ils s'apercevaient de ma présence ? Ils se déplaçaient si vite… j'avais peur qu'ils me tombent dessus avant même que je puisse ouvrir la fenêtre. Et quels autres monstres risquaient de m'attendre dehors ? Y en avait-il d'autres sur la pelouse ? dans le jardin ? J'ai tenté de quitter mon lit, mais je ne pouvais pas. Je ne pouvais pas. Je ne pouvais pas.

Il demeura silencieux. De nouveau, c'était comme s'il ne voyait plus rien, comme s'il regardait à l'intérieur de lui. Le commissaire se leva. D'un pas lourd, il alla se placer devant l'un des vitraux et contempla l'une des scènes où le Christ, en tant que bon berger, gardait son troupeau.

— Mais bien sûr, tu t'es quand même levé, affirma le docteur.

Malachi hocha lentement la tête.

— Tu étais incapable d'ouvrir la fenêtre, le pressa Warthrop.

— Oui ! Comment le savez-vous ?

— Alors tu l'as brisée.

— Je n'avais pas le choix !

— Le bruit les a alertés.

— Je pense, oui.

— Pourtant tu ne t'es pas sauvé, même s'il suffisait d'un bond pour te mettre en sécurité.

— Je ne pouvais pas la laisser.

— Tu es retourné jusqu'au lit pour la chercher ?

— Ils arrivaient.

— Tu les as entendus.

— J'ai pris ma sœur dans les bras. J'avais l'impression qu'elle était déjà morte. J'ai titubé jusqu'à la fenêtre…, mais…, mais… je l'ai fait tomber. Je me suis penché pour la ramasser. Alors…

— Tu l'as vu à la porte.

Malachi hocha de nouveau la tête, très vite, cette fois, les yeux écarquillés d'étonnement.

— Comment le savez-vous ?

— Était-ce un mâle ou une femelle ? Es-tu capable de me le dire ?

— Oh, pour l'amour de Dieu, Pellinore ! s'exclama le commissaire d'un air consterné.

— Bon, bon…, soupira le docteur. Donc tu as abandonné ta sœur, et tu as fui.

— Non ! Non, je n'aurais jamais fait ça ! cria Malachi. Je n'allais pas la laisser à ce… pour ce… j'ai attrapé ses bras et je l'ai tirée vers la fenêtre…

— Mais c'était trop tard, murmura le docteur. La bête était déjà sur vous.

— Elle bougeait si vite ! Elle a traversé la chambre d'un seul bond, elle a saisi la cheville d'Elizabeth dans sa gueule et a arraché ma sœur de mes bras comme un homme arrache une poupée des mains d'un bébé. Et elle l'a… lancée en l'air… La tête d'Elizabeth a frappé le plafond avec un grand bruit ; j'ai entendu son crâne

RÉSIDUS

exploser, puis son sang s'est mis à pleuvoir sur ma tête
– le sang de ma sœur sur ma tête ! Est-ce que vous pouvez
imaginer ça ?

Cette fois il craqua, enfouit son visage dans ses mains
et éclata en gros sanglots.

Le docteur le laissa s'abandonner à son chagrin pendant un moment, mais seulement un bref moment.

— Décris-le-moi, Malachi, ordonna-t-il. À quoi
ressemblait-il ?

— Il mesurait environ deux mètres... peut-être plus.
De longs bras, des jambes énormes, aussi pâle qu'un
cadavre... sans tête, mais avec des yeux sur les épaules...
ou, en tout cas, un œil, devrais-je dire. L'autre avait disparu.

— Disparu ?

— Il y avait juste... juste un trou là où son œil aurait
dû se trouver.

Le docteur me jeta un regard de biais. Il était inutile
de parler, nous pensions tous les deux à la même chose :
*la chance ou le destin. La bonne fortune, ou mon ange gardien
guidant ma main qui tenait la lame, lame qui atterrit dans l'œil
de cette bête maudite !*

— Il ne t'a pas poursuivi, déclara le docteur en se
retournant vers Malachi.

— Non. Je me suis jeté à travers la fenêtre brisée. Je
n'ai même pas eu une égratignure – pas une seule égratignure ! –, puis j'ai couru aussi vite que possible, j'ai
enfourché mon cheval et j'ai cavalé jusqu'à la maison
du commissaire.

Warthrop posa une main souillée du sang de la famille
Stinnet sur l'épaule tremblante de Malachi.

— Très bien, Malachi. Tu as très bien agi.

— Comment cela ? sanglota Malachi. Comment cela ?

Le docteur me demanda de rester tenir compagnie à Malachi sur le banc, pendant que lui et Morgan s'éloignaient pour discuter de la meilleure ligne de conduite à tenir – tout du moins le supposais-je, étant donné les bribes de conversation qui parvenaient jusqu'à moi.

Le commissaire :... agressive et immédiate... chaque homme en bonne santé de New Jerusalem...

Le docteur :... inutile et imprudent... cela déclenchera la panique...

Malachi retrouva son calme durant leurs ferventes délibérations. Ses gros sanglots ne furent bientôt plus qu'un mince filet de larmes, et il cessa peu à peu de trembler.

— Quel homme bizarre ! dit-il à propos du docteur.

— Il n'a rien de bizarre, répliquai-je un peu sur la défensive. C'est son travail qui l'est, c'est tout.

— Qu'est-ce qu'il fait comme travail ?

— C'est un monstrologue.

— Il chasse les monstres ?

— Il n'aime pas qu'on les appelle ainsi.

— Alors pourquoi dit-il qu'il est monstrologue ?

— Ce n'est pas lui qui a choisi le nom.

— J'ignorais qu'il y avait des gens de cette sorte.

— Il n'y en a pas beaucoup. Son père l'était, et je sais qu'il existe une académie de monstrologues, mais je ne crois pas qu'elle ait beaucoup de membres.

— Ce n'est pas difficile d'imaginer pourquoi !

De l'autre côté du sanctuaire, une dispute s'élevait.

Morgan : ... évacuer ! Évacuer d'un seul coup ! Évacuer tout le monde !

Warthrop : ... stupide, Robert, stupide et inutile. La pagaille qui en résulterait dépasserait les bénéfices. Cela peut être contenu... contrôlé... il n'est pas trop tard...

— Je n'ai jamais cru à l'existence des monstres, affirma Malachi.

De nouveau son regard fixe se tourna en lui. Je sus alors, avec l'intuition d'un gamin de douze ans, qu'il avait quitté le présent et était tombé, aussi vite qu'Icare, dans l'atroce souvenir de cette nuit ensanglantée, là où sa famille résidait désormais, comme les âmes torturées du rêve de Dante se tordant dans le supplice éternel pendant que lui, Malachi, paralysé de peur, se trouvait inapte à arrêter le massacre, sa sœur évanouie à ses côtés, la seule âme qui avait cherché secours auprès de lui, la seule et l'unique qu'il avait eu l'opportunité de pouvoir sauver, mais pour qui même l'amour d'un frère s'était révélé impuissant.

Le tête-à-tête sous les vitraux atteignait son crescendo. Le docteur ponctuait chacune de ses phrases d'une poussée de son doigt sur le torse du commissaire, et sa voix stridente résonnait dans les confins de l'église.

— Pas d'évacuation ! Pas de traque ! C'est moi l'expert, ici. Je suis le seul – le seul, vous dis-je ! – qualifié pour prendre des décisions en pareil cas !

Morgan répondit d'un ton calme, mais insistant, comme un parent devant un enfant récalcitrant – ou si l'on préfère à la manière d'un homme effrayé, objet de l'attention d'un fou.

— Warthrop, si j'avais le moindre doute sur vos compétences, je ne vous aurais pas amené ici ce matin. Vous êtes à même de comprendre ce phénomène répugnant bien plus que n'importe quel homme en vie ; vous êtes, par la nature de vos travaux particuliers, obligé de le comprendre tout comme je suis moi-même obligé, en vertu de mon devoir, de protéger les vies et les propriétés des citoyens de cette ville. Et ce devoir m'oblige à agir avec célérité sans plus tergiverser.

Le docteur fit appel à toute sa patience, et marmonna, les dents serrées :

— Je vous assure, Robert – et d'ailleurs je suis prêt à parier ma réputation là-dessus – qu'ils n'attaqueront plus aujourd'hui, ni ce soir, ni dans les nuits à venir.

— Vous ne pouvez en être sûr.

— Bien sûr que si ! Ma réflexion se base sur trois siècles d'analyses et de preuves. Vous m'offensez, Robert.

— Ce n'est pas là mon intention, Pellinore.

— Dans ce cas, pourquoi reconnaître mon expérience professionnelle pour ensuite l'ignorer ? Vous m'avez amené ici pour que je vous donne des conseils que vous repoussez maintenant. Vous prétendez vouloir éviter une panique générale, mais vous prenez des décisions basées sur votre propre anxiété !

— C'est certain, concéda Morgan, mais, dans le cas présent, la panique est peut-être la meilleure des réponses !

Le docteur s'empourpra. Il se redressa et se tint aussi raide qu'un I, les poings crispés.

— Très bien. Vous rejetez donc mon avis. C'est un choix hasardeux, Robert, mais faites comme bon vous semblera. C'est votre devoir, comme vous dites, qui vous guide ; néanmoins, les conséquences de vos actes reposeront sur vos seules épaules. Et quand vos décisions auront causé votre perte et celle de vos hommes, ne m'en tenez pas responsable. J'ai les mains propres.

Bien au contraire ! Le sang des victimes des *Anthropophagi* se trouvait bel et bien sur ses mains, au sens littéral comme au sens figuré. Erasmus Gray, le vieux pilleur de tombes, et toute la famille Stinnet... Les mains de Warthrop baignaient dans leur sang.

— Viens, Will Henry ! lança le docteur. On a requis nos services, mais on ne les accepte pas ! Bonne journée, monsieur le commissaire, et bonne chance ! Si vous me cherchez, vous savez où me trouver.

Il descendit l'allée centrale jusqu'à la porte et m'appela d'une voix forte qui sembla rebondir sur tous les murs lambrissés.

— Will Henry ! Allons, du nerf !

Quand je me levai du banc, Malachi se redressa et tendit le bras vers moi, agrippant mon poignet pour me retenir.

— Où vas-tu ? demanda-t-il d'un ton désespéré.

D'un geste de la tête, je désignai le docteur.

— Avec lui.

— Will Henryyyy !

— Je peux venir avec toi ?

Le commissaire surgit entre nous.

— J'ai bien peur que non, Malachi. Tu resteras avec moi jusqu'à ce que nous trouvions un arrangement permanent.

Quand je parvins à la porte, je me retournai pour contempler le tableau qui s'offrait à mes yeux : Malachi et Morgan sous la grande croix, l'un écroulé sur le banc, l'autre debout, sa main posée sur l'épaule du garçon.

Une fois dehors, le docteur inspira profondément le doux air printanier, puis, ignorant les deux hommes postés à la porte du presbytère, dont les visages s'étaient assombris en le voyant arriver, il marcha droit vers la voiture du commissaire où le chauffeur occupait son temps en faisant tourner le barillet de son revolver.

— Harrington Lane ! lui cria-t-il en ouvrant grand la portière avant de s'engouffrer à l'intérieur. D'un geste impatient, il claqua des doigts à mon intention, et je grimpai dans l'habitacle à sa suite.

Nous nous arrêtâmes une première fois dans l'étroite ruelle pour laisser passer trois corbillards noirs. Puis une seconde fois pour un chariot qui transportait des hommes armés de fusils et plusieurs chiens de chasse. Les hommes affichaient un air grave tandis que les animaux excités tiraient sur leur laisse. Le docteur secoua la tête et marmonna :

— Je sais ce que tu penses, Will Henry, mais même la religion ne fait pas l'amalgame entre erreur et péché : un mauvais calcul n'est pas une négligence, pas plus que la prudence n'est un crime. Je suis un scientifique. Je base mon action, ou mon absence d'action, sur les probabilités et les preuves. Si la science est qualifiée de discipline, c'est pour une bonne raison ! Des esprits inférieurs construisent des bûchers pour y faire brûler des sorcières ! Il est faux d'affirmer que, parce que nous ne voyons pas les fées danser sur la pelouse, elles n'existent pas. Les preuves engendrent la théorie, et la théorie évolue quand de nouvelles preuves surgissent. Trois siècles de recherches, le récit d'un témoin oculaire direct, de sérieuses enquêtes scientifiques – devais-je abandonner tout cela pour me laisser aller à la spéculation et au doute ? En temps de crise, devons-nous exiger l'abdication de la raison, ou pire, nous fier à nos instincts les plus vils ? Sommes-nous des hommes ou des gazelles anxieuses ? Un examen impartial des faits conduirait n'importe quel homme raisonnable à la conclusion que je suis irréprochable, que j'ai réagi avec prudence et tolérance et que, en effet, un homme plus faible aurait gaspillé son énergie à poursuivre ses fées sur la pelouse, alors que personne ne peut les voir !

Il se frappa la cuisse de son poing maculé de sang.

— Alors, garde pour toi tes jugements juvéniles, William James Henry. Je ne suis pas plus responsable de cette tragédie que le garçon qui en a été témoin. Et encore moins – oui ! – si l'on applique les mêmes critères cruels à mes actes !

Je ne répondis rien à cette diatribe passionnée qui ne m'était pas tant adressée à moi qu'au démon qui hantait son esprit. Je n'étais qu'un témoin de l'exorcisme. J'étais tout à fait conscient, tout comme lui sans nul doute, de l'odeur écœurante qui émanait de nos vêtements, de la teinture toxique de la mort qui s'accrochait à notre peau et à nos cheveux, de son goût aigre qui picotait nos langues.

Dès notre retour à Harrington Lane, le docteur descendit à la cave où il se tint, sans bouger, devant le cadavre suspendu du mâle *Anthropophagus*. Cet immobilisme n'était-il qu'une illusion ? Un cyclone ne couvait-il pas sous la façade en apparence calme ? Je soupçonnai qu'une part du Dr Warthrop se trouvait toujours là-bas, dans ce presbytère maudit, agenouillé devant le cadavre au crâne évidé du bon révérend Stinnet. Je l'entendis marmonner. Sur un air différent, il semblait peaufiner le monologue auquel il s'était adonné dans la voiture du commissaire. Tel un compositeur qui lutte sur un passage difficile, il cherchait visiblement à imposer un équilibre mélodieux aux notes discordantes de son absence de remords.

Après quelques instants, il se tut et resta alors sans bouger ni parler durant de longues minutes.

— C'est elle, lâcha-t-il enfin, d'un ton teinté d'émerveillement. La matriarche blessée par le capitaine Varner. Par un tour malveillant du destin, elle a atterri ici, Will Henry. C'est presque comme si...

Il hésita avant de poursuivre. Visiblement, ce qu'il s'apprêtait à dire allait à l'encontre de toutes ses convictions.

— ... comme si elle était venue le chercher.

Inutile de le questionner pour comprendre à qui il faisait référence. Je savais.

— Je me demande, dit-il d'un air pensif en contemplant le monstre pendu au crochet devant lui, si elle se contenterait du fils de cet homme.

# NEUF

*Je dois te montrer quelque chose*

Comme l'avait prédit le monstrologue, le commissaire revint à Harrington Lane cet après-midi-là.

— Nous devons faire un peu de rangement, Will Henry, fit remarquer mon maître. Ce bon commissaire va arriver d'ici peu pour nous demander – ou devrais-je plutôt dire nous *redemander* – notre aide. Quand ses chiens frustrés auront abandonné la traque ou que sa fameuse partie de chasse sera terminée, il se tournera de nouveau vers nous.

Il y avait effectivement beaucoup de *rangement* à faire après les recherches frénétiques du docteur, la veille. Il se rendit à son bureau pendant que je m'attaquais à la bibliothèque, où je rangeai les livres, remis les papiers en piles et jetai les fragments noircis du vieux chapeau d'Erasmus Gray ainsi que la tranche déformée par le feu du journal de son père, qui avait échappé aux flammes. J'avais l'impression d'être un malfaiteur qui nettoyait une scène de crime, ce qui en un certain sens était le cas. Aucun bruit ne parvenait du bureau. Je soupçonnais la raison de ce silence, et quand je rejoignis mon maître pour l'informer que j'avais terminé, mes soupçons furent confirmés : le docteur n'était pas du tout en train de ranger. Telle une île au milieu d'une mer de décombres, il était assis sur sa chaise, perdu dans sa rêverie. Sans un mot, je me mis au travail pendant qu'il m'observait d'un regard semblable à celui de Malachi Stinnet – ici, mais ailleurs.

Le coup fut frappé à trois heures et quart. Le docteur se leva et dit :

— Tu pourras finir plus tard, Will Henry. Ferme la porte, et conduis le commissaire à la bibliothèque.

Morgan n'était pas venu seul. À côté de lui se trouvaient son chauffeur – son insigne argenté brillant sur le revers de sa veste, son revolver soigneusement attaché à sa hanche – et Malachi Stinnet, dont l'air abattu s'illumina considérablement quand j'ouvris la porte.

— Le docteur est-il là, Will Henry ? s'enquit le commissaire d'un ton formel.

— Oui, monsieur. Il vous attend dans la bibliothèque.

— Il m'attend ? Je m'en doute !

Ils m'emboîtèrent le pas. Le Dr Warthrop se tenait près de la longue table sur laquelle j'avais laissé la carte annotée de maintes lignes d'intersection, de cercles et autres signes. Dans ma hâte, j'avais négligé de la rouler pour la ranger, mais le docteur ne semblait pas conscient qu'elle était restée là, offerte à la vue de tous – ou bien cela ne lui importait pas.

Il se redressa quand nous entrâmes et dit à Morgan :

— Robert, quelle surprise !

— Vraiment ? rétorqua Morgan d'un ton froid.

Apparemment, il faisait tout son possible pour contenir sa colère.

— Will Henry m'a pourtant affirmé que vous m'attendiez.

D'un geste bref de la tête, le docteur désigna l'adjoint du commissaire et le seul survivant du massacre.

— Vous. Pas eux.

— Malachi a voulu venir. Et j'ai demandé à O'Brien de m'accompagner.

Le commissaire jeta quelque chose sur la table. L'objet glissa sur la surface luisante de la carte, puis s'arrêta tout près des doigts de Warthrop.

C'était mon petit chapeau – perdu au cimetière et jamais retrouvé.

— Je crois que ceci appartient à votre assistant.

Warthrop ne répondit rien. Il ne regardait pas le chapeau, mais Malachi.

— Will, est-ce que ce ne sont pas tes initiales sur le ruban à l'intérieur, là : W.H. ? demanda le commissaire sans détourner son regard accusateur de Warthrop.

— Will Henry, veux-tu bien emmener Malachi à la cuisine ? m'ordonna le docteur.

— Personne ne quitte cette pièce ! grommela Morgan. O'Brien !

Avec un sourire entendu, l'adjoint – un homme plutôt costaud – se plaça dans l'embrasure de la porte.

— Je crois que ce serait mieux si Malachi…, commença le docteur.

Morgan l'interrompit aussitôt.

— C'est moi qui décide de ce qui est le mieux. Depuis combien de temps saviez-vous, Warthrop ?

Le docteur hésita un instant.

— Depuis le matin du 15, avoua-t-il enfin.

— Depuis le…

Le commissaire était consterné.

— Vous saviez depuis quatre jours, et vous n'en avez parlé à *personne* ?

— Je ne pensais pas que la situation…

— Vous ne *pensiez* pas !

— J'ai jugé que….

— Vous avez *jugé* !

— En me basant sur les données en ma possession, j'ai jugé… j'ai cru que… l'infestation pourrait être traitée avec une délibération impartiale sans avoir recours à des moyens disproportionnés, ni déclencher une panique inutile.

— Je vous ai posé la question ce matin même, dit Morgan, imperturbable devant le ton rationalisant du docteur.

— Et j'ai dit la vérité, Robert.

— Vous avez affirmé être choqué par leur présence ici.

— Je l'étais… et je le suis. L'attaque de la nuit passée a été un véritable choc, et, en ce sens, je n'ai pas menti. Avez-vous l'intention de m'arrêter ?

Les yeux du commissaire étincelèrent derrière ses lunettes, et sa moustache frémit carrément.

— C'est vous qui les avez amenés ici !

— Pas du tout !

— Mais vous savez qui l'a fait !

Le docteur ne répondit pas. Il n'en eut pas l'occasion ; Malachi, qui avait écouté l'échange entre les deux hommes d'un air horrifié, comprit subitement qu'il se trouvait en présence de l'homme dont le mutisme avait tué sa famille. Il se tourna alors, non pas vers cet homme-là, mais vers O'Brien. En un éclair, il lui déroba son arme à feu et se rua sur Warthrop, l'immobilisant à terre avant de lui plaquer le canon du revolver contre le front. Le bruit du marteau se mettant en place résonna avec force dans le silence qui s'ensuivit.

Assis à califourchon sur le docteur, Malachi approcha son visage de celui de Warthrop et, une fois tout près, ne lâcha qu'un seul mot :

— Vous !

O'Brien se précipita vers eux, mais le commissaire plaqua une main sur son torse pour l'arrêter, puis s'adressa au garçon frappé par le chagrin.

— Malachi ! Malachi, cela ne résoudra rien !

— Je ne veux pas que quoi que ce soit soit *résolu* ! Ce que je veux, c'est la *justice* !

Le commissaire s'avança vers lui.

— Il ne s'agirait pas de justice, dans ce cas, mon garçon. Mais d'un meurtre.

— C'est lui, le meurtrier ! Œil pour œil, dent pour dent !

— Non. C'est à Dieu qu'il appartient de le juger, pas à toi.

Tout en parlant, Morgan continuait à s'approcher de lui. En réponse, Malachi appuya un peu plus le canon de son arme contre le crâne de Warthrop. Une force terrible semblait émaner de lui.

— Ne faites plus un pas, ou je tire ! Je vous jure que je le ferai !

Il tremblait tant que le canon du pistolet égratigna le front de Warthrop. Un filet de sang rougeoyant entacha l'acier.

Je m'approchai et m'agenouillai devant eux. D'un air suppliant, le garçon tourna vers moi son visage strié de larmes de rage et de confusion, comme s'il pouvait trouver dans mes yeux la réponse à cette question : *pourquoi ?*

— Il m'a tout pris, Will !

— Et en faisant cela, toi tu me prendras tout, rétorquai-je.

Je tendis le bras vers sa main qui tenait l'arme. Il tressaillit. Ses doigts se crispèrent sur la détente. Je me figeai.

— Il est tout ce que j'ai, insistai-je.

D'une main, j'agrippai son poignet tremblant ; de l'autre, je saisis l'arme entre ses doigts. En deux enjambées, Morgan fut près de moi. Il m'arracha le pistolet et le donna à un O'Brien hébété.

— Faites un peu plus attention avec ça, la prochaine fois !

Je posai une main sur l'épaule de Malachi. Il s'écarta du docteur et me tomba dans les bras. Secoué de sanglots, il enfouit son visage contre mon torse. Le docteur se remit sur pied, s'appuya sur la table et plaqua son mouchoir sur la blessure de son front. Il avait le visage pâle, moucheté de sang.

— Si j'avais su…, murmura-t-il.

— Vous en saviez assez ! répliqua Morgan. Et maintenant, vous allez tout m'avouer, Pellinore, tout, sinon je vous arrête immédiatement !

Le docteur approuva. Il observa un instant le pauvre Malachi Stinnet, blotti dans mes bras.

— Il y a quelque chose que je dois vous montrer, dit-il à Morgan. Mais seulement à vous, Robert. Je crois...

Il se reprit.

— À mon avis...

Une nouvelle hésitation. Il s'éclaircit la gorge.

— Mieux vaut que Malachi ne voie pas cela.

Bien sûr, je savais où ils allaient, et j'étais tout à fait d'accord avec le docteur : mieux valait que Malachi ne voie pas la chose qui pendait dans la cave du monstro-logue. Ce costaud d'O'Brien commença à les suivre, mais Morgan lui ordonna de rester avec nous. Il s'adossa donc à la porte, visiblement peu ravi d'être confiné là et me fixa d'un air furieux, comme si j'étais responsable de la tour-nure des événements. Peut-être l'étais-je, d'une certaine façon ; en tout cas, c'est ce que j'éprouvais en cet ins-tant. L'ombre de la culpabilité du docteur m'envahissait malgré moi : certes, je l'avais interrogé la nuit précédant notre excursion au cimetière, mais je n'avais pas poussé le sujet plus loin. Et, après tout, le docteur ne m'avait ni enfermé dans ma chambre ni enchaîné. J'aurais très bien pu courir jusqu'à la maison du commissaire, cette nuit-là, et l'avertir, mais je n'en avais rien fait. Les circonstances atténuantes – mon âge, mon statut de subalterne, ma déférence envers le docteur, son intelligence supérieure et la maturité de son jugement – semblaient bien faibles face au chagrin de Malachi et à la perte de sa famille.

En levant les yeux, ma vision obscurcie par la situa-tion désespérée de Malachi et – je dois l'avouer – par la mienne, je vis qu'O'Brien me fixait toujours d'un air mauvais.

— J'espère qu'il sera pendu pour ça !

Je détournai le regard et plongeai mes yeux dans ceux de Malachi – rougis par ses pleurs.

— Toi aussi, tu savais ?

Mon maître avait beau estimer que certains mensonges étaient nécessaires, je préférais jouer la carte de la vérité.

— Oui.

Morgan et le Dr Warthrop nous rejoignirent quelque temps plus tard. Leur absence m'avait paru durer des heures, mais en vérité elle n'avait sûrement été que de quelques minutes. Le commissaire avait le visage aussi pâle que la mort, et c'est dans un état d'hébétude totale qu'il gagna le siège sur lequel il s'assit avec précaution. Les doigts tremblants, il bourra sa pipe et dut s'y reprendre à deux fois pour l'allumer. Le Dr Warthrop, qui venait peu auparavant de tituber au bord des sombres abysses de la mort, semblait secoué et stupéfait. Tel l'œil de Caïn, le sang séchait sur la blessure ronde qui ornait son front.

— Will Henry, emmène Malachi à l'étage et installe-le dans l'une des chambres d'amis.

— Oui, monsieur.

J'aidai Malachi à se lever en posant son bras sur mon épaule tandis qu'il s'appuyait contre moi. Nous quittâmes la pièce, mes genoux tremblant presque sous son poids. Il était bien plus grand que moi. Je l'entraînai tant bien que mal dans l'escalier, puis vers la chambre la plus proche, dans laquelle le corps du vieil Alistair Warthrop avait été trouvé cinq ans plus tôt. Je laissai tomber Malachi sur le matelas où, comme le père du monstrologue, il se blottit en position fœtale. Je fermai la porte et m'affalai dans le fauteuil à côté du lit pour reprendre mon souffle.

— Je n'aurais pas dû venir ici, lâcha Malachi.

J'opinai du chef à cette pertinente remarque.

— Il m'a proposé d'habiter chez lui, poursuivit-il, faisant référence à Morgan. Vu que je n'ai pas d'autre endroit où aller.

— Tu n'as pas de famille qui te reste ?

— Toute ma famille est morte.

— Je suis désolé, Malachi.

— Tu ferais n'importe quoi pour lui, n'est-ce pas ? Même des excuses à sa place.

— Il n'avait pas l'intention que cela arrive.

— Il n'a rien fait. Il savait, pourtant il n'a rien fait. Pourquoi est-ce que tu le défends, Will ? Qui est-il pour toi ?

— Ce n'est pas ça. C'est ce que moi je suis pour lui.

— Qu'est-ce que tu veux dire ?

— Je suis son assistant, répondis-je d'un ton non dénué de fierté, comme mon père. Après qu'il... après l'incendie, le docteur m'a pris avec lui.

— Il t'a adopté ?

— Il m'a amené ici pour vivre avec lui.

— Pourquoi a-t-il fait cela ?

— Parce qu'il n'y avait personne d'autre.

— Non, ce n'est pas ce que je voulais dire. Pourquoi a-t-il choisi de te prendre chez lui ?

— Je ne sais pas, répliquai-je, un peu confus.

Je ne m'étais jamais posé la question.

— Je ne lui ai pas demandé. Je suppose qu'il a estimé que c'était la meilleure chose à faire.

— À cause des services rendus par ton père ?

Je hochai la tête.

— Mon père l'aimait beaucoup. C'est un grand homme, Malachi. C'est un…

Soudain, les mots si souvent répétés par mon père franchirent mes lèvres.

— … C'est un honneur de le servir.

J'essayai de m'excuser. Mon aveu m'avait rappelé mon rôle auprès du docteur. Tout à coup, Malachi m'agrippa le poignet et me supplia de ne pas le quitter, ce que, malgré diverses tentatives, je ne pus finalement lui refuser. Mon échec n'était pas entièrement dû à une malédiction congénitale (il semblait décidément que mon destin dans la vie soit de m'asseoir au chevet de personnes perturbées) ; il provenait aussi du souvenir douloureux d'un autre jeune garçon endeuillé, qui, nuit après nuit, restait allongé dans un curieux lit dépourvu de tout confort, consigné dans sa petite alcôve, mis de côté et oublié pendant des heures, comme un objet de famille transmis par un lointain cousin, trop vulgaire pour être montré, mais trop précieux pour que l'on s'en débarrasse. À une certaine époque, lorsque j'étais devenu assistant du monstrologue, j'étais sûr qu'il entendait mes pleurs durant la nuit – qu'il les entendait, mais ne faisait rien pour me réconforter. Il parlait rarement de mes parents, de la nuit de leur décès. Quand il le faisait, c'était en général pour me punir, comme lors de la nuit de notre retour du cimetière : *ton père, lui, aurait compris.*

Je restai donc plusieurs minutes assis au bord du lit de mort d'Alistair Warthrop à tenir la main de Malachi. Il paraissait éprouvé. Je lui enjoignis de se reposer, mais il

RÉSIDUS

voulait tout savoir. Comment avions-nous découvert les odieuses créatures qui avaient décimé sa famille ? Qu'avait fait le docteur pendant ce temps, entre le moment de sa découverte et l'attaque ? Je lui racontai la visite nocturne d'Erasmus Gray et son cauchemardesque butin, notre expédition au cimetière puis la fuite qui s'était ensuivie, notre séjour à Dedham et le stupéfiant récit d'Hezekiah Varner. J'omis à dessein l'implication du vieux Dr Warthrop dans l'arrivée des *Anthropophagi* à New Jerusalem, mais soulignai l'innocence de mon maître sur le sujet, ainsi que tous ses efforts pour répondre aux questions relatives à leur présence dans notre région. Malachi sembla peu satisfait de mes tentatives pour défendre le docteur.

— Quand un chien enragé devient incontrôlable, quel idiot cherche la créature qui l'a contaminé ? Tu abats d'abord l'animal et, ensuite, tu cherches la raison de sa folie, si vraiment tu y tiens.

— Il pensait que nous avions le temps...

— Eh bien, on dirait qu'il s'est trompé, non ? Et maintenant, ma famille est morte. Moi aussi, Will, ajouta-t-il d'un ton neutre, sans une once d'autoapitoiement. Moi aussi, je suis mort. Je sens ta main, je te vois assis là, je respire. Mais, à l'intérieur de moi, il n'y a plus rien.

Je hochai la tête. Comme je le comprenais ! Je pressai sa main pour le rassurer.

— Tu verras, d'ici quelque temps, ça ira mieux. Ça a été le cas pour moi. Rien ne sera plus jamais comme avant, mais ça ira mieux. Et je te promets que le docteur abattra ces bêtes, jusqu'à la dernière.

Avec lenteur, Malachi secoua la tête, le regard en feu.

— C'est ton maître. Il t'a sauvé du sort lugubre que subissent les orphelins, chuchota-t-il. Je comprends, Will. Tu es prêt à tout lui pardonner et à l'excuser, mais moi je ne peux pas... je ne peux l'excuser et jamais je n'oublierai ce... ce... qu'as-tu dit qu'il était ?

— Un monstrologue.

— Oui, c'est ça. Un chasseur de monstres... eh bien, il est exactement comme ceux qu'il chasse.

Après ces paroles accablantes envers mon maître, il resta silencieux. Ses paupières frémirent, puis il ferma complètement les yeux. Il continua à serrer ma main avec vigueur, même quand la fatigue l'entraîna dans un profond sommeil. Je dus écarter ses doigts pour me libérer avant de pouvoir quitter la pièce. En descendant l'escalier, je frissonnais. Le calme régnant venait d'être soudainement perturbé par des coups frappés à la porte d'entrée, et les cris du docteur qui m'enjoignait de répondre. *Que s'est-il passé ? Ont-ils attaqué de nouveau ?* La nuit tombait ; peut-être un autre carnage avait-il commencé – à moins que la nouvelle du massacre de la famille Stinnet se soit répandue et que les habitants du comté soient venus réclamer vengeance.

« Il est comme ceux qu'il chasse », avait dit Malachi. Bien sûr, je n'approuvais pas ses paroles, pourtant je comprenais que Malachi puisse juger Warthrop ainsi, comme ne manqueraient pas de le faire les autres citoyens, une fois qu'ils seraient au courant de l'attaque des *Anthropophagi*.

Non, je ne croyais absolument pas que le Dr Warthrop fût un monstre chassant d'autres monstres, mais j'étais sur le point de rencontrer un homme qui correspondait tout à fait à ce portrait.

# DIX

*L'homme de la situation*

L'homme qui se tenait sur le seuil était grand, dépassant allègrement le mètre quatre-vingts, et de carrure athlétique. Il avait les traits fins, et de longs cheveux blonds coiffés avec soin. Ses yeux étaient d'un gris étrange ; à la lumière artificielle, ils m'apparurent presque noirs, mais plus tard, lorsque je le vis à la lumière du jour, leur teinte se révéla plus douce, comme une nuance cendrée de charbon, ou le gris d'un cuirassé de guerre. Il était vêtu d'une cape et de gants, de bottes de cheval et d'un chapeau de feutre souple porté de travers qui lui donnait une allure désinvolte. Sa petite moustache, taillée avec soin, était d'un blond aussi doré que ses cheveux, si diaphane qu'elle semblait flotter au-dessus de ses lèvres pleines.

— Eh bien ! lâcha-t-il d'un air surpris. Bonsoir, jeune homme.

Il s'était exprimé avec un accent anglais raffiné, sa voix pareille à un ronronnement mélodieux et réconfortant.

— Bonsoir, monsieur.

— Je cherche la maison de l'un de mes bons amis, et j'ai bien peur que mon chauffeur ne se soit perdu. Il s'appelle Pellinore Warthrop.

Il me fit un clin d'œil et ajouta :

— C'est le nom de mon ami, pas celui de mon chauffeur.

— C'est bien la maison du Dr Warthrop.

— Ah ! C'est « docteur » Warthrop, maintenant ?

Il gloussa légèrement.

— Et vous, vous êtes ?

— Son assistant. *Son apprenti,* me corrigeai-je.

— Un assistant en apprentissage ! Quelle chance pour lui ! Et pour vous, j'en suis certain. Dites-moi, monsieur l'assistant-apprenti...

— Will, monsieur. Je m'appelle Will Henry.

— Henry ! Ce nom me semble familier.

— Mon père a été au service du docteur pendant très longtemps.

— Son prénom était-il Benjamin ?

— Non, monsieur. C'était...

— Patrick ! lança-t-il en claquant des doigts. Non. Tu es bien trop jeune pour être son fils. Ou le fils de son fils, si son fils en avait un.

— Mon père s'appelait James, monsieur.

— Vraiment ? Es-tu bien certain qu'il ne s'appelait pas Benjamin ?

De l'intérieur, le docteur cria :

— Will Henry ! Qui est là ?

L'homme se pencha en avant, plaçant son visage à hauteur du mien, et me chuchota :

— Dis-lui.

283

— Vous ne m'avez pas informé de votre nom, fis-je remarquer.

— Est-ce nécessaire, Will Henry ?

Il sortit une lettre de sa poche et la fit danser devant mes yeux. Je reconnus aussitôt l'écriture, évidemment, puisque c'était la mienne.

— Je sais que Pellinore n'a pas écrit cette missive. Il l'a rédigée, certes, mais cela n'est pas son écriture. La sienne est horrible ! Littéralement indéchiffrable.

— Will Henry ! lança le docteur d'un ton sévère, juste derrière moi. Je t'ai demandé qui...

En voyant l'Anglais sur le seuil, il se figea.

— C'est le Dr Kearns, monsieur.

— Mon cher Pellinore ! ronronna Kearns avec chaleur, passant devant moi pour serrer avec vigueur la main du docteur. Combien de temps ça fait, vieux frère ? Depuis Istanbul ?

— La Tanzanie, rétorqua Warthrop avec froideur.

— La Tanzanie ! Cela fait déjà si longtemps ? Bon sang, mais qu'as-tu fait à ton front ?

— C'est un accident, marmonna le monstrologue.

— Eh bien, mon cher, j'ai craint un instant que tu ne te sois converti à l'hindouisme ! En tout cas, tu as une mine horrible. Depuis quand n'as-tu pas passé une bonne nuit ou fait un repas décent ? Qu'est-il arrivé ? As-tu renvoyé ta bonne et ton cuisinier, ou bien ont-ils rendu leur tablier ? Et dis-moi, depuis quand es-tu devenu « docteur » ?

— Je suis ravi que tu aies pu venir si vite, répliqua le docteur d'un ton toujours crispé, ignorant l'interrogatoire. J'ai bien peur que la situation n'ait encore empiré.

— C'était inévitable, vieux frère.

— Le commissaire est là, dit le docteur en baissant la voix.

— C'est donc si grave que cela ? Combien de victimes ont fait ces vauriens depuis que tu m'as écrit ?

— Six.

— Six en seulement trois jours ? C'est fort bizarre.

— Exactement ce que je pense. C'est tout à fait à l'encontre des caractéristiques de leur espèce.

— Tu es bien certain qu'il s'agit d'*Anthropophagi* ?

— Aucun doute à ce sujet. D'ailleurs, j'en ai un pendu dans ma cave, si tu veux bien…

Au même moment, le commissaire Morgan surgit sur le seuil de la bibliothèque, ses yeux ronds se plissant d'un air suspicieux derrière ses lunettes. Kearns l'observa par-dessus l'épaule du docteur et prit aussitôt une mine angélique.

— Ah, Robert ! Parfait ! s'exclama Warthrop.

Il paraissait soulagé, comme si l'apparition du commissaire l'avait libéré d'un fardeau insupportable.

— Commissaire Morgan, voici le docteur…

— Cory, dit Kearns en tendant la main à Morgan. Richard Cory. Comment allez-vous ?

— Pas très bien, répondit le commissaire. Nous avons eu une journée éprouvante, docteur Cory.

— Je vous en prie, appelez-moi Richard. « Docteur » est plus ou moins un titre honorifique.

— Ah bon ? Warthrop m'a pourtant informé que vous étiez chirurgien.

— Oh, je m'y suis essayé dans ma jeunesse. Aujourd'hui, c'est plus un passe-temps qu'autre chose. Je n'ai découpé aucun corps depuis des années.

— Vraiment ? demanda le commissaire avec courtoisie. Et pourquoi ?

— À dire vrai, je n'y prenais plus goût. Je m'ennuie facilement, monsieur le commissaire, c'est en outre la raison pour laquelle j'ai tout laissé tomber pour répondre à l'invitation de Pellinore.

Kearns se tourna vers le Dr Warthrop.

— Au fait, mon chauffeur attend dans l'allée. Il faut régler le prix de la course, évidemment, et j'ai quelques bagages à transporter.

Le Dr Warthrop eut besoin d'un moment pour comprendre la signification de ses propos.

— Tu as l'intention de rester ici ?

— J'ai pensé que ce serait le plus prudent. Mieux vaut que l'on ne me voie pas trop en ville, tu ne crois pas ?

— Oui, dit le docteur au bout d'un moment. Bien sûr. Tiens, Will Henry...

Il plongea la main dans sa poche et en sortit son porte-monnaie.

— Paye le chauffeur du Dr Kear... Cory, se corrigea-t-il.

— De Richard, intervint Kearns.

— Et porte ses bagages dans la chambre d'amis.

— La chambre d'amis, monsieur ?

— L'ancienne chambre de ma mère.

— Eh bien, Pellinore ! Je suis flatté, dit Kearns.

— Du nerf, Will Henry. Le travail nous attend. Il nous faudra aussi du thé, et de quoi nous restaurer.

Kearns retira ses gants et sa cape et les laissa tomber, ainsi que son chapeau, entre mes bras.

— Il y a deux valises, trois malles et une grande caisse en bois, Will Henry, m'informa-t-il. Tu peux facilement t'occuper des valises. Par contre, pour les malles et la caisse, tu auras besoin d'un coup de main de mon chauffeur, qu'il ne te refusera pas si tu lui donnes une raison valable de t'aider. Je suggère que vous portiez les malles dans la remise à côté de l'écurie. Les valises et la caisse doivent être rangées dans ma chambre. Attention avec ma caisse, le contenu est fragile ! Et je serai vraiment ravi de déguster un bon thé. Savez-vous qu'il n'y en avait pas à bord du train ? L'Amérique est vraiment un pays barbare ! Je prends le mien avec du lait et deux sucres, maître Henry.

Il me fit un clin d'œil, ébouriffa mes cheveux, puis frappa dans ses mains avant de déclarer :

— Alors, messieurs, allons-nous nous mettre enfin au travail ? La journée a peut-être été rude et longue, Robert, mais la nuit le sera encore davantage, je vous l'assure.

Les hommes se retirèrent dans la bibliothèque. Pendant ce temps-là, je m'organisai avec le chauffeur – à qui je donnai de la part de mon maître un généreux pourboire – pour sortir les bagages de notre invité. La fameuse caisse en bois était le plus lourd de ses effets. Pas autant que les malles que nous portâmes dans la remise à calèche, mais elle mesurait plus d'un mètre quatre-vingts et était enveloppée d'un tissu soyeux qui la rendait difficile à tenir. Négocier le virage de l'escalier ne fut pas une mince affaire. Nous décidâmes finalement de poser la caisse sur sa tranche et de la faire pivoter. Le chauffeur ne cessait de pousser des jurons. Il transpirait abondamment, et se plaignit sans relâche de son dos, de ses mains, de ses jambes, et du fait qu'il n'était pas une bête de somme – mais leur conducteur. Sous l'emballage soyeux, nous sentîmes tous deux des découpes dans le bois qui auraient été parfaites pour servir de poignées, et le chauffeur se demanda à voix haute pourquoi le Dr Kearns s'était donné la peine d'envelopper cette caisse de bois dans des draps.

Je me rendis ensuite à la cuisine pour y préparer du thé. Je portai le plateau, sur lequel j'avais également disposé quelques biscuits, à la bibliothèque. En entrant, je réalisai que je n'avais mis que trois tasses ; il me fallait en apporter une autre. Cependant, je m'aperçus qu'O'Brien était parti. Le commissaire, certainement désireux d'avoir le moins possible de témoins de la conspiration naissante, avait dû le renvoyer chez lui.

Les trois hommes étaient penchés au-dessus de la table, et observaient la carte sur laquelle Warthrop désignait un point près de la côte.

— C'est là que le *Feronia* s'est échoué, expliqua-t-il. Bien sûr, il est impossible d'indiquer l'endroit exact où ils ont débarqué, mais nous avons là... – il prit le journal sur le haut de la pile – un article mentionnant un gamin qui aurait fugué vers la mer et qui aurait été retrouvé, deux semaines plus tard, à trente kilomètres à l'intérieur des terres. Chacun des cercles, ici, ici et ici, déclara-t-il en montrant chaque point, représente une victime potentielle, dont la plupart ont été portées disparues ou ont été découvertes quelques jours, voire des semaines plus tard, avec des blessures attribuées à des animaux sauvages. J'ai noté les dates correspondantes dans chacun des cercles. Comme vous le voyez, messieurs, même si nous ne pouvons mettre chacune de ces disparitions au crédit de nos chers amis, tout cela indique bien une migration qui conduit ici, à New Jerusalem.

Personne ne disait mot. Morgan tirait sur sa pipe, éteinte depuis longtemps, et contemplait la carte à travers les verres de son pince-nez. Kearns poussa un grogne-ment, puis caressa sa moustache presque invisible entre son pouce et son index. Warthrop continua sa démons-tration, de ce même ton doctoral que je connaissais si bien. Il précisa qu'il était effectivement curieux que cette migration qui durait depuis *vingt-quatre ans* ait pu avoir lieu sans que personne ne découvre la cause de ces dis-paritions et morts mystérieuses, mais comme il ne pouvait y avoir d'autre explication raisonnable, les choses avaient forcément dû se passer de cette façon.

À ce moment-là de sa démonstration, Kearns l'inter-rompit.

— Moi, j'en vois une autre.

Warthrop releva les yeux de la carte.

— Une autre quoi ?

— Explication raisonnable.

— J'adorerais l'entendre, affirma le docteur, qui pen-sait visiblement le contraire.

— Pardonne-moi mon insolence, vieux frère, mais ta théorie n'a aucun sens. Elle est des plus ridicules et absurdement alambiquée. Tout cela n'est que balivernes compliquées ! Nos copains ne sont pas plus venus ici à pied que moi.

— Et quelle est donc ta théorie, *vieux frère* ? Tu crois qu'ils ont pris le train ?

— Ça, c'est ce que j'ai fait, *moi*, Pellinore. Je pense que leur moyen de transport était un peu plus… privé.

— Je ne comprends pas, dit Morgan.

— Tout est parfaitement évident, mon cher commissaire, lâcha Kearns avec un gloussement. Un enfant serait capable de le voir. Je suis d'ailleurs certain que Will le voit. Qu'en dis-tu, Will ? Quelle est ta réponse à notre charade diabolique ?

— Ma... ma réponse, monsieur ?

— Tu es un garçon intelligent ; enfin, je le présume, puisque Warthrop t'a pris comme assistant-apprenti. Quelle est donc ta théorie sur notre cas ?

Rougissant jusqu'aux oreilles, je hasardai :

— Eh bien, monsieur, je crois...

Les trois hommes me fixaient. Je déglutis et me lançai :

— À l'évidence, ils sont bel et bien... ici. Ils ont dû arriver d'une façon ou d'une autre, ce qui signifie que, soit ils sont venus par leurs propres moyens sans que personne ne les remarque, ou... ou...

— Oui, très bien, continue, Will Henry. Ou... quoi ? demanda Kearns.

— Ou bien quelqu'un savait.

Je fixai le sol. Le regard du Dr Warthrop me mettait particulièrement mal à l'aise.

— Exactement, approuva Kearns. Et ce fameux *quelqu'un* savait parce que c'est lui qui a organisé leur traversée de l'Afrique à la Nouvelle-Angleterre.

— Que suggères-tu, Kearns ? s'enquit Warthrop d'un ton aigre alors que la conversation s'aventurait en terrain dangereux.

— Kearns ? répéta Morgan. Je croyais qu'il s'appelait Cory.

— Kearns est mon deuxième prénom, répondit le chirurgien retraité d'un ton affable. Il vient du côté maternel de ma famille.

— Tu prétends que ma théorie est absurde ! s'écria Warthrop. Ta remarque l'est tout autant ! Comment peux-tu suggérer que quelqu'un les a amenés ici sans que personne n'en sache jamais rien, qu'il les a cachés, nourris… comment, d'ailleurs ? Avec quoi auraient-ils pu être nourris ? Et par qui ?

— Eh bien, vieux frère, là aussi les réponses sont évidentes. Tu n'es pas d'accord, Will Henry ? Si évidentes que c'en est comique. Cela dit, je comprends ton aveuglement sur le sujet, Pellinore. Tout cela doit être difficile à accepter pour toi. C'est pour cela que tu as tourné et retourné les faits jusqu'à obtenir une solution qui te convienne.

— Tu m'offenses, John ! grommela Warthrop.

— John ? Mais je croyais qu'il s'appelait Richard ! objecta Morgan.

— C'est un surnom, à cause de John Brown, l'abolitionniste. Voyez-vous, ma mère était américaine.

— Je suis un scientifique, insista Warthrop. Je vais là où les faits me mènent.

— Jusqu'à ce que ta corde sensible te tire en arrière. Voyons, Pellinore, crois-tu réellement à toutes ces âneries ? Ils seraient arrivés sur nos rivages sans se faire remarquer et, durant les *vingt-quatre* années suivantes, ils auraient réussi à se nourrir de la population locale, sans laisser de preuves de leur existence, ni de survivants ou de témoins, à faire des *Anthropo-bébés*, jusqu'à atterrir *comme par miracle* dans le voisinage de la seule personne qui s'intéresse à eux ?

— C'est possible. Les faits concordent, insista Warthrop derechef.

— Comment ?

— L'adaptation, la sélection naturelle et un peu de chance, je l'admets. C'est concevable...

— Oh, Pellinore ! s'exclama Kearns. Vraiment ! Il est aussi concevable que la lune soit composée de roquefort.

— Ça, je ne peux pas le concevoir, argumenta Morgan.

— Mais vous ne pouvez pas prouver le contraire, rétorqua Kearns.

Il posa une main sur l'épaule du docteur, que ce dernier repoussa aussitôt.

— Quand est-il mort ? continua Kearns. Il y a quatre, cinq ans ? Regarde les cercles ici. Tu les as dessinés toi-même. Regarde-les, Pellinore ! Et regarde les dates ! Tu vois comment ils se rassemblent ici... et là ? Tu vois l'écart de temps entre ce cercle à quinze kilomètres d'ici, et celui-là, à environ huit cents mètres du cimetière ? Et ceux-là, dans ce périmètre de dix kilomètres, qui commencent fin 1883 jusqu'à maintenant – ils représentent de véritables attaques. Le reste n'est que suppositions. Ces bêtes ont été débarquées de ce bateau, transportées ici et placées en sécurité, jusqu'à ce que *leur gardien* ne puisse plus leur fournir de victuailles.

À ces mots, Warthrop le gifla avec violence. Le bruit de la claque résonna dans l'air et, durant un moment, personne ne prononça un mot. Kearns changea à peine d'expression : il avait toujours ce même petit sourire ironique qu'il affichait depuis qu'il était entré au 425

Harrington Lane. Morgan tentait de se donner une contenance en tripotant sa pipe. Quant à moi, je fis de même avec la théière. Le thé était froid depuis longtemps.

— C'est juste là, sous tes yeux, Pellinore, souffla Kearns. Si seulement tu voulais bien les ouvrir.

— Notre cher John Richard Kearns Cory marque un point, Warthrop, dit Morgan.

— Ou Dick, intervint Kearns. Certains préfèrent m'appeler Dick que Richard. Ou Jack pour John.

— Il n'aurait jamais rien fait de tel ! affirma Warthrop. Pas l'homme que je connaissais.

— En ce cas, il n'était pas l'homme que tu connaissais, objecta Kearns.

— Je parlais du fait d'ouvrir les yeux, corrigea le commissaire. De voir ce qui se trouve juste devant nous. La raison de leur présence ici n'est pas la raison de *notre* présence ici. Nous devons décider, et rapidement, de comment les exterminer.

— Je croyais que cela avait déjà été décidé, lâcha Kearns. À moins qu'il n'y ait d'autres raisons à mon invitation ?

— Dès demain matin, je contacterai le bureau du gouverneur pour demander la mobilisation de la milice d'État, déclara Morgan. Et j'ordonnerai une évacuation totale de la ville – ou au moins des femmes et des enfants.

Kearns eut un geste dédaigneux de la main.

— C'est complètement inutile, Morgan. Combien as-tu dit qu'ils étaient, Pellinore ? De trente à trente-cinq ? Un troupeau moyen ?

Warthrop acquiesça d'un hochement de tête. Il semblait toujours perturbé par les affirmations de Kearns.

— Oui, murmura-t-il d'un ton faible.

— Dans ce cas, Morgan, vous n'avez besoin que de cinq ou six de vos meilleurs tireurs. Des hommes à qui l'on peut faire confiance et qui ne diront mot. De préférence avec une expérience militaire, et ce serait encore mieux si deux ou trois d'entre eux savaient se servir d'un marteau et d'une scie. J'ai fait une liste des outils qu'il nous faudra acquérir en toute discrétion. Le reste, je l'ai apporté. Nous pourrons nous y mettre dès l'aube et avoir fini à la tombée de la nuit.

— Cinq ou six hommes, dites-vous ? cria Morgan avec incrédulité. Grand Dieu, avez-vous vu de quoi ces créatures sont capables ?

— Oui, répondit Kearns d'un ton détaché. Je sais.

— John en a chassé beaucoup en Afrique, expliqua Warthrop avec un soupir.

— Jack, annonça Kearns. Je préfère Jack.

— Cela ne peut pas attendre jusqu'au matin, insista Morgan. Nous devons nous en prendre à eux dès ce soir, avant qu'ils risquent d'attaquer de nouveau.

— Ils n'attaqueront pas ce soir, affirma Kearns.

Le commissaire se tourna vers Warthrop, qui évita son regard. Se retournant vers Kearns, il lui demanda :

— Comment le savez-vous ?

— Parce qu'ils viennent juste de se nourrir. Dans la nature, ces bêtes ne s'alimentent qu'une fois par mois et passent le reste de leur temps à ne rien faire. Vous êtes satisfait de ma réponse, monsieur le commissaire ?

— Non, pas du tout.

— Peu importe. Mais, au fait, nous devons régler certains points avant d'agir.

— Quels points ? demanda Morgan.

— À propos de mes services. Je suis certain que Pellinore vous en a parlé.

— Pellinore a décidé d'éviter de me dire bien des choses.

— Ah ! Eh bien, on peut difficilement l'en blâmer, n'est-ce pas ? Il a déjà proposé de couvrir mes dépenses, mais, bien sûr, nous devons encore discuter de mes honoraires.

— Vos honoraires ?

— Cinq mille dollars, payables en espèces, dès que notre contrat aura été honoré avec succès.

Morgan resta bouche bée. Il se tourna vers Warthrop et déclara :

— Vous ne m'avez jamais dit que je devais payer cet homme !

— Je le réglerai de ma poche, lâcha le docteur avec lassitude.

Il s'appuya sur la table, le visage pâle, les traits tirés. J'eus peur qu'il s'évanouisse. Sans réfléchir, je fis un pas vers lui.

— Ça me semble juste, déclara Kearns.

— Je t'en prie, Jack ! Je t'en prie !

— Parfait. Ce sujet est donc clos. Le reste vous concerne directement, cher commissaire. En aucune circonstance on ne doit me tenir responsable si un homme perd la vie... ou un membre durant notre chasse, que nous soyons sous couvert de la loi ou en dehors.

— Que voulez-vous dire, Cory, ou Kearns, ou quel que soit votre nom ? glapit Morgan.

— C'est Cory, je pensais que cela était clair.

— Je me fiche que ce soit John Jacob Jingleheimer Schmidt !

— Oh ! Jacob est mon nom de baptême.

— Peu m'importent les accords que vous avez passés avec Warthrop ! Je suis un représentant de la loi...

— Pas d'immunité, pas d'extermination de ces monstres, Robert – au fait puis-je vous appeler Bob ?

— Vous pouvez m'appeler comme vous voulez, je ne vous donnerai aucune garantie de la sorte !

— Bon, très bien. Dans ce cas, je crois que je vous appellerai Bobby. Je déteste les palindromes.

Cette fois, ce fut Morgan qui sembla prêt à flanquer un coup de poing à Kearns.

— Nous n'avons guère le choix, Robert, intervint Warthrop. C'est l'homme de la situation. Je ne lui aurais pas demandé de venir, sinon.

— De fait, lâcha Kearns, je suis le *seul* homme qualifié pour ce travail.

Leur discussion s'éternisa tard dans la nuit. Warthrop, qui avait déclaré forfait, était assis, l'air maussade, dans un fauteuil, tandis que Morgan et Kearns déambulaient dans la pièce, se jaugeant, se lançant des arguments à la tête, cherchant leurs faiblesses respectives. Warthrop intervenait rarement et, quand il le faisait, c'était surtout pour tenter de ramener la conversation au problème majeur qui le taraudait : non pas *comment* exterminer les *Anthropophagi*, mais *pourquoi* ils se trouvaient à New Jerusalem. La plupart du temps, les deux autres l'ignoraient.

Kearns faisait son possible pour que le commissaire lui accorde le commandement total des opérations.

— Il ne peut y avoir qu'un général dans une campagne réussie, fit-il remarquer. Et je ne peux garantir le succès de notre entreprise sans une allégeance complète à mes ordres. Tout doute, toute hésitation nous entraînera vers l'échec.

— Bien sûr, je comprends, répondit Morgan.

— Quelle partie ? La nécessité d'une chaîne de commandement, ou le fait que je me trouve, moi, à la tête de cette chaîne ?

— J'ai servi dans l'armée, Cory, rétorqua Morgan, qui avait choisi ce nom parmi tous les autres proposés par Kearns. Vous n'avez pas besoin de vous adresser à moi comme si j'étais un cul-terreux.

— Donc, vous êtes d'accord ? Vous expliquerez clairement à vos hommes que je suis le seul à commander ?

— Oui, oui.

— Et vous exigerez aussi qu'ils fassent exactement ce que je leur ordonne, même si mes demandes leur paraissent bizarres ou absurdes ?

Morgan se mordilla les lèvres avec nervosité et jeta un coup d'œil à Warthrop qui hocha la tête. Le commissaire ne sembla pas pour autant rassuré.

— Je me sens un peu comme Faust, en ce moment, mais oui, je le leur dirai.

— Ah ! un homme de littérature ! je le savais. Quand tout cela sera terminé, Bobby, j'aimerais bien passer une soirée avec vous, juste nous deux en tête à tête avec un bon cognac, autour d'un feu. Nous pourrons discuter de Goethe et de Shakespeare. Dites-moi, avez-vous déjà lu Nietzsche ?

— Non.

— Oh ! vous devriez ! C'est un génie, et aussi l'un de mes bons amis. Savez-vous qu'il m'a emprunté – je n'ose pas dire « volé » – une ou deux de mes idées ?

— Je n'ai jamais entendu parler de cet homme.

— Dans ce cas, je vous prêterai mon exemplaire de *Par-delà le bien et le mal* en version originale. Vous lisez l'allemand, n'est-ce pas ?

— Pourquoi me parlez-vous de tout cela ? demanda Morgan. Warthrop, quelle sorte d'homme nous avez-vous amené ici ?

— Il vous l'a déjà dit, répliqua Kearns, perdant pour un instant son air enjoué.

La petite lueur dans son regard gris s'éteignit et, soudain, ses yeux semblèrent très sombres, noirs, même, dirais-je, aussi noirs et vides d'expression que ceux d'un requin. Son visage, qui jusqu'à présent avait toujours affiché un air enthousiaste – il ne cessait de faire des clins d'œil, sourire, être animé de joie –, était en cet instant aussi vide que ses yeux, aussi immobile qu'un masque. À dire vrai, on avait l'impression que le masque venait de tomber pour révéler la véritable nature de l'individu en question. Et cet individu n'avait aucune personnalité, ni enjouée ni austère ; comme les prédateurs dont les yeux ressemblaient aux siens, aucune émotion ne le troublait, aucun remords ne l'animait. Durant ce moment perturbant, John Kearns laissa bel et bien glisser son masque, et ce que je perçus en dessous me fit trembler jusqu'au plus profond de mon être.

— Je ne… je ne voulais pas vous offenser, murmura Morgan, apparemment effrayé lui aussi par ce qu'il avait découvert dans les yeux de Kearns. Mais je ne tiens pas à confier ma vie et celles de mes hommes à un déficient mental.

— Je vous assure, commissaire Morgan, que je suis tout à fait sain d'esprit, à la façon dont je l'entends, peut-être même le plus sain dans cette pièce, car je ne me fais aucune illusion. Voyez-vous, depuis longtemps je me suis libéré des faux-semblants qui accablent la plupart des hommes. Je dirais que, comme nos proies, je ne prétends pas qu'il y a plus que ce qui est, ou que vous et moi sommes plus que ce que nous sommes. C'est l'essence même de leur beauté, Morgan, la pureté indigène de leur être. Voilà pourquoi je les admire.

— Vous les admirez ! Et vous prétendez ne pas être déficient mental !

— Nous avons tant à apprendre des *Anthropophagi*. Je tiens autant à les étudier qu'à les combattre.

— En avons-nous fini ici ? demanda Morgan à Warthrop. Est-ce tout, ou vais-je devoir endurer d'autres sornettes de la sorte avant que nous en ayons terminé ?

— Robert a raison, il est très tard, déclara le monstrologue. À moins que vous ayez d'autres balivernes à nous assener, John.

— Certes, mais cela peut attendre.

Une fois sur le seuil, Morgan se tourna vers Warthrop.

— J'ai failli oublier... Malachi...

— Will Henry !

Le docteur indiqua les escaliers.

Morgan réfléchit un moment et dit :

— Non. Inutile. Il s'est probablement endormi. Ne le réveillez pas. J'enverrai quelqu'un le chercher demain matin.

Il contempla un instant la blessure sur le front du docteur.

— À moins que vous préfériez...

— Non, ça ira, l'interrompit Warthrop. Il peut rester ici.

Morgan approuva, puis inspira profondément l'air frais de la nuit.

— Quel homme curieux que cet Anglais, Warthrop !

— Oui. Très curieux. Mais particulièrement doué pour la tâche.

— Je prie que vous ayez raison. Pour notre salut à tous.

Nous souhaitâmes bonne nuit au commissaire, puis je suivis le docteur dans la bibliothèque, où Kearns, qui s'était installé dans le fauteuil de Warthrop, sirotait son thé froid. Il nous sourit et leva sa tasse à notre intention. Il avait remis son masque.

— Quel insupportable petit homme, n'est-ce pas ? dit-il, évoquant le commissaire.

— Il est effrayé, répondit Warthrop.

— Il a raison de l'être.

— Tu te trompes, tu sais. Au sujet de mon père.

— Pourquoi, Pellinore ? Parce que je ne peux pas te prouver que, *toi*, tu te trompes ?

— Si l'on met de côté sa personnalité, ta théorie n'est guère plus satisfaisante que la mienne. Comment aurait-il pu les cacher pendant si longtemps ? ou les nourrir comme ils en ont besoin ? Même si je t'accorde l'incroyable hypothèse qu'Alistair était capable d'inhumanité, où aurait-il trouvé ses victimes ? Comment aurait-il pu, pendant vingt ans, les nourrir de chair humaine sans jamais se faire prendre ou déclencher le moindre soupçon ?

— Tu surestimes la valeur de la vie humaine, Pellinore. Ce que tu as toujours fait, d'ailleurs. Le long des côtes, les villes grouillent de racaille, de réfugiés débarqués des bas quartiers d'Europe. Il n'aurait pas été bien difficile de les attirer ici avec des promesses d'emploi ou autres affabulations, ou bien, plus simple encore, de les arracher de leur ghetto avec l'aide de certains hommes qui ne s'encombrent pas de ton idéalisme romantique pittoresque ! Crois-moi, le monde est plein de tels hommes ! Bien sûr, il est également possible – bien que peu probable – qu'il ait persuadé ces charmantes bestioles de s'adapter à un autre régime. Qui sait, ils se sont peut-être entichés de poulet. Possible, mais peu probable.

Warthrop secoua la tête.

— Je ne suis pas convaincu.

— Et moi, je ne suis pas concerné, mais je suis curieux, poursuivit Kearns. Pourquoi rejettes-tu une explication beaucoup plus sensée que la tienne ? Franchement, Pellinore, voudrais-tu bien te donner la peine de calculer les chances qu'ils débarquent ici, dans ton propre jardin ? Au fond de toi, je suis persuadé que tu connais la vérité, mais que tu refuses de la reconnaître. Pourquoi ? Pourquoi ne peux-tu envisager le pire de sa part ? Qui était-il pour toi ? Plus important, qui étais-*tu* pour lui ? Tu défends un homme qui supportait à peine ton existence !

Le visage de Kearns s'éclaira soudain.

— Ah ! c'est cela, n'est-ce pas ? Tu essaies toujours de gagner son affection – même aujourd'hui, alors qu'il lui est impossible de te la prodiguer ? Et tu prétends être un scientifique !

Il esquissa un sourire et poursuivit :

— Tu n'es qu'un hypocrite, Pellinore. Un stupide hypocrite sentimental, beaucoup trop sensible pour son propre bien. Je me suis souvent demandé pourquoi tu étais devenu monstrologue. Tu es un homme intelligent, bourré de charisme, mais j'ai toujours pensé que tu n'étais pas fait pour ce travail. Est-ce que le choix de ta profession avait aussi à voir avec lui ? Tu voulais lui faire plaisir ? pour qu'il te remarque enfin ?

— Ferme-la, Kearns !

Le docteur était si perturbé par ces piques lancées avec une précision chirurgicale que je redoutais qu'il frappe Kearns de nouveau et, cette fois, avec autre chose que son poing ; peut-être le tisonnier.

— Je ne t'ai pas invité ici pour ça !

— Tu m'as invité pour tuer des dragons, non ? Eh bien, c'est ce que j'essaie de faire.

Je quittai la pièce peu de temps après cet échange enfiévré, pénible à regarder. Aujourd'hui encore, des décennies plus tard, il m'est douloureux de m'en souvenir avec des détails aussi vivants. En montant l'escalier jusqu'au second étage, je me rappelai les paroles du docteur, proférées pendant que je préparais la soupe : *ne te berce pas d'illusions en croyant être plus que cela : un assistant que j'ai été obligé de prendre avec moi à cause de malheureuses circonstances.* J'ignorais, à ce moment-là, pourquoi je me remémorai ses mots. À présent, la raison en est évidente.

Je m'arrêtai à la porte de la chambre de Malachi et jetai un coup d'œil à l'intérieur. Il n'avait pas bougé un muscle depuis que je l'avais quitté. Je restai un moment à l'observer dormir puis refermai la porte. Ensuite, je grimpai l'échelle jusqu'à mon grenier pour essayer de dormir un peu, moi aussi. Cependant, une heure plus tard, j'étais de nouveau debout, car j'entendais crier mon nom, d'une voix effrayée. Au début, hébété de sommeil, je crus que c'était le docteur qui m'appelait. En arrivant au second étage, je réalisai que la voix provenait de la chambre de Malachi. En chemin, je passai devant la chambre occupée par Jack Kearns. La porte était entrouverte et la lumière de la pièce flottait jusqu'au couloir sombre. Je m'arrêtai un instant et jetai un coup d'œil.

À l'intérieur, je vis Kearns agenouillé devant la longue caisse en bois. Il en avait retiré le tissu soyeux qui l'enveloppait et le couvercle qui était posé par terre à côté de lui. Je remarquai que de petits trous avaient été percés dedans. Kearns fouilla dans la valise près de lui et en sortit un mince objet en forme de crayon qui me sembla fait en verre. Il le fit pivoter deux fois entre ses doigts, puis se pencha sur la caisse. Comme il tournait le dos à la porte, je ne pouvais rien voir de plus, et je n'en avais nulle envie. Sur la pointe des pieds, je me dirigeai bien vite vers la chambre de Malachi, puis refermai la porte.

Il était assis, le dos plaqué contre la tête du lit, ses grands yeux bleus brillants d'appréhension.

— Tu étais parti quand je me suis réveillé ! lança-t-il d'un ton accusateur.

— Le docteur a eu besoin de moi.

— Quelle heure est-il ?

— Je ne sais pas. Très tard.

— J'étais en train de rêver, mais un grand bruit m'a réveillé. J'ai eu si peur que j'ai failli sauter par la fenêtre.

— Tu es au second étage, fis-je remarquer. Tu te serais cassé la jambe.

— Qu'est-ce que c'était que ce bruit ?

Je secouai la tête.

— Je ne sais pas. Je n'ai rien entendu. C'est peut-être le Dr Kearns.

— Qui est-ce ?

— C'est…

À dire vrai, j'ignorais qui il était vraiment.

— Il est venu apporter son aide.

— C'est un autre chasseur de monstres ?

J'acquiesçai d'un hochement de tête.

— Quand ont-ils prévu de le faire ?

— Demain.

Il resta silencieux un moment.

— J'irai avec eux ! affirma-t-il.

— Je ne crois pas qu'ils te le permettront.

— Je m'en fiche. J'irai de toute façon.

De nouveau, je hochai la tête. *Moi aussi.*

— C'était Elizabeth. Mon rêve, je veux dire. Nous étions dans un endroit sombre – je la cherchais. Elle ne cessait de m'appeler, encore et encore, mais je ne réussissais pas à la trouver. J'avais beau chercher… je ne la trouvais jamais.

— Elle est dans un lieu meilleur, à présent, Malachi.

— Je l'espère, Will.

— Mes parents y sont aussi. Et, un jour, je les retrouverai.

— Pourquoi crois-tu à ça ? Pourquoi croyons-nous tous à de telles choses ? Parce que nous le voulons ?

— Je ne sais pas, répondis-je avec honnêteté. Je pense que c'est parce que nous le devons. Nous n'avons pas d'autre choix.

Je le quittai et fermai la porte derrière moi. En regagnant ma chambre, je faillis percuter le Dr Kearns, qui se tenait devant sa porte. Effrayé, je trébuchai en arrière. Kearns me sourit.

— Will Henry, souffla-t-il, qui est dans cette chambre ?

— Quelle chambre, monsieur ?

— Celle dont tu viens juste de sortir.

— Il s'appelle Malachi, docteur Kearns. C'est… c'est sa famille qui a…

— Ah, le garçon Stinnet. D'abord, il te prend, *toi*, sous son toit, et maintenant, un autre garçon. Pellinore est devenu un véritable philanthrope !

— Oui, monsieur. Je suppose.

Me remémorant les paroles du docteur, je détournai le regard de ses yeux gris : *ne reste pas dans les pattes du Dr John Kearns, Will Henry !*

— Henry, dit-il. À présent, je sais pourquoi ce nom me semblait familier. Je crois que je connaissais ton père, Will, et c'est toi qui as raison : son prénom était James, pas Benjamin.

— Vous avez connu mon père ?

— Je l'ai rencontré une fois en Amazonie. Pellinore était en expédition pour une autre de ses quêtes idéalistes. À l'époque, il cherchait un spécimen de ce parasite insaisissable connu sous le nom de *Biminus arawakus* – parasite purement mythique, à mon avis. Ton père était malade, il avait la malaria, il me semble, ou une autre maladie tropicale du même genre. Le comble dans tout ça, c'est que nous paniquons à cause de créatures comme les *Anthropophagi*, mais le monde regorge de choses qui veulent nous manger. As-tu déjà entendu parler du candiru ? C'est un poisson originaire d'Amazonie, mais contrairement au *Biminus arawakus* on le trouve facilement, surtout si tu as la malchance ou la mauvaise idée de te soulager près d'un endroit où il se cache. C'est un poisson minuscule, qui ressemble à une anguille et dont la tête est pourvue de toutes petites épines très pointues. Il parasite les poissons plus gros en pénétrant en eux à travers leurs branchies, et une fois à l'intérieur, il déploie ses épines comme une ombrelle. Il parasite les hommes, aussi. Normalement, il suit l'odeur de l'urine dans l'urètre, où il se loge pour se nourrir de tes entrailles, mais dans certains cas il s'infiltre au contraire par l'anus et commence à tracer son chemin en dévorant ton intestin. Évidemment, il se nourrit de tes chairs, puis il grossit. J'ai entendu dire que la douleur est tellement atroce qu'il n'y a pas de mots pour la décrire. C'est si insoutenable, en fait, que le meilleur moyen pour y remédier est de trancher le pénis. Que penses-tu de cela ? conclut-il avec un grand sourire.

— Ce que j'en pense, monsieur ? bredouillai-je.

— Oui, qu'en penses-tu ? De ce candiru ou du *Spirometra mansoni*, communément appelé ver plat, ou plathelminthe, si tu préfères, et qui peut mesurer près de trois mètres de long, se loger dans ton cerveau et s'en nourrir jusqu'à ce que tu sois réduit à l'état de légume. Ou bien encore du *Wuchereria bancrofti*, un parasite qui envahit la lymphe. Quand il pénètre dans un organisme masculin, les testicules de ces hommes deviennent aussi gros que des boulets de canon ! Qui sommes-nous pour nous croire supérieurs, Will Henry ? Quelles leçons avons-nous à apprendre d'eux ?

— Je... je ne sais vraiment pas, monsieur.

— L'humilité, Will Henry ! Nous ne sommes qu'une infime part d'un grand tout, et en aucun cas les êtres supérieurs que nous prétendons être. Vois-tu, à mon humble avis, le candiru se moque complètement que notre espèce ait produit des êtres aussi brillants que Shakespeare, ou que nous ayons construit les pyramides. Je pense que pour eux, nous avons bon goût... c'est tout. Qu'y a-t-il, Will ? Tu es bien pâle, tout à coup. Quelque chose te perturbe ?

— Non, monsieur. Je suis juste très fatigué.

— Dans ce cas, pourquoi n'es-tu pas déjà couché ? Une longue journée nous attend demain, et une nuit plus longue encore. Dors bien, Will Henry, et ne laisse pas les punaises de lit te dévorer.

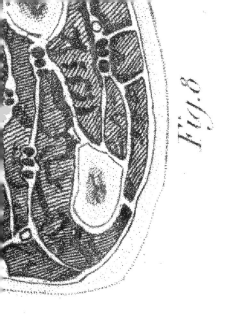

*Fig. 8*

# LIVRE III
Massacre

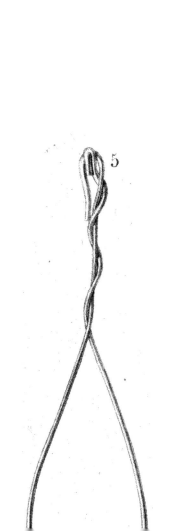

# ONZE

*Nous n'avons plus le choix*

L'aube se leva sur un ciel sombre teinté de nuages gris poussés par un puissant vent d'ouest. Quand je m'éveillai de ma petite sieste (j'aurais difficilement pu dire qu'il s'agissait d'une bonne nuit de sommeil), Harrington Lane était calme. On n'entendait que le vent siffler dans les corniches et les craquements de la vieille charpente. Les portes des chambres du Dr Kearns et de mon maître étaient fermées, mais celle de Malachi était ouverte. Par contre, son lit était vide. Je me précipitai au rez-de-chaussée. La porte du sous-sol était ouverte, la cave allumée. Je m'attendais à y trouver le docteur, mais à sa place, je découvris Malachi, assis jambes croisées à même le sol froid, contemplant le monstre pendu à quelques mètres de lui.

— Malachi, tu ne devrais pas être là.

— Je n'arrivais plus à dormir, c'est pour cela que je suis descendu ici, répondit-il sans détourner le regard de l'*Anthropophagus*, qu'il désigna d'un geste de la tête.

Il m'a fait peur. À cause de l'œil manquant. J'ai cru que c'était *elle.*

— Viens, le pressai-je. Je vais nous préparer un petit déjeuner.

— J'ai pensé à quelque chose, Will. Quand tout cela sera terminé, on devrait s'enfuir, tous les deux. On pourrait s'enrôler dans l'armée.

— Je suis trop jeune, fis-je remarquer. S'il te plaît, Malachi, le docteur sera...

— Sinon, on pourrait aussi s'engager sur un baleinier. Ou partir vers l'ouest. Ce serait formidable ! On pourrait devenir des cow-boys, Will Henry, et chevaucher dans les grandes étendues. Ou chasser les Indiens, ou encore être des hors-la-loi comme Jesse James. Pourquoi on ne pourrait pas devenir des hors-la-loi, Will ?

— Ma place est ici. Avec le docteur.

— Mais s'il n'était plus là ?

— Dans ce cas, j'irais avec lui.

— Non, je veux dire, s'il ne survivait pas à l'attaque qu'ils ont prévue pour aujourd'hui.

Je restai interloqué. Jamais je n'avais envisagé que le Dr Warthrop puisse mourir. Vu mon statut d'orphelin, dont la foi naïve en la présence *ad vitam aeternam* de ses parents à ses côtés avait été brisée, on pourrait croire que cette éventualité m'avait traversé l'esprit, mais, à dire vrai, je n'y avais jamais songé jusqu'à cet instant. Cette pensée me fit frémir. Et si le docteur mourait effectivement ? Certes, je serais libéré de ce que Kearns qualifiait de « travail sale et dangereux », mais libre pour faire quoi ? Libre d'aller où ? Dans un orphelinat, ou plus vraisemblablement dans une famille adoptive. Qu'est-ce qui serait pire : être pupille d'un homme comme le monstrologue, ou vivre la vie triste et solitaire d'un orphelin non désiré et démuni ?

— Il ne mourra pas ! m'exclamai-je avec force, autant pour me convaincre que pour convaincre Malachi. Il s'est déjà trouvé dans des situations extrêmes.

— Tout comme moi, rétorqua Malachi. Mais le passé ne promet rien, Will. Il ne garantit pas l'avenir.

Je tirai sur sa manche pour le presser de se lever. J'ignorais comment le docteur réagirait s'il nous trouvait ici, et je n'avais aucune envie de le découvrir. Malachi me repoussa. Ce faisant, sa main frappa ma cuisse. Quelque chose cliqueta dans ma poche.

— Qu'est-ce que c'est ?

— Je ne sais pas, répondis-je en toute honnêteté.

Les osselets. Je les avais complètement oubliés. Je plongeai la main dans ma poche et les en sortis. Ils tintèrent au creux de ma paume.

— Ce sont des dominos ? demanda Malachi.

— Des os.

Il en prit un et l'examina. Ses yeux bleus brillaient de fascination.

— À quoi servent-ils ?

— À prédire l'avenir, je crois.

Il fit courir un doigt sur l'un des visages osseux.

— L'avenir ? Comment est-ce qu'on s'en sert ?

— Je ne sais pas vraiment. Ils sont au docteur – ou plutôt, à son père. Il faut les jeter en l'air, et la façon dont ils retombent t'annonce quelque chose.

— Ça te dit quoi ?

— Des faits à propos de ton avenir, mais...

— C'est ce que je voulais dire ! Le passé n'est rien ! Donne-les-moi !

Il prit les cinq autres osselets, les enferma au creux de ses mains et les secoua avec vigueur. Le cliquètement résonna avec force dans l'air frais. Je voyais ses mains se refléter dans le large œil sans vie de l'*Anthropophagus*.

Malachi jeta les osselets en l'air. Ils tourbillonnèrent durant plusieurs secondes avant de retomber sur le ciment. Malachi se pencha au-dessus d'eux, scrutant avec impatience le résultat.

— Tous les visages sont en l'air, murmura-t-il. Les six crânes. Qu'est-ce que ça veut dire, Will ?

— Je ne sais pas. Le docteur ne me l'a pas dit.

*Certains mensonges sont nécessaires.*


Je réussis enfin à l'entraîner à la cuisine pour préparer de quoi nous restaurer. Je mettais l'eau à bouillir quand la porte s'ouvrit en grand. Le docteur surgit dans la pièce, l'air à la fois hagard et anxieux.

— Où est-il ? cria-t-il.

Au même moment, Kearns entra par le couloir, aussi calme que le docteur était perturbé, ses vêtements et ses cheveux aussi impeccables que la tenue du docteur était débraillée.

— Où est qui ? demanda-t-il.

— Kearns ! Où diable étais-tu ?

— J'ai fait un tour, pourquoi ?

— Nous chargeons depuis plus d'une demi-heure. Tout le monde t'attend !

— Quelle heure est-il donc ?

Kearns prit tout son temps pour sortir sa montre à gousset de la poche de sa veste et l'ouvrir.

— Dix heures trente ! glapit le Dr Warthrop.

— Vraiment ? Si tard ?

Kearns secoua sa montre à son oreille.

— Nous ne serons jamais prêts si nous ne partons pas sur-le-champ ! insista Warthrop.

— Mais je n'ai rien mangé ! se plaignit Kearns.

Il jeta un coup d'œil dans ma direction puis remarqua Malachi, installé à la table, qui le reluquait, la bouche grande ouverte.

— Oh ! bonjour, toi ! Tu dois être le pauvre garçon Stinnet. Toutes mes condoléances. Tes parents ont quitté la Terre d'une manière inhabituelle pour rencontrer notre Bienfaiteur, mais quelle que soit la façon dont nous allons à sa rencontre, nous finissons tous par y aller un jour ou l'autre. Souviens-t'en, la prochaine fois que tu auras envie de mettre une balle dans le crâne de War-throp. J'ai déjà essayé, moi aussi, tu sais.

— Tu n'as pas le temps de prendre un petit déjeuner ! insista Warthrop, s'empourprant.

— Comment ça, je n'ai pas le temps de prendre le petit déjeuner ? Sache que je ne pars jamais en chasse l'estomac vide, Pellinore. Qu'est-ce que tu prépares là, Will ? Des œufs ? Fais-en deux pour moi, pochés, avec des toasts et du café, fort, s'il te plaît, aussi fort que possible !

Il se glissa sur la chaise face à Malachi et décocha un sourire radieux à Warthrop.

— Tu devrais manger aussi, Pellinore. Tu ne lui donnes jamais de quoi se nourrir, Will Henry ?

— J'essaie, monsieur.

— Peut-être qu'il a un parasite dans l'intestin. Ça ne m'étonnerait pas.

— Je sors ! déclara le docteur d'un ton sec. Ne t'occupe pas de la vaisselle, Will Henry. Le commissaire et ses hommes nous attendent.

Il sortit en claquant la porte. Kearns me décocha un clin d'œil.

— Qu'est-ce qu'il peut être crispé !

Il tourna son regard couleur de charbon vers Malachi.

— À quel point étais-tu prêt ?

— Prêt ? répéta Malachi.

Il semblait quelque peu dépassé par la personnalité de Kearns.

— Oui. À quel point étais-tu proche d'appuyer sur la détente et de lui faire exploser le crâne ?

Malachi baissa les yeux sur son assiette.

— Je ne sais pas.

— Tu ne sais pas ? Je vais te poser la question autrement, alors. Au moment précis où tu as plaqué le canon sur son visage, lorsque la balle n'était plus qu'à quelques millimètres de la pression de ton doigt, prête à réduire son cerveau en bouillie, qu'as-tu ressenti ?

— J'avais peur, répondit Malachi.

— Vraiment ? Mmm. C'est possible, mais n'as-tu pas ressenti aussi un certain… voyons, comment pourrais-je dire cela ? un certain frisson d'excitation ?

Malachi secoua la tête, troublé, mais aussi, à mon avis, mystérieusement captivé par son interlocuteur.

— Je ne sais pas ce que vous voulez dire.

— Oh, tu devrais ! Je parle de ce moment euphorique où tu tiens leur vie ici, au creux de ta main.

Il leva la sienne, paume tournée vers nous.

— Et, à cet instant, tu deviens le maître de leur destinée. Enfin, je suppose qu'il faut aussi une bonne part de détermination pour cela. Tu n'avais pas vraiment l'intention de lui exploser le crâne.

— Je croyais que si. Et puis…

Malachi détourna le regard, incapable de terminer sa phrase.

— Si tu avais tiré, ce n'eût été que justice immanente. Cela dit, à ta place, je ne le tiendrais pas complètement responsable de ce qui s'est passé. D'ailleurs je me demande… s'il avait frappé à votre porte, cette nuit-là, pour vous annoncer à toi et ta famille : « Vous feriez mieux de fiche le camp d'ici à toute allure ! Il y a des créatures sans tête mangeuses d'hommes dans le coin ! », ton père aurait-il barricadé les portes ou fait enfermer Warthrop dans l'asile le plus proche ?

— C'est une question stupide, répondit Malachi. Parce qu'il n'a pas prévenu mon père. Il n'a prévenu personne.

— Non, c'est une question philosophique, corrigea Kearns. Ce qui la rend inutile, non stupide.

Quand nous sortîmes enfin, le docteur arpentait la cour. O'Brien se tenait tout près, à côté d'un grand chariot sur lequel les coffres de Kearns avaient déjà été chargés. En les voyant, le dandy anglais tapa dans ses mains et s'exclama :

— Oh, bon sang, j'ai failli oublier ! Will, Malachi, grimpez vite à l'étage et rapportez-moi ma caisse et mon sac – le petit noir. Dépêchez-vous, mais faites attention avec mes affaires, surtout avec la caisse. Elle est très fragile.

Il avait refermé la boîte et l'avait remballée dans son tissu soyeux. Je posai le petit sac noir dessus, mais Malachi secoua la tête :

— Non, Will, il va glisser dans l'escalier. Je vais plutôt le tenir… Oh, cette caisse est plus légère que je ne le pensais, dit-il, tandis que nous descendions les marches. Qu'est-ce qu'il y a dedans ?

J'avouai n'en rien savoir. C'était vrai, j'ignorais ce qui se trouvait dedans, j'avais néanmoins quelques soupçons. Des soupçons macabres. Je suspectais des choses… impensables, mais nous parlons là de monstrologie, la science de l'impensable.

Nous chargeâmes la caisse à côté des coffres, guidés par Kearns qui nous exhortait à la précaution.

— Levez-la, levez-la les garçons ! Pas trop fort ! Doucement ! Doucement !

Kearns inspecta son paquet, eut un hochement, puis leva la tête pour scruter le ciel.

— Espérons que ces nuages disparaîtront bientôt, Pellinore. J'aurais grand besoin de la pleine lune, ce soir.

Le Dr Warthrop et Kearns voyagèrent avec O'Brien dans le fourgon ; Malachi et moi les suivîmes à cheval, lui sur l'étalon du docteur, moi sur ma petite jument. À chaque inexorable pas en direction du lieu du massacre de sa famille, Malachi devenait plus sombre, ses yeux affichaient ce regard étrange et lointain avec lequel il m'avait accueilli dans l'église de son père. Avait-il déjà conscience, à ce moment-là, dans les méandres de son âme, du sort qui l'attendait au crépuscule ? Savait-il au plus profond de lui, là où l'implacable vérité se loge, que les os du destin avaient rendu leur funeste présage et qu'il empruntait ledit chemin à l'issue fatale ? Si c'était le cas, il ne chercha pas à l'éviter. Tête haute, regardant droit devant lui, Malachi Stinnet avançait vers son destin tragique.

Il était environ midi quand nous rejoignîmes le commissaire Morgan et ses hommes au domicile des Stinnet. Une dispute démarra – la deuxième de la journée, mais pas la dernière – entre le docteur et Kearns : Kearns souhaitait examiner la scène du carnage de la veille, tandis que Warthrop voulait entamer les préparatifs pour notre épouvantable mission nocturne.

— Il ne s'agit pas d'un exercice de voyeurisme, plaida Kearns. En tout cas, pas entièrement. Tu as peut-être raté certains détails, hier, qui pourraient nous être utiles.

— Lesquels, par exemple ? demanda le docteur.

Kearns se tourna vers Morgan, dont les traits tirés et les yeux rougis témoignaient de son manque de repos depuis la veille.

— Commissaire, c'est votre scène de crime. Puis-je entrer, s'il vous plaît ?

— Si cela vous est absolument nécessaire, allez-y. Après tout, j'ai promis de m'en remettre à votre jugement, n'est-ce pas ?

Du bout des doigts, Kearns tapota son chapeau en signe de remerciement, fit un clin d'œil au commissaire, et disparut à l'intérieur de la maison. Morgan se tourna alors vers Warthrop et marmonna :

— Si vous ne vous étiez pas porté garant de cet homme, Warthrop, je l'aurais pris pour un charlatan. Il semble bien trop gai pour cette sombre tâche.

— Il affiche en fait l'enthousiasme de l'homme parfait pour cette mission, répliqua le docteur.

Morgan ordonna à O'Brien d'attendre Kearns près de la porte, pendant que nous rejoignions ses adjoints à l'intérieur de l'église. Pour cette difficile traque, il avait choisi six hommes. La mine sévère et le regard lugubre, leurs fusils à côté d'eux, ils étaient assis sur le premier banc, là où se trouvait Malachi la veille. Morgan leur présenta le monstrologue.

— Pour ceux qui ne le connaissent pas, ou n'ont jamais entendu parler de lui, voici le Dr Warthrop. C'est une autorité… dans le sujet qui nous concerne.

L'air grave, le docteur hocha la tête à l'intention de l'assemblée, mais personne ne lui rendit son salut. Nous attendions tous dans un silence sinistre que Kearns termine son horrible inspection. L'un des hommes ramassa son fusil et commença à le désassembler ; lorsqu'il fut satisfait, il remit toutes les pièces en place avec méthode. À côté de moi, Malachi ne disait mot, se contentant de fixer la croix face à nous. À un certain moment, Morgan jeta un coup d'œil dans notre direction et chuchota à Warthrop :

— Vous n'avez pas l'intention de faire participer les garçons, je présume ?

Le docteur secoua la tête et lui murmura quelque chose que je n'entendis pas.

Une demi-heure plus tard, les portes de l'église s'ouvrirent en grand et Kearns descendit l'allée, O'Brien dans son sillage. Il nous dépassa sans un regard, et se dirigea droit vers le sanctuaire, devant lequel il se tint un moment, nous tournant le dos, contemplant la croix, ou tout du moins, comme quelqu'un qui ne le connaîtrait pas pourrait le croire. Morgan patienta aussi longtemps qu'il put, puis, soudain, se leva de son banc et se mit à crier, sa voix résonnant sous la voûte :

— Eh bien ! Qu'attendez-vous donc ?

Kearns croisa les bras sur son torse, inclina la tête, semblant réfléchir. Il prit encore quelques instants avant de se retourner et, quand il le fit, ce fut le sourire aux lèvres, comme s'il se délectait d'une plaisanterie secrète.

— Eh bien, il s'agit d'*Anthropophagi*, cela ne fait aucun doute, déclara-t-il.

— De doutes, il n'y en a jamais eu ! s'écria Warthrop. Avançons un peu sur le sujet, Kearns.

— Mon nom est Cory.

— Très bien, marmonna Morgan. J'en ai assez !

Il se tourna vers les tireurs du premier banc.

— Le Dr Warthrop a engagé ce... monsieur, qui prétend avoir l'expérience...

— Une très grande expérience, le corrigea Kearns.

— ... nécessaire pour exterminer... ces choses. J'aimerais vous dire son nom, mais, en fait, j'ignore si lui-même le connaît, ou s'il en a seulement un.

— Bien au contraire, j'en ai plus que je ne pourrais en compter, répliqua Kearns.

Il sourit, d'un air charmeur comme toujours, mais brièvement.

— Merci, commissaire, pour cette chaleureuse introduction, et votre soutien. Je vais m'efforcer d'y faire honneur.

Il tourna son regard vers les hommes devant lui : dans la lumière céleste de l'église, ses yeux étaient aussi sombres que la nuit. Plongeant la main dans la poche de son pantalon, il en ressortit un objet concave, blanc cassé, de la taille d'une pièce de cinquante cents.

— L'un d'entre vous peut-il me dire de quoi il s'agit ? Pellinore, tu n'es pas autorisé à répondre... Non ? Personne ? Dans ce cas, je vais vous donner un indice : je viens de trouver ceci à l'instant, dans la maison du bon révérend. Alors, rien ? Pas même une petite idée ? Très bien. Ceci, messieurs, est le fragment d'un os temporal d'un homme adulte d'environ quarante à quarante-cinq ans. Pour ceux d'entre vous dont les connaissances en anatomie datent un peu, l'os temporal fait partie de votre crâne, et c'est en fait le plus dur de tout votre corps. Contrairement aux apparences, le large trou en forme d'œuf que vous voyez ici au milieu – Kearns leva l'os devant ses yeux, regarda son audience captivée à travers le trou en question comme par un œilleton – n'a pas été causé par un instrument chirurgical, mais par la dent puissante d'une créature dont la force de morsure dépasse les neuf cents kilos. Voilà ce qui arrive quand une pression d'une tonne est exercée sur votre os le plus solide, messieurs. Je vous laisse imaginer ce qu'il advient lorsque cette même pression se porte sur les parties les plus fragiles de votre anatomie.

Il remit l'os dans sa poche.

— Si les *Anthropophagi* possèdent la capacité de mordre de façon aussi phénoménale, c'est parce qu'ils n'ont pas de molaires. Deux rangs de petites dents entourent l'extérieur des dents centrales, plus larges. Ces deux rangées servent à attraper leur proie et à l'étreindre ; le reste, les autres dents, environ trois mille, sont utilisées pour trancher et entailler. Pour résumer, ils ne mâchent pas leur nourriture, mais l'avalent tout rond. Et nous, messieurs, telles les feuilles d'eucalyptus pour le gentil koala, nous représentons l'intégralité de leur alimentation. Ils sont, littéralement, nés pour nous manger. Évidemment, ce fait a créé une certaine tension entre nos deux espèces. Ils ont besoin de s'alimenter ; nous préférerions qu'il n'en soit rien. L'avancée de la civilisation et ses fruits – par exemple, la lance et le revolver – ont fait pencher la balance en notre faveur, les obligeant à se cacher, mais aussi à s'adapter. Le violent assaut d'hier en est un parfait exemple. Les *Anthropophagi* ont un sens puissant du territoire et défendent le leur par tous les moyens. En d'autres termes, messieurs, la cruauté avec laquelle ils chassent n'est dépassée que par la sauvagerie dont ils usent pour défendre leur territoire. Et c'est précisément là que nous devrons les rencontrer ce soir – non pas sur notre terrain, mais sur le leur. Nous aurons la possibilité de choisir le moment, mais pas l'endroit. Nous allons les combattre, et croyez-moi, ils répondront présents.

Kearns se tut un instant et poursuivit :

— Et lorsque cela arrivera, messieurs, attendez-vous à une réaction semblable à la colère d'un gamin de deux ans, sauf que cette colère sera celle d'une créature mesurant plus de deux mètres, d'un poids supérieur à cent kilos, et armée de trois mille dents aussi aiguisées que des lames de rasoir incrustées au milieu de son torse.

Il afficha un sourire en total contraste avec la noirceur de ses paroles.

— Ce soir, vous serez témoins des pires cauchemars. Vous verrez des choses effarantes, horrifiantes, qui vous glaceront jusqu'à la moelle ; cependant si *vous faites tout ce que je dis*, vous survivrez, mais, entendez bien, *seulement si vous faites tout ce que je dis*. Si vous êtes prêts à vous engager ainsi, sans aucune réserve, vous vivrez suffisamment longtemps pour raconter le cauchemar de cette nuit à vos petits-enfants. Si ce n'est pas le cas, je vous suggère de ramasser votre Winchester et de rentrer chez vous. Merci de votre attention, messieurs, et bonne chance !

Le silence s'abattit sur la petite assemblée tandis que Kearns attendait le verdict de ses membres. À dire vrai, ils n'avaient guère besoin de son sermon ; ils avaient tous vu les monstrueux dégâts humains après le passage des *Anthropophagi*. Ils savaient ce qu'ils devaient affronter. Oui, ils comprenaient parfaitement, et aucun ne bougea. Aucun ne s'en alla comme Kearns l'avait suggéré.

L'un des hommes s'éclaircit la gorge et s'adressa à Kearns :

— Ces bâtards ne sont pas les seuls à défendre leur territoire. Qu'attendez-vous de nous ?

Kearns les mit au travail en leur faisant construire des plateformes avec le bois déposé dans la cour. Une fois terminées, ces estrades seraient transportées au cimetière, élevées avec un système de cordes et de poulies, puis solidement attachées aux branches des arbres qui bordaient le cimetière à l'ouest, à une hauteur de trois mètres.

— Pourquoi trois mètres ? demanda le Dr Warthrop, une fois à l'écart du bruit des marteaux et des scies. Ils peuvent facilement sauter à cette hauteur.

— Ça suffira, répondit Kearns d'un ton énigmatique.

À l'évidence, la météo le préoccupait bien plus. Il rôdait à l'arrière du fourgon qui contenait ses coffres et la mystérieuse caisse enveloppée, sans cesser de scruter le ciel. À environ trois heures de l'après-midi, alors que les hommes enfonçaient les derniers clous, une légère pluie commença à tomber, mouillant les verres des lunettes du commissaire, l'obligeant à les retirer toutes les deux minutes pour les essuyer sur sa veste. Sa pipe refusait de rester allumée, son tabac était trempé, et tout cela le mettait visiblement de mauvaise humeur.

Kearns le remarqua et déclara :

— Quand tout cela sera terminé, je vous enverrai une livre du Périque le plus fin, Morgan. Il est bien supérieur à ce tabac bon marché que vous fumez.

Le commissaire l'ignora. D'un mouvement de tête à l'intention du Dr Warthrop, il nous désigna, Malachi et moi.

— Pellinore, je me fais du souci pour les gamins. Je propose que nous les laissions ici dans l'église, ou que nous les renvoyions chez vous. Il ne sert à rien…

— Bien au contraire, l'interrompit Kearns. Ils *me* servent.

— Vous avez peut-être raison, Robert, reconnut Warthrop à regret.

— Pas question que je m'en aille, répliqua Malachi avec colère. Je ne suis pas un gamin, et je ne partirai pas.

— Je ne tiens pas à avoir cela sur la conscience, Malachi, dit le commissaire.

— Votre conscience ? s'écria Malachi. Et qu'en est-il de la mienne ?

— Je ne te le fais pas dire ! ricana Kearns. Tu aurais dû rester dans cette chambre afin qu'elle t'arrache la tête après avoir brisé tous les os de ta petite sœur. Quel genre de frère es-tu donc ?

Poussant un cri de rage, Malachi se précipita sur lui. Jetant ses bras autour de son torse, le docteur l'intercepta, alors qu'il essayait en vain d'atteindre Kearns pour le frapper au visage.

— Tu as fait le bon choix, Malachi, lui chuchota-t-il. Tu avais un impératif moral.

— Je ne parlerais pas d'impératifs moraux si j'étais toi, Pellinore, l'avertit Kearns, les yeux brillants de malice. De toute façon, cette notion absurde d'immuabilité de la morale est une invention humaine, complètement irréaliste. Il n'existe aucune moralité sauf celle du moment.

— Je commence à comprendre pourquoi vous vous réjouissez de les chasser, rétorqua Morgan avec dégoût. Vous avez tant en commun !

Malachi s'affaissa dans les bras de l'homme qu'il avait failli tuer la veille. Ses genoux flanchèrent ; seuls les bras du docteur l'empêchèrent de s'affaler à terre.

— Vous avez raison, commissaire, acquiesça Kearns. Nous leur ressemblons énormément : nous tuons sans discrimination, guidés par des besoins que nous refusons de reconnaître et comprenons d'autant moins, nous avons un sens aigu du territoire et notre jalousie peut nous conduire au meurtre. La seule différence significative entre nous c'est qu'ils doivent apprendre à gérer cette hypocrisie dans laquelle nous sommes passés maîtres, ce don qui nous autorise à massacrer l'autre, le plus souvent sous les auspices d'un Dieu approbateur !

Il se tourna vers Malachi.

— Alors, rassure-toi, mon garçon. Tu auras ta revanche. Tu pourras réparer ce dilemme « moral » qui brise ton âme en deux, et ce soir, si tu croises ton Dieu, tu pourras le regarder droit dans les yeux et dire : « Que ta volonté soit faite ! »

Kearns pivota sur ses talons et s'éloigna. Morgan tourna la tête et cracha avec dégoût. Warthrop enjoignit à Malachi de rester calme. Ce n'était pas le moment de se laisser aller à la culpabilité ou à l'autoapitoiement, lui dit-il.

— Vous ne pourrez pas m'empêcher de vous accompagner, rétorqua Malachi. Rien ne le pourra.

Warthrop ajouta :

— Et personne n'en fera rien.

Regardant par-dessus l'épaule de Malachi, il s'adressa au commissaire :

— Donnez-lui un fusil, nous lui trouverons un endroit où se poster, Robert.

— Et Will Henry ? Vous n'allez tout de même pas l'emmener !

Sans attendre la réponse de Warthrop, je répliquai aussitôt, mais j'avoue que j'eus moi-même du mal à croire les paroles qui sortirent de ma bouche :

— Ne me renvoyez pas, monsieur, s'il vous plaît.

Ses propos furent précédés d'un léger sourire triste.

— Oh, Will Henry. Après tout ce que nous avons traversé ensemble, comment pourrais-je te renvoyer en ce moment si critique ? Tu m'es indispensable, mon garçon.

Les plateformes étaient trop larges et trop lourdes pour être transportées par fourgon. Aussi, alors que la pluie laissait place à un crépuscule précoce, les hommes de

Morgan les portèrent dans la longue allée se dirigeant vers Old Hill Cemetery Road, puis encore sur cinq cents mètres jusqu'aux grilles d'entrée du cimetière, où ils se reposèrent quelques instants avant de rejoindre leur destination finale : le point de départ de cette étrange affaire, où son initiateur, le vieux profanateur de caveaux, avait connu sa fin prématurée, trouvant la mort, englouti dans la tombe où il avait accompli son dernier méfait. La raison de l'absence mystérieuse de Kearns ce matin-là nous apparut clairement à notre arrivée. Ayant étudié la configuration du terrain, il avait choisi les arbres auxquels arrimer les plateformes, et, sur une feuille de papier ministre, il avait esquissé l'endroit avec soin, noté ses dimensions précises et l'emplacement de toutes les pierres tombales. Dans la zone dégagée entre la tombe d'Elizabeth Bunton et la rangée d'arbres, il avait dessiné un cercle en rouge et l'avait baptisé, de son écriture richement ornée, *Cercle du massacre*.

Les hommes commencèrent à hisser les estrades en position. Pour enfoncer des clous d'arrimage dans les arbres, ils utilisèrent des marteaux, dont ils avaient enveloppé les têtes de chiffons, et communiquèrent les uns avec les autres uniquement par signes ou par chuchotements, car Kearns avait donné des ordres stricts avant notre départ du presbytère : faire le minimum de bruit.

— Ils ont beau être de profonds dormeurs – à part manger et copuler, dormir est leur principale occupation –, l'ouïe est leur sens le plus aigu. Même à une bonne distance je suis persuadé qu'ils peuvent nous entendre. Au moins la pluie aura-t-elle son utilité : elle va ramollir le sol, et, je l'espère, étouffer nos bruits.

Pendant que trois hommes agrippaient les cordes qui maintenaient l'arrière des plateformes aux arbres qui servaient de point d'ancrage, les autres glissaient des pieux sous le devant. De petits morceaux de bois étaient insérés dans les troncs des deux arbres à chaque extrémité pour former des échelles. Puis Kearns ordonna à O'Brien, Malachi et moi de décharger le fourgon.

— Sauf ma caisse et mon sac. Laissez-les là-bas pour l'instant. Je ne veux pas qu'ils soient mouillés. Ah ! quel fichu temps !

Warthrop l'entraîna sur le côté, hors de portée des oreilles du commissaire dont l'agitation et la détresse semblaient grandir de minute en minute.

— Je vais sûrement regretter de poser cette question, chuchota-t-il, mais qu'y a-t-il dans cette caisse ?

Kearns lui retourna un regard étonné.

— Voyons, Pellinore, tu sais parfaitement ce qu'elle contient.

Il s'avança vers l'un des coffres et en ouvrit le couvercle. À l'intérieur, emballées dans des compartiments individuels se trouvaient une douzaine de boîtes d'un gris terne, chacune ayant la taille d'un petit ananas, et enveloppée de paille. Kearns en sortit une et me chuchota :

— Monsieur Will ! Attrape !

Il me la lança illico ; elle atterrit sur mon estomac, et je jonglai un instant avec avant de réussir à la saisir correctement.

— Fais attention, Will. Ne la lâche pas !

Vu sa taille, la boîte était plutôt lourde.

— Qu'est-ce que c'est ? demandai-je.

— Qu'est-ce que c'est ? répéta Kearns. Et tu prétends être l'assistant d'un monstrologue ? Ceci est un outil indispensable à notre métier, monsieur Will. C'est une grenade, évidemment. Tire donc un peu ce petit anneau, là.

— Il plaisante, Will Henry ! murmura le docteur. Ne tire pas dessus.

— Tu n'es pas drôle, Pellinore ! le réprimanda Kearns. Qu'en dis-tu, Will ? Je te charge de surveiller ce stock. Tu seras mon grenadier. N'est-ce pas formidable ? Sois un bon garçon, maintenant. Une fois que les hommes auront solidement fixé cette plateforme, Malachi et toi pourrez les y monter.

Il ouvrit le couvercle du deuxième coffre et en sortit une longue et robuste corde avec une lourde chaîne de métal attachée à chaque extrémité. Un crochet se trouvait à l'autre bout de la chaîne. Ensuite, Kearns fouilla dans le coffre et en retira une tige de métal, d'environ un mètre de long et d'un diamètre de cinq centimètres, pointue à un bout et formant une boucle à l'autre. Cela ressemblait à une monstrueuse aiguille à coudre. La dernière chose qu'il sortit de ce coffre fut un large maillet du genre de ceux utilisés par les cheminots pour les traverses de chemin de fer. Il fit passer la corde par-dessus son épaule, ramassa le maillet et les clous, et m'ordonna de le suivre.

Tandis que je trottinais derrière lui, j'entendis le commissaire chuchoter :

— À quoi diable tout ceci pourra-t-il servir ?

Puis la réponse de Warthrop, sa voix chargée de dégoût :

— C'est pour que l'appât soit bien attaché.

Kearns s'arrêta à environ vingt mètres de la rangée d'arbres, s'agenouilla sur le sol trempé, leva la tête pour scruter la plateforme à travers la bruine.

— Oui, cela devrait aller. Tiens le pieu à deux mains, comme cela, Will Henry, pendant que je l'enfonce. Ne bouge pas ! Si je rate mon coup, je te briserai le bras !

À mon tour, je m'agenouillai dans la terre et enfonçai la pointe aiguisée du pieu dans le sol. Kearns leva le maillet bien haut au-dessus de lui, puis le laissa retomber. La large tête carrée frappa l'extrémité de la boucle de métal avec une telle force que des éclats jaillirent dans toutes les directions. L'impact résonna en écho dans tout le cimetière. Les hommes de Morgan, qui étaient à présent en train de clouer des contreventements en forme de croix sur les supports des plateformes, se figèrent en état d'alerte, la tête tournée en direction du bruit. Trois fois Kearns leva son maillet, et trois fois il l'abattit. Chaque coup résonna dans les muscles de mes bras. Je serrai les dents pour éviter de me mordre la langue.

— Voilà ; encore un, et cela devrait aller, marmonna Kearns. Veux-tu essayer, Will ? proposa-t-il en me tendant l'énorme maillet.

— Je ne crois pas être capable de le soulever, monsieur, répliquai-je en toute honnêteté. Il est aussi lourd que moi.

— Mmm. Il est vrai que tu es plutôt petit pour ton âge. Quel âge as-tu exactement ? Dix ans ?

— Douze, monsieur.

— Douze ! Je vais devoir dire un mot à Pellinore. Il ne doit pas te nourrir correctement.

— C'est moi qui fais la cuisine, monsieur.

— Pourquoi cela ne me surprend-il pas ?

Il donna un nouveau coup sur la tige, jeta le maillet à terre, puis tira sur le pieu à deux mains, grognant sous l'effort.

— Oui, cela devrait aller, répéta-t-il. Combien pèses-tu, Will Henry ?

— Je ne sais pas exactement, monsieur. Trente-cinq ou quarante kilos.

Il secoua la tête.

— Cet homme devrait être dénoncé ! Tiens.

Il enfila l'extrémité sans chaîne de la corde à travers la boucle et la noua de façon compliquée. Quand il eut terminé, il me demanda de saisir l'autre extrémité – celle à laquelle la chaîne était attachée – et se dirigea vers les arbres jusqu'à ce que la corde soit bien tendue.

— Maintenant, tire, Will ! Tire aussi fort que tu peux !

Une main sur la hanche, l'autre caressant sa moustache, il observa la corde tandis que je tirais dessus, mes pieds glissant sur le sol humide. Puis, d'un geste de la main, il me fit signe d'arrêter, reprit le maillet et donna un dernier coup sur la tige de métal. Alors, il m'ordonna de revenir vers lui.

— C'est un peu trop long, Will Henry.

Il défit le nœud, releva la jambe droite de son pantalon et en retira un couteau logé dans un étui attaché à sa cheville. Puis il trancha environ cinquante centimètres de la corde, la lame la coupant aussi facilement qu'un morceau de fil à coudre. Ensuite, il rattacha la corde à la tige.

— Il y a trois paquets de piquets en bois dans le coffre que je viens d'ouvrir, Will Henry. Sois gentil, et rapporte-les-moi, veux-tu ?

J'acquiesçai, légèrement à court de souffle après mes efforts, et courus jusqu'au fourgon. Quand j'arrivai, Warthrop et Morgan se disputaient à voix basse, le commissaire ponctuant chacune de ses phrases en frappant le torse du docteur de sa pipe.

— Une enquête complète ! Une recherche minutieuse ! Je ne peux être lié par des promesses faites sous la contrainte, Warthrop !

Je rejoignis Kearns au pas de course. Quand j'arrivai, il consultait son croquis détrempé et vérifiait les dimensions de son Cercle du massacre. Il m'indiqua où planter les piquets dans la terre, à plus ou moins un mètre d'intervalle, jusqu'à former un cercle parfait, de dix mètres de diamètre, la tige de métal en marquant le centre, l'extrémité ouest du cercle à environ quatre mètres de la plateforme. Kearns contempla son œuvre durant un moment, puis me donna une tape sur l'épaule.

— Excellent travail, Will Henry. La tribu maorie qui a inventé cette méthode n'aurait pas fait mieux.

Les chasseurs s'étaient réunis à l'arrière du fourgon, chaque homme armé d'une pelle. Kearns leur fit signe de nous rejoindre. La mine sombre, le souffle court et déjà fatigués par leurs efforts, ils se rassemblèrent autour de lui. Kearns s'adressa alors à eux d'une voix pressante.

— La nuit tombe plus tôt que nous l'avions prévu, messieurs. Il faut faire vite, maintenant. Vite – mais aussi silencieusement que vous le pouvez. Creusez, messieurs, creusez !

Les piquets leur servant de repères, les hommes creusèrent une tranchée peu profonde, travaillant en rythme.

Le sol caillouteux, trempé, résonnait sous leurs coups de pelle, heureusement étouffés par la pluie qui tombait désormais en un bruit sourd et régulier – tels dix mille battements de mini-tambours à la seconde – suffisamment forte pour nous mouiller de pied en cap. Nous avions tous les cheveux plaqués sur la tête. Oh, pourquoi avais-je oublié mon chapeau à la maison ? À travers le rideau de pluie, et d'où je me situais, près du fourgon, les hommes ressemblaient à des fantômes.

— Pellinore, dit Kearns, donne-moi un coup de main avec ma caisse, s'il te plaît.

— Ah, nous y voici ! marmonna Morgan tandis qu'ils déchargeaient la caisse du fourgon. J'aimerais savoir avec précision ce que vous avez là-dedans, Cory.

— Un peu de patience, chef, et vous saurez exactement ce que j'ai apporté… Doucement, Pellinore ; pose-la doucement ! Will Henry, attrape mon sac, je te prie !

Il retira le drap soyeux qui entourait la caisse, puis souleva le couvercle. Le docteur recula d'un pas avec un soupir de résignation ; à l'évidence, il savait ce que renfermait cette caisse avant que Kearns l'ouvre, mais savoir et voir sont deux choses tout à fait différentes. Morgan s'approcha pour examiner le contenu et poussa un cri, toute couleur s'évanouissant de son visage. Il marmonna alors quelque chose d'inintelligible.

Une femme était allongée à l'intérieur de la caisse, vêtue d'un déshabillé d'un blanc satiné. Tel un cadavre, elle reposait les yeux clos, les bras croisés sur sa poitrine. Âgée d'une bonne quarantaine d'années, elle devait avoir été jolie, autrefois ; à présent, son visage rondouillard était criblé de cicatrices, certainement de la petite vérole, son nez plutôt fort était d'un rouge profond à cause des capillaires brisés sous la peau, résultat, sans nul doute de longues années d'alcoolisme. Mis à part son déshabillé diaphane, elle ne portait rien d'autre, aucune bague à la main, aucun bracelet à son poignet. Cependant, une lanière de couleur cuivre ornait son cou – avec un petit anneau de métal sous son large menton.

Après quelques secondes de silence épouvanté, Morgan retrouva sa voix.

— C'est cela, l'appât ?

— De quoi voulez-vous que je me serve, chef ? répliqua Kearns avec ironie. D'une chèvre ?

— Quand vous m'avez demandé l'immunité, vous n'avez jamais parlé de meurtre ! lâcha Morgan avec indignation.

— Je ne l'ai pas tuée.

— Alors, où avez-vous… ?

Kearns semblait énervé par l'emportement du commissaire.

— C'est une femme de la rue, Morgan, rétorqua-t-il. Une clocharde, comme toutes celles dont regorgent les caniveaux de Baltimore. Un corps imbibé de rhum, rongé par la maladie, dont la mort servira une cause plus noble que toutes celles qu'elle a pu servir durant sa misérable vie. Si l'utiliser comme appât offense votre morale, peut-être aimeriez-vous prendre sa place ?

Morgan fit appel à Warthrop :

— Pellinore, il doit bien y avoir un autre moyen…

Le docteur secoua la tête.

— Elle ne souffre plus, Robert, fit-il remarquer. Nous n'avons plus le choix, maintenant. Nous devons le faire.

Une question muette dans le regard, il observa Kearns soulever la femme pour l'extraire de son cercueil de fortune. La tête de l'inconnue bascula en arrière, et ses bras glissèrent le long de son corps tandis que Kearns la portait dans le Cercle du massacre.

— Will Henry ! appela-t-il d'une voix basse. Mon sac !

Quand il approcha, tous les hommes s'arrêtèrent brusquement de creuser et demeurèrent bouche bée. Leurs yeux passaient de Kearns à Morgan, qui leur fit un signe de la main : Creusez ! Creusez !

Avec douceur, Kearns déposa la femme sur le sol à côté du pieu de métal, tenant sa tête avec précaution entre ses mains. D'un geste de la tête, il me désigna la corde. Je posai son sac à côté de lui et lui tendis l'extrémité attachée à la chaîne. Il fit alors glisser le crochet dans l'anneau autour du cou de l'inconnue.

— Je n'arrive pas à comprendre pourquoi il est si énervé, dit-il. Les Maoris, ces brutes sauvages, utilisent des esclaves vierges – de très jeunes filles, Will Henry.

Il tira un coup sec sur la chaîne. La tête de la femme rebondit sur ses genoux.

— Ça devrait faire l'affaire.

Il lui posa la tête sur le sol boueux. Puis il se releva, et scruta le terrain. Je regardai sur ma droite, vers la plate-forme, et vis là-bas une silhouette solitaire, qui nous fixait, fusil en main, aussi immobile qu'une sentinelle. Malachi.

Malgré le ronronnement monotone de la pluie et la lueur grise et constante du crépuscule, j'avais l'impression que le temps avait accéléré sa course, que ses aiguilles tournaient plus vite, nous entraînant à toute allure vers

l'inévitable combat. Nous déchargeâmes deux gros ton-
neaux du fourgon. Ils contenaient une mixture noire à
l'odeur très forte, mélange de kérosène et de pétrole
non raffiné qui fut versé dans la tranchée fraîchement
creusée autour de la victime sacrificielle. Kearns ordonna
à chacun de grimper sur la plateforme afin de réviser ce
qu'il appelait le « protocole maori ».

— C'est moi qui tirerai le premier, rappela-t-il aux
hommes trempés de pluie, éclaboussés de boue. Vous
attendrez mon signal pour ouvrir le feu. Visez la zone
juste sous la bouche, ou alors au bas du dos ; tout le reste
ne leur causera que des plaies superficielles.

— Combien de temps aurons-nous ? demanda l'un
d'entre eux.

— Je dirais moins de dix minutes, avec ce temps ; suffisamment pour terminer notre mission, ou du moins cette
phase, mais ces dix minutes vous sembleront une éternité.
Rappelez-vous : nous n'abandonnerons cette plateforme
qu'à deux conditions : que notre mission soit accomplie,
ou que malheureusement ils percent une brèche. Qui se
charge de la tranchée ?

Un homme au visage émacié du nom de Brock leva la
main. Kearns hocha la tête et déclara :

— Restez à côté de moi, et attendez mes ordres – ne
faites rien avant mon signal ! Le minutage est la clé de
tout, messieurs, une fois que nous aurons atteint l'éclaireur… Bon, y a-t-il d'autres questions ? des regrets de
dernière minute ? quelqu'un qui aimerait tirer sa révé-
rence ? C'est le moment, messieurs, c'est le moment !

Il leva la tête vers le ciel, ferma les yeux et poussa un
soupir, un sourire dansant sur ses lèvres.

— Oui, ce satané moment est venu.

Nous nous rassemblâmes au bord de la plateforme, scrutant l'obscurité grandissante, tandis que Kearns s'agenouillait à côté du corps au milieu du cercle, puis fouillait dans son sac que j'avais laissé sur place. Nous tournant le dos, bloquant notre vue, il se pencha au-dessus de la femme.

— Grand Dieu, que fait-il à présent ? s'enquit le commissaire.

— Je n'en suis pas sûr, murmura Warthrop, mais je doute que cela ait à voir avec Dieu.

À notre grande surprise, le corps de la femme fut soudain secoué d'un violent spasme. Ses jambes tressautèrent, ses mains agrippèrent des poignées d'herbe et de terre qu'elle serra dans ses poings. Kearns s'assit pour observer la scène, et j'entendis le docteur haleter à côté de moi.

— Oh, non !

Kearns tenait son couteau de chasse de sa main droite, tandis que les doigts de sa main gauche étaient plaqués sur le cou de la femme.

— Warthrop, grommela Morgan. Warthrop !

D'un geste fluide, Kearns tendit le bras en travers de la femme et lui entailla le ventre de sa lame aussi affûtée qu'un rasoir. Les cris perçants qui accueillirent cet acte de barbarie résonnèrent dans le silence du crépuscule avec la force du tonnerre. Ils retentirent à travers les arbres et les pierres tombales, sentinelles minérales du cimetière. Ils emplirent le silence jusqu'à le noyer, s'intensifiant à chaque seconde, et chacune de ces secondes semblait plus longue qu'une heure. La femme roula en direction de Kearns, tendant le bras pour supplier cet homme qui venait de la mutiler, mais indifférent à son sort il courait déjà vers nous, sa lame ensanglantée à la main. Avant de grimper à l'échelle improvisée, il coinça son couteau entre ses dents – il sentit sûrement à ce moment-là le goût du sang de sa victime sur sa langue – et, une fois en sécurité en haut, il ouvrit la bouche, le faisant tomber sur les planches. Quoi qu'il en soit, nous le remarquâmes à peine, tant nous étions figés de terreur, paralysés d'effroi par l'abominable spectacle qui se tenait sous nos yeux. La femme réussit à se mettre à quatre pattes, et rampa vers nous, hurlant et couinant comme un cochon à l'abattoir qui s'étouffe dans son propre sang. La corde se déroula, la chaîne attachée à son cou se tendit. Kearns attrapa son fusil, en plaqua la crosse contre son épaule et mit en joue, l'œil rivé au viseur, faisant aller son canon du nord au sud et vice versa, indifférent, il me semble, à l'épouvante qui nous étreignait devant ce tour inattendu et horrifiant que prenaient les événements, et inconscient des cris perçants qui résonnaient autour de nous.

À quelques mètres de là seulement, l'auteur de ces cris luttait contre ses liens. Elle s'était redressée sur ses genoux, et, bras tendus vers nous, le visage contorsionné en une agonie indicible, son déshabillé immaculé à présent taché de boue et de sang, elle hurlait de plus belle. La chaîne qui la tirait en arrière claquait et vibrait à chacun de ses mouvements.

— Soyez maudit, Cory ! cria Morgan. Elle est vivante !

— Je n'ai jamais dit qu'elle ne l'était pas, répliqua Kearns. Messieurs, que voyez-vous ? Regardez bien ! Monsieur Henry, toi aussi reste vigilant !

Je détournai le regard de l'horrible spectacle et scrutai les alentours à la recherche d'une quelconque activité, mais un suaire s'était abattu sur le monde et je ne remarquai rien d'autre que la terre, les arbres, les pierres, et les ombres. Soudain, du coin de l'œil, je perçus une forme sombre entre les tombes, accroupie, et qui s'approchait de nous en zigzag. Aussitôt, je tirai Kearns par la manche, et pointai la forme du doigt.

— Où ça ? chuchota-t-il. Ah ! bravo, mon garçon ! Je le vois. Doucement, maintenant, messieurs, doucement. C'est à moi de tirer.

Il se redressa, aussi droit qu'un piquet, jambes écartées pour garder son équilibre, ses doigts caressant la crosse de son fusil.

— Viens par ici, mon petit, murmura-t-il. Le dîner est servi.

L'*Anthropophagus* solitaire hésita un instant, juste à la limite du fossé. Sa peau laiteuse luisait sous la pluie, et même à distance, dans la lumière mourante, je voyais sa bouche s'ouvrir et se fermer – ses dents brillant dans son énorme mâchoire. Ses bras massifs étaient si longs qu'ils effleuraient presque le sol quand il se mit debout, jambes légèrement arquées, au bord du piège.

Même s'il était conscient de notre présence, le monstre devait être excité par l'odeur du sang – à moins que notre existence ne lui soit complètement indifférente –, car il bondit soudain en avant avec un rugissement terrible, se rapprochant de la femme blessée à une vitesse stupéfiante. Dix mètres les séparaient encore, quand il s'éleva dans les airs, griffes tendues, gueule grande ouverte, et c'est à ce moment-là que Kearns fit feu.

Atteint par la balle de Kearns à quelques centimètres en dessous de son œil globuleux, le monstre se tordit en plein vol. Il tomba avec lourdeur, ses hurlements couvrant les cris de la victime qui lui était promise. Puis soudain il se remit sur pied, grondant férocement, crachant, montrant les crocs, avançant obstinément. En entendant ces cris inhumains, la femme tourna la tête, se raidit et resta silencieuse durant un horrible moment avant de tenter de se précipiter vers nous. Cette fois, quand la chaîne brisa son élan, sa tête recula avec une telle force que je fus certain que la pauvre femme s'était rompu le cou. Kearns glissa une autre balle dans la chambre de son fusil, réarma, et fit feu pour la deuxième fois, atteignant le monstre en haut de la cuisse. La bête trébucha, mais continua son avancée. Cinq mètres, à présent… trois… Kearns rechargea et appuya sur la détente. Le troisième coup toucha l'autre jambe, et l'*Anthropophagus* tomba à terre en poussant d'atroces cris, se tordant sous la douleur, battant violemment des jambes dans la poussière. Kearns baissa sa Winchester.

— Mais Grand Dieu, que faites-vous, Cory ? cria Morgan. Tirez ! Tirez ! Il n'est pas mort !

— Je ne le veux pas mort ! rétorqua Kearns.

En dessous de nous, la femme avait perdu connaissance. Peut-être s'était-elle réellement brisé le cou, ou bien s'était-elle évanouie de peur, ou d'avoir perdu trop de sang. Le docteur dépassa Kearns et ramassa le couteau de chasse qu'il avait laissé tomber un peu plus tôt.

— Will Henry ! Allons, du nerf !

Il balança ses jambes par-dessus le bord de la plate-forme avant de s'élancer. Pour ma part, je pris un chemin plus long, utilisant l'échelle improvisée pour le rejoindre au côté de la femme. Je ne pouvais m'empêcher de regarder par-dessus son épaule pour observer la bête hurlante, craignant qu'elle ne se remette de ses blessures et ne nous arrache la tête d'un simple coup de son énorme griffe. Évidemment, le docteur ne partageait pas mon inquiétude. Il était concentré sur la femme. Il la fit rouler sur le dos et plaqua ses doigts sous sa mâchoire.

— Il n'est pas trop tard, Will Henry, affirma-t-il, haussant la voix pour que je l'entende malgré les grognements de l'*Anthropophagus* blessé derrière lui.

D'un geste vif, il trancha la corde, déposa le couteau dans ma main et prit la femme dans ses bras.

— Suis-moi !

Nous courûmes – glissant dans la boue, sautant par-dessus la tranchée remplie de combustible – jusqu'à l'abri de la plateforme, où nous nous plaçâmes juste en dessous de Kearns et des autres. Le docteur posa la femme contre le tronc d'un arbre et s'approcha pour examiner sa blessure à l'estomac.

Au-dessus de nous, j'entendis Kearns qui s'adressait à lui :

— À ta place, Pellinore, je ne m'attarderais pas là trop longtemps.

Le docteur l'ignora. Il retira sa veste, dégrafa sa chemise – des boutons volèrent en tout sens – puis la mit en boule et couvrit l'incision avec ce pansement improvisé. Alors il me prit la main et la plaqua sur la compresse improvisée.

— Une pression ferme, Will Henry. Mais pas trop forte.

Au même instant, j'entendis Morgan crier d'une voix paniquée :

— Là-bas ! Vous le voyez ? Qu'est-ce que c'est ?

Le docteur m'attrapa par l'épaule, approcha son visage tout près du mien et me regarda droit dans les yeux.

— En es-tu capable, Will Henry ? *En es-tu capable ?*

— Oui, monsieur.

— Très bien.

Il plaqua son revolver dans ma main libre avant de se retourner pour s'éloigner. Il se figea alors, et, durant un instant, je crus que c'en était fini de nous, que l'un des *Anthropophagi* venait de surgir d'entre les arbres et fonçait sur nous. Je suivis le regard du docteur et remarquai une silhouette élancée, qui tenait un fusil, ses grands yeux bleu clair brillant comme en défi à l'obscurité.

— Je vais rester avec Will Henry, déclara Malachi.

Malachi resta effectivement à mes côtés pendant que les *Anthropophagi* arrivaient, répondant aux appels de détresse et de douleur de leur sœur blessée. Tout comme les tombes, la terre semblait les vomir de partout. Durant des mois, ils avaient creusé des tunnels, étendant leur repaire souterrain pour faire de la place à leur couvée grandissante, créant un réseau de passages aussi complexe qu'un labyrinthe dans le dur sol de la Nouvelle-Angleterre, sous les défunts du comté qui reposaient ici dans leur sommeil éternel. À présent, furieux de cette intrusion sur leur domaine, rendus fous par les cris de leur camarade blessée, ils accouraient. Ils se précipitèrent à la limite est du cercle, se regroupant en une grappe d'un blanc laiteux, sifflant, grognant, tous crocs dehors. Ils s'approchèrent du bord du cercle... et s'arrêtèrent.

Peut-être reniflèrent-ils une odeur qui leur déplaisait. À moins qu'un autre sens, plus profond, les ait avertis, cet instinct inné acquis durant des milliers d'années de conflit avec leurs proies, ces ambitieux mammifères bipèdes qui avaient eu l'audace d'évoluer du simple primate au chasseur capable non seulement de défendre l'espèce humaine, mais aussi d'éliminer les *Anthropophagi* de la surface de la Terre. Quelle terrible ironie : il leur était vital que l'espèce humaine prospère, car nous étions leur unique source de nourriture, et cela au risque de voir leur race s'éteindre !

J'entendis Kearns au-dessus de nous :

— Doucement, messieurs, doucement. Seulement à mon signal ! Brock, êtes-vous prêt ?

Brock marmonna quelque chose d'inintelligible. À côté de moi, Malachi mit un genou à terre et leva son fusil. J'étais suffisamment près de lui pour percevoir son souffle rauque et humer l'odeur de laine mouillée de sa veste. De l'autre côté, la victime anonyme de Kearns revint à la vie, et, à deux mains, m'attrapa le poignet tout en me fixant d'un air d'incompréhension totale.

— Qui es-tu ? croassa-t-elle. Un ange ?

— Non. Je suis Will Henry.

Je sursautai soudain, car Kearns venait de se mettre à crier :

— Bonjour, bonjour, mes petits ! Vous pouvez sortir de vos cachettes. Venez par ici. La fête a commencé !

L'effet de ses paroles sur les monstres grouillant de toutes parts fut immédiat. Leurs yeux noirs, brillants, gueule ouverte, ils bondirent par-dessus la tranchée circulaire, droit dans le Cercle de massacre. Leur groupe se déploya vers la plateforme, les moqueries de Kearns annihilant leur instinct de prudence. Quand la dernière créature sans tête eut atteint la frontière est du cercle, Kearns donna l'ordre de « lancer le feu », et Brock jeta alors un chiffon enflammé imbibé d'essence dans la tranchée. Aussitôt, un rideau de flammes de deux mètres de haut surgit ; je sentis sa chaleur sur mes joues tandis qu'il s'étendait à tout le cercle, nourri par les combustibles, envoyant des volutes de fumée noire et âcre dans les airs. Paniqués, les monstres se figèrent à l'intérieur du cercle de feu, hurlant d'une peur primaire. Lorsque l'homme avait apprivoisé le feu, le glas avait déjà sonné pour ces créatures.

Telles les portes de l'enfer se refermant sur eux, lorsque les deux lignes de flammes se rejoignirent, elles emprisonnèrent les monstres à l'intérieur du cercle.

— Feu à volonté, messieurs ! cria Kearns par-dessus le crépitement des flammes, le bruit de la pluie et les cris terrifiés des *Anthropophagi*.

Les coups de feu retentirent tout autour de nous ; les planches au-dessus de nos têtes gémissaient avec violence, à un point tel que je redoutai soudain que la structure s'écroule sur nous. La nuit était complètement tombée, mais les lieux étaient illuminés d'une immense lueur orangée et bondés d'ombres qui s'agitaient en tous sens tandis que les coups de feu faisaient rage, ainsi que les hurlements de terreur des monstres. À travers ce tapage, j'entendis les cris ravis de Kearns :

— C'est comme tirer sur des poissons dans un tonneau !

Un objet, deux fois plus gros qu'une balle de base-ball, fut lancé vers le cercle, et, un instant plus tard, la terre trembla d'une secousse violente due à l'explosion d'une grenade, suivie d'une énorme boule de flammes.

— Je ne les vois pas, je ne les vois pas ! marmonna Malachi d'un ton frustré, agitant son fusil de droite à gauche. Il bondit soudain en avant, comme s'il avait l'intention de franchir les flammes, sauter par-dessus le fossé et faire feu droit sur les bêtes qui avaient massacré sa famille.

— Donnez-m'en un, mon Dieu, donnez-m'en juste un !

Son vœu ne tarderait pas à être exaucé.

Les *Anthropophagi* ne sont pas nés avec une attirance particulière pour la chair humaine. Contrairement aux requins solitaires ou aux nobles aigles, ils ne sont pas non plus nés avec l'instinct de chasse. Comme chez le loup ou le lion – ou les humains – ce sont leurs parents ou les autres membres de leur groupe qui leur enseignent ces aptitudes. Les *Anthropophagi* n'atteignent leur maturité qu'à l'âge de treize ans, et ils passent toutes ces années entre leur naissance et leur âge adulte à apprendre des anciens. Ils ne sont autorisés à se nourrir qu'une fois que la victime a été nettoyée par les autres membres du clan. C'est une période d'apprentissage, de tests, d'erreurs, d'observation et d'émulation. L'un des faits les plus étonnants chez ces créatures, c'est que les *Anthropophagi* sont très indulgents envers leurs petits. Ils sont carrément des parents gâteaux. Ce n'est que dans les situations extrêmes

– par exemple, une famine – qu'ils se retournent contre l'un des leurs.

Tel était le cas décrit par le capitaine Varner, cet épisode qui eut lieu dans la cale du *Feronia* condamné, et un événement de ce type a probablement été à l'origine d'une erreur répétée par sir Walter Raleigh et Shakespeare arguant que les *Anthropophagi* sont cannibales. (D'après ce critère, nous pourrions être qualifiés de même, étant donné que, face à la famine, nous avons déjà pratiqué semblable et inconcevable abomination.) Et, comme une maman ours avec son petit, lorsqu'une menace surgit, tous les autres membres du groupe défendent farouchement les plus jeunes : les plus petits sont gardés dans le coin le plus reculé de la tanière ; les jeunes sont consignés dans les rangs arrière de chaque assaut, que ce soit pour défendre leur nourriture, ou dans le cas de cette nuit pluvieuse du printemps 1888, leur territoire.

Il devait donc s'agir d'un jeune retardataire, d'à peu près mon âge – mais plus grand d'au moins soixante centimètres et bien plus lourd – lent à se joindre au rassemblement engendré par les cris de l'*Anthropophagus* blessé par les balles de Kearns, et ainsi séparé du reste du troupeau lorsque le Cercle de massacre avait été allumé. À moins que, guidé par l'impétuosité de sa jeunesse, il ait préféré ne pas suivre son groupe dans la zone de combat, mais décidé de prendre une route plus sinueuse pour atteindre l'envahisseur, une route qui contournait le feu et, rendu invisible grâce au tumulte de la bataille, il avait rejoint le petit bois où nous étions tapis.

À cause de son expérience limitée, de l'excitation du moment, ou d'une combinaison des deux, son assaut fut maladroit et du niveau d'un amateur selon les standards de combat des *Anthropophagi*. Même si nous ne l'entendîmes pas avancer bruyamment à travers les buissons, n'ayant conscience de sa présence que quelques secondes avant qu'il surgisse de l'ombre des arbres, ces précieuses secondes furent suffisantes pour permettre à Malachi de réagir.

Malachi pivota sur lui-même à l'instant précis où la bête émergea des arbres derrière nous et fit feu sans viser, car il n'avait pas le temps pour ça ; s'il n'avait pas tiré au moment où il l'a fait, nul doute que Malachi aurait succombé sous l'assaut de la créature, tout comme moi et la pauvre femme à l'abdomen entaillé. La balle frappa la bête droit au poitrail, à un point équidistant entre ses deux yeux sombres, en une blessure mortelle pour un humain, mais comme le docteur l'avait fait remarquer, les *Anthropophagi*, contrairement à leurs cousins humains n'avaient aucun organe vital entre les yeux. Le coup le ralentit à peine, et Malachi n'avait pas le temps de réarmer. Il en avait pleinement conscience ; il ne prit même pas la peine d'essayer, préférant retourner son fusil et en enfoncer la crosse dans la gueule ouverte de la bête, aussi fort qu'il le put. La réaction du monstre fut instantanée : il referma sa mâchoire sur l'arme, brisant le bois en un *crac* retentissant, la puissance de sa phénoménale morsure – plus de neuf cents kilos selon Kearns – arrachant le fusil des mains de Malachi. Du sang s'écoulait de la blessure du monstre, se répandant sur son torse et dans sa bouche, teintant ses dents de carmin. Bras tendus devant lui en un geste meurtrier, comme il l'avait vu faire par ses aînés – ses yeux roulant en arrière dans leurs orbites, les doigts

de ses massives griffes écartés, leurs pointes crochues éti-
rées au maximum pour impressionner l'adversaire –, il
se précipita sur Malachi.

Malachi trébucha en arrière… perdit l'équilibre…
tomba… en moins d'une demi-seconde, la bête allait être
sur lui. Mais je n'étais qu'à un mètre – au plus un mètre
et demi – de lui, et une balle voyage très vite en l'espace
d'une demi-seconde. Celle-ci pénétra le triceps du bras
puissant de la créature, qui envoya un coup sur la tête de
Malachi : par chance la pointe de ses griffes lui effleura
à peine la joue. Ce fut mon premier tir – et d'ailleurs le
dernier –, car la créature sans tête abandonna soudain
Malachi et reporta toute la force de sa colère sur moi,
avançant à quatre pattes dans les feuilles humides et la
boue telle une épouvantable araignée géante. Bien plus
vite que je ne pus m'en rendre compte, elle arracha le
revolver du docteur de ma main, noua son autre serre
autour de mon cou et attira ma tête à quelques centimètres de son abominable gueule. Malgré les années qui
se sont écoulées, je n'ai jamais oublié l'horrible puanteur
qui émanait de son gosier, ni ses dents ensanglantées, ou
la vue parfaite sur les profondeurs de sa gorge. D'ailleurs,
cette vue aurait pu se révéler bien plus précise si Malachi
ne s'était pas précipité sur le dos du monstre. Les paroles
du docteur résonnaient à mon esprit, et elles ont sauvé
nos deux vies.

*Si l'un d'eux te tombe dessus, vise ses yeux, c'est leur point
faible.*

Je saisis le couteau glissé dans ma ceinture et le plan-
tai jusqu'au manche dans l'un des yeux de la créature.
L'*Anthropophagus* se démena, ruant sur lui-même, ses

mouvements brusques faisant choir Malachi de son dos, m'arrachant presque le couteau de la main. Mais je tins bon, tournant la lame sur elle-même pour augmenter la blessure, avant de la retirer et de l'enfoncer dans l'autre œil. Aveuglée, le sang coulant comme d'une fontaine inondant son torse, la bête tomba à genoux, oscillant d'avant en arrière, tout en agitant ses bras avec frénésie, en une horrible parodie du jeu de colin-maillard.

Durant cette interminable nuit de l'autopsie de l'*Anthropophagus*, j'avais maudit mon sort, obligé que j'étais d'endurer le monologue sans fin du docteur, et d'assister à l'épouvantable dissection de sa « singulière curiosité ». Bien plus pétrifié et épuisé que les mots ne sauraient le dire, j'avais néanmoins prêté attention à ses actes et à ses remarques. *Quoi d'autre occupe tes pensées ?* m'avait-il demandé, sous-entendant qu'à part mon appétit, rien ne m'intéressait. Cependant, j'avais répondu avec honnêteté : j'observais, j'essayais de comprendre. Et comme ce jeune *Anthropophagus*, j'avais appris en observant mes aînés. De fait, voyez-vous, je savais exactement où se trouvait son cerveau.

Tenant le manche à deux mains, j'enfonçai le couteau de toutes mes forces dans le point juste au-dessus de ses parties génitales. Le coup fut efficace. Le monstre se raidit aussitôt, bras écartés, gueule ouverte, dos cambré en arrière, avant que la mort l'emporte.

Je tombai à mon tour, allongé à côté de la bête assassinée, agrippant le couteau ensanglanté contre mon ventre, tremblant d'effroi après ces abominables moments de terreur. Une main effleura mon épaule. D'instinct, je levai le couteau, mais bien sûr, ce n'était que Malachi.

Son visage était maculé de poussière ; sa joue gauche affichait trois traces rougeoyantes là où les griffes l'avait atteint.

— Tu es blessé, Will ?

Je secouai la tête.

— Non, mais lui, il l'est. Je l'ai tué, Malachi. J'ai tué cette abominable créature.

Il sourit, ses dents brillant au milieu de son visage sombre.

Kearns avait vu juste dans ses prévisions : tout fut terminé en moins de dix minutes. Les coups de feu au-dessus de nos têtes diminuèrent jusqu'à n'être plus que quelques tirs sporadiques. Le feu, qui avait consumé la plus grande partie du combustible et qui souffrait des assauts de la pluie, s'essoufflait, ne laissant derrière lui qu'un obscur rideau ondulant de fumée. À l'intérieur du cercle, on n'entendait plus rien que les grognements étouffés des bêtes mortellement blessées. Le docteur apparut le premier. Quand il vit le corps sans vie du jeune *Anthropophagus* à nos pieds, son visage s'éclaira à la fois de surprise et d'inquiétude.

— Que s'est-il passé ? demanda-t-il.

— Will Henry l'a tué, expliqua Malachi.

— Will Henry ! s'exclama le docteur.

Il me regarda d'un air émerveillé.

— Il m'a sauvé la vie, s'empressa d'ajouter Malachi.

— Pas seulement la tienne, affirma Warthrop.

Il s'agenouilla à côté de la femme, tâta son pouls, puis se releva.

— Elle a perdu connaissance – et une grande quantité de sang. Nous devons l'emmener immédiatement à l'hôpital.

Il s'éloigna pour organiser le transport de la victime. Malachi ramassa les morceaux brisés de son fusil, et se dirigea vers le Cercle de massacre, devant lequel Morgan et ses hommes s'étaient réunis. Je ne voyais pas Kearns. Quelques moments plus tard, le docteur, revint accompagné d'O'Brien. Ils portèrent la femme à l'arrière du fourgon tandis que je trottais à leurs côtés, plaquant la compresse contre son ventre.

— Que dois-je dire aux médecins ? s'enquit O'Brien.

— La vérité, répondit Warthrop. Que vous l'avez trouvée blessée dans les bois.

Nous rejoignîmes les autres qui se tenaient dans l'espace entre le bord de la plateforme et la tranchée qui se consumait. Tout le monde était silencieux. C'était comme si nous attendions tous quelque chose sans qu'aucun de nous puisse dire exactement quoi. Les hommes semblaient sous le choc ; ils avaient le souffle court, le visage livide. D'un signe du doigt, Warthrop m'ordonna de le suivre, puis sauta à travers l'écran de fumée sur le lieu du massacre. Là, nous vîmes Kearns qui avançait avec précaution dans un fouillis de membres et de torses sans tête de ses victimes, leurs cadavres fumant dans l'air chaud et humide.

— Will Henry, donne-moi le revolver !

Je le lui tendis. D'un coup de pied, il retourna l'une des créatures – une femelle costaude – sur son dos. Sous le coup, le corps de la créature tressaillit. Une griffe frappa faiblement la jambe de Kearns. Aussitôt, il plaqua le canon du revolver sur l'abdomen de la bête et appuya sur la détente. Il se dirigea ensuite vers un autre monstre, tapota son flanc du bout de sa botte, puis, juste pour être certain, lui logea également une balle dans le corps. Il pencha alors la tête vers le sol, prêtant l'oreille au moindre bruit afin de détecter si certains de ces monstres étaient encore en vie. Je n'entendais que le chuintement de la pluie. Kearns hocha la tête d'un air satisfait et rendit son arme au docteur.

— Compte-les, Warthrop. Toi aussi, Will. Nous comparerons nos résultats.

Je comptai vingt-huit corps touchés par les balles, lacérés d'éclats. Le docteur obtenait le même résultat.

— Moi aussi, déclara Kearns.

— Il y en a un autre, monsieur, dis-je. Sous la plateforme.

— Sous la plateforme ? demanda Kearns, étonné.

— Je l'ai tué.

— Toi ? Tu l'as tué ?

— Je lui ai tiré dessus, puis je l'ai poignardé aux yeux, et ensuite, au cerveau.

— Tu lui as poignardé le cerveau ! s'exclama Kearns avec un rire. Bien joué, monsieur l'assistant-apprenti-monstrologue. Très bien joué, même ! Warthrop, tu dois remettre à ce garçon la plus haute récompense de l'Académie pour son courage.

Soudain, son sourire s'évanouit et ses yeux s'assombrirent.

— Ce qui en fait donc vingt-neuf. Si l'on compte trois, peut-être quatre jeunes certainement bien cachés, ça nous donne un total de trente-deux ou trente-trois créatures.

— À peu près ce que nous avions estimé, dit Warthrop.

— Oui, sauf que…, commença Kearns, dans l'un de ses rares moments de gravité. Nous allons allumer une torche pour nous en assurer, mais je n'ai vu aucune femelle qui corresponde à sa description, Warthrop : la matriarche n'est pas là.

Quand il nous rejoignit au milieu des carcasses fumantes, le commissaire s'était ressaisi. Épuisé par les événements des deux jours précédents, il s'efforça néanmoins de réaffirmer son autorité. Aussi s'adressa-t-il à Kearns d'un ton ferme et déterminé.

— Monsieur, vous êtes en état d'arrestation.

— Pour quel motif ? demanda Kearns cillant avec coquetterie.

— Pour meurtre !

— Cette femme est vivante, Robert, fit remarquer Warthrop. Tout du moins l'était-elle quand elle est partie d'ici.

— Tentative d'assassinat ! Kidnapping ! Mise en danger de la vie d'autrui ! Et… et…

— Chasse aux monstres sans tête en dehors de la période légale ? suggéra Kearns.

Morgan se tourna vers le docteur.

— Warthrop, je m'en remets à votre jugement sur le sujet. Je compte sur votre opinion d'expert !

— Eh bien, ces monstres sont morts, n'est-ce pas ? argua Kearns.

— Gardez vos précieuses remarques pour le procès, monsieur Kearns !

— Docteur, corrigea Kearns.

— Docteur Kearns.

— Cory.

— Kearns, Cory, je m'en moque ! Pellinore, étiez-vous au courant de ses intentions ? Saviez-vous ce qui se trouvait dans cette caisse ?

— À ta place, je ne répondrais pas, Warthrop, affirma Kearns. Je connais un excellent avocat à Washington. Je te donnerai son nom, si tu veux.

— Non, dit le docteur à Morgan. Je n'en savais rien, mais je le soupçonnais.

— Je ne suis pas plus responsable de leur régime alimentaire que de leur présence ici, dit Kearns d'un ton détaché. Mais je comprends, commissaire. Voici donc les remerciements que j'obtiens. Vous êtes un homme de loi, et moi, un homme de...

Il laissa sa phrase en suspens.

— Vous m'avez engagé pour un travail, poursuivit-il, et vous m'avez fait certaines promesses subordonnées à mon exécution de ce même travail. Tout ce que je vous demande, c'est de me permettre de terminer ma mission avant de renier notre contrat.

— Nous n'avons aucun contrat ! rugit Morgan, avant de s'interrompre, prenant soudain conscience des dernières paroles de Kearns.

— Que voulez-vous dire par « terminer votre mission » ?

— Il y a de fortes possibilités que tous n'aient pas été exterminés, lâcha Warthrop avec précaution. J'ai bien peur qu'il n'y en ait d'autres.

— D'autres ? Mais combien ? Et où ?

Morgan tourna la tête de toutes parts, comme s'il s'attendait à voir un autre troupeau d'*Anthropophagi* surgir de l'obscurité pour nous bondir dessus.

— Ça, nous ne le saurons que lorsque nous nous serons rendus sur place, répondit Kearns.

— Sur place ? Où cela ?

— Comme vous le savez, chef, on est toujours mieux chez soi. Il en va de même pour eux.

Kearns refusa de donner d'autres détails. Au lieu de cela, il appela les hommes, ces vigoureux volontaires qui avaient parfaitement obéi à ses ordres, les remercia pour leur comportement courageux en ces circonstances exceptionnelles, les compara carrément aux troupes de Wellington durant la bataille de Waterloo, puis leur ordonna d'empiler les corps. Malachi et moi prêtâmes main-forte à la macabre corvée, traînant le corps du jeune *Anthropophagus* étendu sous la plateforme pour le jeter dans le bûcher funéraire. Ensuite, le tas sépulcral fut arrosé d'un demi-tonneau de combustible réservé pour cette occasion.

Avant de gratter l'allumette, Kearns déclara « *Requiescat in pace* », puis la lança au beau milieu du tas. Des flammes embrasèrent le ciel couleur d'encre, et bientôt une pestilentielle odeur de chair grillée emplit nos narines, une puanteur qui, hélas, ne m'était que trop familière. Mes yeux commencèrent à couler, non pas tant à cause de la fumée et de l'odeur, mais d'un souvenir encore plus vivace en ce moment qu'à aucun autre.

Une main se posa sur mon épaule. Celle de Malachi. Je vis les flammes se refléter dans ses grands yeux bleus. Une larme roula sur sa joue. Le feu dégageait une chaleur presque bienvenue, mais son angoisse était aussi froide que les tombes qui nous entouraient.

Pauvre Malachi ! À quoi pouvait-il penser en regardant brûler les cadavres de ces abominables monstres si ce n'est à sa famille, à Michael et à son père, à sa mère berçant son bébé dans ses bras brisés, à sa chère sœur Elizabeth qui avait cru voir en lui un sauveur, mais avait finalement succombé à la mort. Était-il soulagé ? À ses yeux, justice venait-elle d'être faite ? *Moi aussi je suis mort... à l'intérieur, il n'y a plus rien,* m'avait-il dit. Éprouvait-il toujours les mêmes sentiments ? Ce bûcher de membres emmêlés et de torses calcinés apportait-il un quelconque apaisement à son esprit ?

J'éprouvai envers lui une vive empathie, tant nos souffrances étaient similaires. Malachi et moi étions les résidents du royaume où toutes les routes mènent à ce singulier néant du chagrin insondable, de l'incommensurable culpabilité. Nous étions familiers de ces cieux vides, de ce paysage aride dans lequel n'existe aucune oasis pour étancher notre soif de revanche. Quel élixir magique aurait le pouvoir de soulager notre agonie ? Une année s'était écoulée depuis que j'avais perdu mes parents, depuis cette horrible nuit où notre maison avait entièrement brûlé, jusqu'à ses fondations. Néanmoins, le souvenir, sans cesse mêlé à l'angoisse et à la rage, régnait dans le désert de mon âme comme si ces terribles événements avaient eu lieu la veille. En vérité, presque quatre-vingts ans plus tard, les corps calcinés et tordus de mes parents se consument toujours dans les ruines de notre foyer. J'entends leurs cris aussi clairement que j'entends ma plume crisser sur cette feuille de papier, ou le bruissement du ventilateur sur mon bureau, ou le chant du colin derrière ma fenêtre. Je revois mon père dans les derniers moments de sa vie avec la même clarté que je vois ce calendrier sur le mur, égrenant les jours qui se succèdent, ou les rayons de soleil chatoyer sur la pelouse où volettent les libellules et dansent les papillons.

Durant une semaine, pris d'une forte fièvre qui allait et venait comme la marée, mon père était resté allongé dans son lit. À un moment, il brûlait de fièvre ; l'instant suivant, il claquait des dents et frissonnait de froid, malgré les piles de couvertures dont je ne cessais de le recouvrir. Il était incapable de garder quoi que ce soit dans son estomac, et, le troisième jour, des points d'un rouge brillant, de la taille d'une pièce de cinquante cents, commencèrent à apparaître sur son corps. Ignorant ses propos qui se voulaient rassurants (« inutile de t'inquiéter, ce n'est qu'un peu de fièvre, c'est tout »), ma mère avait fait venir notre médecin de famille qui avait diagnostiqué un zona et prédit que mon père se remettrait bientôt. Ma mère n'en était pas convaincue. Mon père était rentré à la maison depuis peu après avoir accompagné le Dr Warthrop dans l'une de ses expéditions en pays inconnu, et elle redoutait qu'il ait attrapé une maladie tropicale rare.

Mon père commença à perdre ses cheveux par poignées. Même sa barbe et ses cils se mirent à tomber comme les feuilles d'automne après les premières gelées. Alarmée, ma mère m'envoya chercher le Dr Warthrop. À cette période, les boutons s'étaient transformés en gros furoncles rouges au centre d'un blanc laiteux, qui le faisaient souffrir. Même le plus léger effleurement de sa chemise de nuit envoyait mon père au paroxysme de l'agonie. À cause de cela, il était obligé de rester parfaitement immobile sous ses couvertures, prisonnier de la douleur. Il ne parvenait pas à manger. Ni à dormir. Quand Warthrop vint à son chevet, mon père était tombé dans une sorte de délire crépusculaire. Il semblait d'ailleurs ne pas reconnaître le docteur, et fut incapable de répondre à ses questions.

Le docteur examina ses plaies purulentes et lui préleva un échantillon de sang. Il darda une lampe dans ses yeux pour en scruter les pupilles, vérifia sa gorge, avant de récupérer plusieurs de ses cheveux, certains tombés sur l'oreiller, et un ou deux autres prélevés directement sur son crâne de plus en plus dégarni. Il nous posa des questions sur la progression de la maladie et nous interrogea sur notre propre santé. Il prit notre température, examina nos yeux, comme il l'avait fait avec mon père, et préleva aussi des échantillons de notre sang.

— Vous savez de quoi il souffre, affirma ma mère.

— Il pourrait s'agir d'un zona.

— Mais ce n'est pas le cas, insista-t-elle. Vous le savez bien. Je vous en prie, docteur Warthrop, dites-moi ce qui ne va pas chez mon mari.

— Je ne peux pas, Mary, car je n'en sais rien. Je vais devoir effectuer quelques tests.

— Vivra-t-il ?

— Je pense que oui. Et peut-être même très longtemps, ajouta-t-il d'un air énigmatique. Pour l'instant, essayez de lui appliquer des compresses chaudes, aussi chaudes qu'il peut les supporter. Si son état change, que cela soit en bien ou en mal, envoyez-moi aussitôt votre garçon. Je reviendrai le voir.

Le traitement prescrit apporta un répit temporaire à la douleur de mon père. Ma mère plongeait des bandes de lin dans une casserole d'eau bouillante, les en retirait avec des pinces, puis plaçait le tissu brûlant sur les blessures de mon père. Hélas, à peine commençaient-elles à refroidir que la douleur resurgissait, accompagnée désormais par des démangeaisons infernales.

C'était une tâche fastidieuse, épuisante, pour ma mère qui ne cessait d'aller et venir de la cuisinière au lit, heure après heure, à longueur de journée, puis de nuit, ce travail m'incombant ensuite lorsque, ne tenant plus debout, elle s'affalait sur mon lit pour quelques minutes de sommeil sporadique. Ma propre anxiété, extrêmement vive au premier stade de la maladie s'était transformée en une douleur tenace, une inquiétude sous-jacente qui ne me quittait pas malgré l'épuisement et la peur. Devant un parent malade, un enfant n'a que peu de défenses. Comme la terre sous nos pieds et le soleil au-dessus de nos têtes, les parents sont pour nous des présences immuables et éternelles. Si l'un d'entre eux disparaît, qui pourrait affirmer que le soleil lui-même ne risque pas de tomber, brûlant de tous ses feux, dans la mer ?

Le pire arriva durant l'une des pauses nocturnes de ma mère, au beau milieu de la nuit, après qu'elle se fut retirée dans ma chambre pour profiter de quelques minutes de sommeil. J'étais sorti pour prendre une bûche dans notre tas de bois afin d'alimenter la cuisinière, et je venais de rentrer dans la cuisine quand je découvris mon père hors de son lit pour la première fois depuis des jours. Il avait perdu une bonne dizaine de kilos depuis le début de sa maladie et, dans sa chemise de nuit trop large, il ressemblait à un spectre avec ses jambes grêles et sa peau si pâle qu'elle en était diaphane. Chancelant, il se tenait près de la cuisinière, l'air terriblement confus. Il sursauta lorsque je prononçai doucement son nom, tourna son visage squelettique dans ma direction et murmura : « Ça brûle. Ça brûle ! » Il étendit l'un de ses bras vers moi, et dit : « Regarde ! Ils ne me laisseront pas en paix ! » Puis, alors que je l'observais horrifié, il fit glisser son ongle sur l'un des furoncles agglomérés sur son avant-bras, et, d'un geste net, en trancha le petit centre blanc. Aussitôt, une masse grouillante de vers translucides et filiformes émergea de la blessure, chacun à peine plus gros qu'un cheveu. « J'en ai même sur la langue, gémit-il. Quand je parle, les pustules éclatent et je les avale. » Mon père se mit à pleurer, ses larmes mouchetées de sang et débordantes de vers.

Terrifié, révulsé, je demeurai figé sur place. J'étais incapable de comprendre sa souffrance et impuissant à l'alléger. J'ignorais à l'époque quel genre de créatures avaient envahi son corps et l'attaquaient à présent de l'intérieur. Je n'étais pas encore sous le tutorat du docteur et n'avais jamais entendu prononcer le mot de « monstrologie ». Bien sûr, je savais ce qu'étaient les monstres – quel enfant ne le savait pas ? –, mais, comme tous les enfants, quand je songeais à eux, j'imaginais des bêtes horribles, d'allure bizarre, caractérisées par un trait particulier : leur taille énorme. Je sais à présent que les monstres sont de toutes tailles et de toutes sortes, et que seul leur appétit pour la chair humaine les définit.

« Tue-les », murmura ensuite mon père. Ce n'était pas un ordre qui m'était directement adressé, mais une conclusion à laquelle il était arrivé dans son esprit enfié-vré. « Tue-les. »

Avant que je puisse réagir, il ouvrit en grand la porte du four et, de sa main nue, fouilla dans l'antre brûlant, en retira un morceau de bois fumant dont il pressa l'extrémité cuisante sur la blessure qu'il venait de s'infliger au bras.

Il cambra alors la tête en arrière et poussa un cri étrange, c'était une folie plus forte que la douleur qui guidait sa main. Les flammes léchèrent la manche de sa chemise de nuit, le tissu s'embrasa, et en l'éclair de quelques secondes mon père fut englouti par le feu. Sa chair brûlante s'ouvrit, comme des failles s'écartent après un tremblement de terre. De curieuses fentes exsangues se dessinaient de furoncle à furoncle, et de ces fissures surgissaient les créatures qui l'infestaient. Elles tombaient en cascade de ses yeux imbibés de larmes ; dégoulinaient de son nez, s'écoulaient de ses oreilles, dégorgeaient de sa bouche ouverte. Il chuta alors en arrière contre l'évier, et le feu se propagea aux rideaux.

Je hurlai pour appeler ma mère alors que la fumée et la puanteur de chair brûlée emplissaient la petite pièce. Elle se précipita dans la cuisine, portant l'une de mes couvertures entre ses bras, couverture qu'elle réussit à lancer sur mon père qui se tortillait, tout en me criant d'un ton hystérique de fuir. Les flammes s'attaquaient maintenant aux murs et caressaient les poutres du pla-fond. La fumée était lourde, opaque. J'ouvris en grand la porte derrière moi pour l'évacuer, mais, au lieu de cela, l'air qui s'engouffra dans la pièce fit redoubler l'inten-sité des flammes. À travers l'épais écran de fumée et la suie qui tourbillonnait dans l'air, je vis mon père se jeter sur ma mère ; ce fut la dernière vision que j'eus de mes parents encore vivants, enlacés l'un à l'autre, ma mère essayant en vain de s'extirper de son étreinte tandis que le feu les enveloppait de la sienne.

Ce soir, debout devant la pile grouillante des *Anthropophagi* immolés, à quelques minutes seulement de la tombe de mes parents, je frissonnai au souvenir de cette nuit fatale. *Que s'est-il passé ?* m'avait demandé Malachi. *J'ai fui,* avais-je répondu.

J'avais dit vrai : j'avais fui et, depuis, je fuyais toujours. Je fuyais l'âcre odeur de la chair calcinée de mes parents, et la puanteur des cheveux de ma mère en train de brûler. Je fuyais les poutres qui tombaient autour de moi, et le rugissement bestial des flammes qui dévoraient tout sur leur passage.

Fuir, fuir, toujours fuir. Fuir encore, fuir cette terrible journée même quatre-vingts ans plus tard, fuir toujours.

Vous avez sûrement entendu dire que le temps guérit toutes les blessures, mais je n'ai trouvé aucun secours, aucune aide dans son inexorable marche, aucun soulagement au lourd fardeau de ma perte. Tandis que le feu brûlait de plus belle, ma mère m'appela. Prisonnière de ses cuisantes mâchoires, victime d'un monstre aussi vorace que les *Anthropophagi,* elle cria mon nom : *Will ! Will ! Will, où es-tu ?*

Ce soir, je lui réponds : je suis ici, mère. Me voici, vieil homme dont le temps, dans sa miséricorde, a anéanti le corps, mais dont, dans sa cruauté, il a laissé la mémoire intacte.

Je me suis sauvé, je suis prisonnier.

J'ai fui, je suis toujours là-bas.

# DOUZE
La mangeoire du diable

Aux hommes épuisés rassemblés autour de lui, les carcasses calcinées en toile de fond et la pluie tambourinant dans un subtil bruit de timbales, le monstrologue adressa ces quelques mots avant la traque finale :

— Notre tâche n'est pas encore terminée. L'une d'entre eux a disparu, emmenant les membres de sa progéniture les plus vulnérables. Elle les défendra jusqu'à son dernier souffle avec une férocité dépassant de loin celle que vous avez pu voir ce soir. Elle est leur mère, l'Ève de leur clan, et leur chef sans égal, la plus féroce et rusée des tueuses de toute sa tribu de tueurs féroces et rusés. Elle a gagné sa suprématie grâce à la force de ses instincts infaillibles et de son indomptable volonté. Elle est leur cœur, leur guide. Elle est la matriarche, et elle nous attend.

— Eh bien, qu'elle attende ! lança le commissaire. Nous l'enfermerons jusqu'à ce qu'elle meure de faim. Nul besoin de partir à sa recherche.

Warthrop fit non de la tête.

— Leur antre doit avoir des dizaines d'ouvertures cachées. Il serait impossible de les trouver toutes. Si nous en ratons une, nos efforts auront été vains.

— Nous organiserons des patrouilles nuit et jour, insista Morgan. Tôt ou tard, elle devra sortir, et à ce moment-là…

— Elle tuera de nouveau, conclut Warthrop à sa place. Voilà ce qui va se passer, Robert. Êtes-vous prêt à l'accepter ? L'heure est venue de la traquer, pendant qu'elle est vulnérable et que son seul but est de protéger ses petits. Nous n'aurons plus d'aussi belle occasion que ce soir avant qu'elle estime pouvoir s'aventurer à la surface sans danger, et peut-être transférer ses petits dans un autre repaire. Si cela devait arriver, nous serions condamnés à recommencer le protocole maori.

— La traquer, dites-vous… très bien. Comment ? Et où ? Que proposez-vous pour la trouver ?

Comme la réponse de Warthrop se faisait attendre, Kearns profita de son hésitation :

— J'ignore ce que Pellinore proposerait, mais je suggère que nous passions par l'entrée principale.

Il se tourna vers le sommet du cimetière ; nous suivîmes son regard vers les hauteurs d'Old Hill Cemetery, où se dressait le mausolée de la famille Warthrop, ses colonnes d'albâtre brillant à la lumière du feu tels des os blanchis.

Dos courbé, yeux aux aguets, nous grimpâmes en haut de la colline d'un pas lourd, vers le lieu du repos éternel des aïeux du docteur. Les hommes de Morgan nous encadraient, deux surveillant les alentours, deux autres portant les torches, et les deux derniers nous servant de porteurs, chargés de l'un des coffres de Kearns. Malachi et moi avancions côte à côte, à quelques pas derrière Morgan et les deux docteurs, engagés dans un débat passionné où ils évoquaient aussi bien les restes calcinés des *Anthropophagi* que les marches du mausolée en marbre rutilant. Je ne comprenais pas tout ce qu'ils disaient, mais je soupçonnais le docteur d'avoir renouvelé ses arguments contre la théorie de Kearns. Une fois arrivé au portique, le Dr Warthrop ordonna aux hommes de Morgan de demeurer à l'extérieur ; à l'évidence, il considérait cette expédition comme stupide, et il était persuadé que nous ne resterions pas très longtemps à l'intérieur du tombeau.

Un couloir central séparait le bâtiment en deux sections. De chaque côté, les ancêtres du docteur reposaient sous de lourdes dalles, leurs noms gravés dans le marbre pour l'éternité.

L'arrière-arrière-grand-père du docteur, Thomas Warthrop avait construit ce mausolée familial pour qu'il puisse servir à une douzaine de générations : des compartiments vides aux façades d'un marbre blanc crémeux encore vierges – dans l'attente du nom d'un défunt – ornaient des sections entières.

Nous traversâmes la longueur de la sépulture, nos pas résonnant en écho, nous arrêtant un instant quand Warthrop se figea devant le caveau de son père qu'il fixa en silence, le visage dépourvu de toute expression. Du bout des doigts, Kearns effleura les murs lisses, ses yeux scrutant tantôt l'endroit de droite à gauche, tantôt contemplant le sol. Morgan tirait nerveusement sur sa pipe éteinte, ce bruit, comme nos pas, amplifié par les murs imposants du mausolée et de son plafond en voûte.

Sur notre chemin de retour vers l'entrée, Warthrop se tourna vers Kearns et déclara, incapable de cacher un sourire de satisfaction :

— Tu vois, tout est bien comme je te l'avais dit.

— C'est le choix le plus logique, Pellinore, répliqua Kearns. Peu de risques d'effraction, hors de vue de toute personne qui pourrait se trouver un peu plus bas à prier sur une tombe ou une autre, et une excuse parfaite si jamais quelqu'un le remarquait quand même. Choisi pour la même raison qui lui a fait préférer le cimetière comme enclos pour eux.

— Je suis venu plus d'une fois ici. Je l'aurais remarqué, insista Warthrop.

— Pardonne-moi, mais je doute qu'il ait accroché une pancarte au-dessus de la porte mentionnant : « Il y a des monstres ici ! », rétorqua Kearns avec un sourire.

Il s'arrêta soudain, le regard attiré par une petite plaque de cuivre, gravée aux armoiries de la famille Warthrop, rivée dans la pierre. Un grand *W* en argent décoré était attaché au bout.

— Qu'est-ce donc que cela ? s'interrogea-t-il.

— Les armoiries de ma famille, répondit Warthrop d'un ton sec.

Kearns tapota sa cheville droite, et marmonna :

— Où est mon couteau ?

— C'est moi qui l'ai, monsieur, dis-je.

— Exact ! Baptisé au sang d'anthropophage ; j'avais oublié ! Merci, Will.

Il glissa la pointe de la lame sous l'un des bords de la plaque et tira entre le métal et la pierre froide. Rien n'y fit. Il essaya alors le bord opposé. Warthrop s'enquit du but de la manœuvre, mais Kearns ne répondit pas. Sourcils froncés, se frottant la moustache, il fixait l'insigne.

— Je me demande…

Il me tendit le couteau, et agrippa le *W* en argent… qui se retourna au creux de sa main dans le sens contraire des aiguilles d'une montre avant de s'arrêter, complètement à l'envers. Kearns lâcha alors un rire.

— Et voilà ! Maintenant, c'est un M ! Alistair Warthrop, vous êtes vraiment diabolique. W pour M, et M pour… que diable pourrait bien signifier ce M, hmm ?

Il tira légèrement sur l'insigne et la plaque, articulée sur un côté, s'ouvrit vers l'extérieur, révélant un petit compartiment encastré. Enchâssé au fond se trouvait le cadran d'une pendule dont les aiguilles étaient toutes deux figées sur le douze.

— De plus en plus curieux, chuchota Kearns tandis que nous nous rassemblions derrière lui pour jeter un coup d'œil par-dessus son épaule. Grand Dieu ! Pourquoi mettre une pendule à cet endroit ? Je ne pense pas que les morts se soucient de l'heure.

— De quoi se soucient-ils, de toute façon ? ajouta Morgan dans un souffle rauque.

Kearns tendit le bras dans la niche et appuya sur l'aiguille des minutes. Il approcha son oreille et, d'un doigt, déplaça l'autre aiguille jusqu'à marquer un quart. Il poussa un grognement, puis se recula et sourit à Morgan.

— Effectivement, ils ne se soucient de rien, commissaire. Mais nous, nous devons trouver l'heure exacte. Cette pendule n'est qu'un leurre. C'est en fait un verrou.

— Pardon ?

Sans répondre, Kearns remit la grande aiguille sur le douze, plaqua sa main sur le marbre, écarta les jambes pour garder l'équilibre, et appuya de toutes ses forces sur la pierre.

— Tout cela est ridicule ! s'écria Warthrop, qui avait atteint les limites de sa patience. Nous perdons un temps précieux.

— Ce doit être un chiffre qui revêtait une signification particulière pour lui, interrompit Kearns. Pas une heure du jour. Une date, ou peut-être un verset de la Bible, un psaume ou quelque chose des Évangiles. (Il fit claquer ses doigts avec impatience.) Vite, messieurs, citez-moi des passages célèbres.

— Le psaume 23, proposa Malachi.

— Il n'y a pas assez de chiffres, argua Morgan.

— Il s'agit peut-être d'heure militaire, suggéra Kearns. Il plaça les aiguilles sur 8 : 23.

Avec l'aide de Malachi, qui semblait gagné par l'excitation de Kearns, il poussa la pierre, mais la lourde dalle refusa de bouger.

— Saint Jean, psaume 3, verset 16, proposa ensuite Malachi.

Toujours rien. Warthrop renifla d'un air moqueur.

— Pellinore ! En quelle année ton père était-il né ?

Pour toute réponse, le docteur eut un geste dédaigneux. Kearns se retourna vers la pendule, ses doigts caressant sa moustache.

— Peut-être l'année de naissance de Pellinore...

— Ou celle de sa femme, ou sa date d'anniversaire, ou toute combinaison de chiffres pour votre fausse pendule et vrai verrou, maugréa le commissaire. C'est sans espoir !

Derrière nous, Warthrop dit enfin :

— L'heure du crime.

Je remarquai l'expression de tristesse dans ses yeux, comme s'il reconnaissait enfin l'inacceptable, mais inévitable conclusion.

— L'heure du crime approche, continua-t-il. C'est ce que mon père avait noté dans son journal : l'heure du crime approche... l'heure vient, et les légionnaires romains se moquent du Christ.

— Minuit ? lança Kearns. Nous avons déjà essayé.

— L'heure du crime est en fait une heure plus tard, affirma Morgan. À une heure.

Kearns parut dubitatif. Néanmoins, après un haussement d'épaules, il essaya la nouvelle combinaison d'aiguilles. De nouveau, la dalle refusa de bouger, bien que, cette fois, nous nous soyons tous appuyés dessus.

— Répète-moi un peu cela, Pellinore, demanda Kearns. L'heure à laquelle les légionnaires romains se moquent du Christ ?

— Pendant son supplice, les soldats romains se sont moqués de lui, déclara Malachi.

— Mais à quelle heure était-ce ?

Malachi secoua la tête.

— La Bible ne le précise pas.

Warthrop resta songeur un moment, s'efforçant de résoudre l'énigme en faisant appel aux prodigieux pouvoirs de sa concentration.

— Pas par les soldats, dit-il enfin. Par les sorcières. L'heure des sorcières, c'est trois heures du matin, pour bafouer la Trinité, et l'heure de sa mort.

Il prit une profonde inspiration et hocha la tête d'un air décidé.

— Trois heures, Kearns. J'en suis certain.

Kearns plaça les aiguilles sur l'heure indiquée. Un petit tintement se fit entendre, et avant que Kearns ou l'un d'entre nous puisse tenter sa chance, Warthrop tendit le bras, et appuya contre la roche. En un grincement, la porte secrète coulissa en arrière, révélant une ouverture à travers laquelle deux hommes pouvaient marcher côte à côte. Aucune lumière, aucun son ne provenait de cette entrée obscure, rien d'autre qu'une odeur de pourrissement et de décomposition, à laquelle j'étais hélas bien trop habitué. Comme la tombe, ce qui se trouvait derrière cette belle porte de marbre était sombre, silencieux, et empestait la mort.

— Eh bien ! s'exclama Kearns d'un ton joyeux. Devons-nous tirer à la courte paille pour savoir qui entrera le premier ?

Malachi saisit la lampe de ma main.

— C'est moi qui irai, annonça-t-il d'un air grave. Je l'ai bien mérité.

Kearns lui prit la lampe.

— Non, c'est moi. Je suis payé pour cela.

À son tour, Warthrop s'empara de la lampe.

— Et moi, j'ai hérité de ce lieu. C'est à moi d'entrer le premier.

Il jeta un coup d'œil à Morgan, qui se méprit sur sa signification. Le commissaire posa alors une main qui se voulait rassurante sur mon épaule.

— Ne vous inquiétez pas, je veillerai sur Will Henry.

Avant que Malachi ou Kearns puisse protester, Warthrop s'engagea dans l'ouverture. La lueur de la lampe diminua, puis disparut complètement. Durant d'interminables minutes, nous attendîmes en silence, tendant l'oreille, curieux de n'importe quel son qui surgirait de cette obscurité glauque flottant derrière la porte secrète. Finalement, la lueur réapparut, découpant la mince silhouette du docteur et ses traits tirés. Je ne l'avais jamais vu aussi soucieux.

— Eh bien, Warthrop, qu'avez-vous découvert ? s'enquit Morgan.

— Des escaliers qui descendent le long d'une cage étroite au bout de laquelle se trouve une porte.

Il se tourna alors vers Kearns.

— Je me suis trompé, Jack. C'est toi qui avais raison.

— As-tu jamais été témoin d'une de mes erreurs, Pellinore ?

Le docteur ignora sa question.

— La porte est fermée à clé.

— C'est bon signe, affirma Kearns, mais c'est regrettable. Je suppose que ton père ne t'a pas légué cette clé.

— Mon père m'a légué beaucoup trop de choses, répliqua le docteur d'un air sombre.

Kearns demanda aux hommes d'apporter un de ses coffres dans la tombe. Il en sortit rapidement les fournitures nécessaires pour la chasse : un sac qui contenait une collection de sachets, environ deux douzaines en tout, leur forme et leur taille m'évoquant des sachets de thé ; une grosse bobine de corde robuste, et un paquet de longs tubes avec de courtes mèches émergeant d'une extrémité.

— De quoi s'agit-il, Cory ? s'enquit Morgan en désignant le paquet. De dynamite ?

— De la dynamite ! s'exclama Kearns en se frappant le front d'une main. Voilà à quoi j'aurais dû penser !

Il sortit trois sacs de toile du coffre et remplit chacun avec deux grenades, des balles et une poignée de ces petits sacs en papier. Puis il tapota le fourreau attaché à sa jambe et demanda à haute voix où se trouvait son couteau.

— Je l'ai, monsieur, répondis-je en le lui tendant.

— Comment se fait-il que mon couteau soit toujours entre tes mains, Will Henry ? lâcha-t-il d'un ton taquin.

De sa lame aiguisée, il coupa la corde qui maintenait les bâtons et les répartit en nombre égal dans chaque sac.

— Ce sont des fusées éclairantes longue durée, chef, expliqua-t-il. Une belle lumière pour une sombre besogne.

Il fit passer l'un des sacs sur son épaule, et en tendit un au docteur. Quant au dernier, il l'agita en direction du commissaire.

— Voilà pour vous, Bobby – à moins que vous préfériez déléguer cette mission à l'un de vos braves volontaires.

Malachi arracha le sac de la main de Kearns.

— C'est moi qui irai.

— Ton zèle est admirable, mon garçon, mais j'ai peur qu'il n'affecte ton jugement, lâcha Kearns.

— J'ai vu cette chose assassiner ma sœur, répliqua Malachi. Je viens avec vous !

— Très bien, mais si jamais ta soif de sang se met en travers de mon travail, je te flanquerai une balle dans la tête, répondit Kearns, un sourire aux lèvres.

Il se détourna de Malachi, ses yeux gris luisant gaiement à la lueur de la lampe.

— N'oubliez pas, messieurs, que cette bête a l'avantage sur nous. Elle est plus rapide, plus forte, et ce qui lui manque en intelligence, elle le compense par la ruse. Contrairement à nous, elle connaît les lieux, et elle est capable de se déplacer dans l'obscurité la plus profonde. Nous n'avons pas le choix, évidemment, mais notre lumière lui annoncera notre présence. Elle l'attirera à nous comme un papillon de nuit sur la flamme. Sa seule faiblesse, c'est son indéfectible instinct à protéger ses petits, une vulnérabilité qu'il faudra exploiter, si nous avons la chance de réussir à les séparer de leur mère. Quand ils sont menacés de l'extérieur, ces monstres séquestrent leur progéniture dans les coins les plus reculés de leur tanière souterraine. Voilà notre destination, messieurs : les boyaux de la Terre, même si nous risquons fort de ne jamais les atteindre ; elle nous harponnera peut-être à mi-chemin, à moins qu'elle nous attende là-bas. Hélas, les chances que nous ayons l'élément de surprise de notre côté sont quasiment nulles. Nous sommes les chasseurs, mais nous sommes aussi la proie.

Il se tourna alors vers le commissaire.

— Vous et vos hommes, vous resterez en surface : deux en patrouille dans le périmètre du cimetière, deux sur le terrain, et deux en observation ici. Elle se montrera peut-être à la surface, mais sincèrement, j'en doute. Ce n'est pas dans sa nature.

— Et si jamais c'était le cas ? demanda Morgan, ses yeux ronds de chouette cillant à toute allure derrière ses lunettes.

— Alors, je vous suggère de la tuer.

Il battit des mains, se réjouissant de notre stupéfaction à sa réplique.

— Que la chance soit avec nous ! Des questions ? Non ? Dans ce cas, allons-y ! Will Henry, sois gentil, prends cette corde.

— Je croyais que seulement trois d'entre vous descendaient, fit remarquer le commissaire en posant une main sur mon épaule.

— Ne vous inquiétez pas, pas plus loin que la porte, chef, déclara Kearns. Cela nous évitera de revenir ici pour chercher le matériel. Néanmoins, votre sollicitude est touchante.

De la pointe de sa botte, il poussa la corde vers Morgan.

— Tenez, portez-la si vous préférez.

Morgan fixa la corde à ses pieds comme s'il s'agissait d'un serpent à sonnette. Il lâcha mon épaule.

— Eh bien... je suppose que c'est parfait ainsi, tant que ce n'est que jusqu'à la porte.

— Touchant, répéta Kearns avec un léger rire moqueur.

Il se tourna vers le docteur tandis que je ramassais la corde.

— Pellinore, je t'en prie, après toi.

Nous suivîmes alors la lumière dansante du docteur, Kearns en premier, puis Malachi, et enfin moi, traînant des pieds, le dos courbé par le poids de la lourde corde pesant sur mon épaule. Un escalier – treize marches jusqu'à un petit palier – nous mit face à un mur. Après un tournant raide sur la droite, nous descendîmes de nouveau une douzaine de marches jusqu'à une chambre exiguë, de deux mètres de long sur deux mètres de large, dont les murs et le plafond avaient été renforcés par de larges planches de bois qui me faisaient penser au pont d'un navire. À nous quatre, nous emplissions cet espace qui rendait claustrophobe, nos lampes projetant nos ombres déformées sur les plinthes érodées.

— Vous disiez qu'il y avait une porte, chuchota Malachi au docteur. Où est-elle ?

— Tu te tiens dessus, répliqua Warthrop.

À l'unisson, nous baissâmes les yeux pour suivre son regard. Effectivement, une trappe se trouvait sous nos pieds, une charnière d'un côté, tandis que de l'autre un vieux cadenas attaché à un fermoir dans le sol la maintenait close.

— Il n'y a pas de clé ? demanda Malachi.

— Bien sûr que si, répondit Kearns. Mais nous ne l'avons pas.

— De fait, monsieur, intervins-je, je crois que je l'ai.

Tous les yeux se tournèrent alors vers moi, les plus étonnés étant ceux du Dr Warthrop. Avec le maelström d'événements qui s'étaient succédé depuis ma découverte de cette fameuse clé, je l'avais complètement oubliée. Les joues empourprées d'embarras, je plongeai la main dans ma poche et en sortis l'objet en question.

— Will Henry…, commença le docteur.

— Désolé, monsieur, bredouillai-je. J'allais vous en informer, mais vous étiez de mauvaise humeur quand je l'ai trouvée, alors j'ai décidé que je vous en parlerais plus tard et, ensuite, j'ai oublié… je suis désolé, monsieur.

Warthrop prit la clé, et la fixa avec étonnement.

— Où l'as-tu trouvée ?

— Dans la tête, monsieur.

— La tête de lit ?

— Non, monsieur. Dans la tête réduite.

Kearns saisit la clé des mains de Warthrop.

— Ah ! voilà que Will Henry nous sauve à nouveau, s'exclama-t-il. Voyons un peu si la chance nous sourit...

Il s'agenouilla à côté du vieux verrou et glissa la clé à l'intérieur. Le mécanisme grinça tandis qu'il le faisait tourner dans le sens contraire des aiguilles d'une montre. Le verrou s'ouvrit alors en un lourd *clac* !

— Tenez-vous prêts ! chuchota Kearns. Elle est peut-être là, juste de l'autre côté, même si j'en doute.

Il saisit la poignée de la trappe, et la souleva en un geste dramatique, tel un magicien ouvrant une malle pour en révéler son contenu auparavant invisible. Le couvercle s'écrasa sur le sol, l'un des coins manquant de me briser le tibia au passage. Du niveau supérieur nous parvinrent les cris angoissés du commissaire : « Qu'est-ce que c'était ? », puis le tapage de pas précipités qui descendaient l'escalier. Une vague nauséeuse de putréfaction monta du trou, envahissant l'espace clos, une puanteur d'une telle puissance que, poussant un cri étranglé, Malachi recula jusqu'au coin le plus éloigné. Une fois là, il se plia en deux, se tenant le ventre. Morgan et Brock apparurent au-dessus de nous dans l'escalier, serrant leurs revolvers de leurs mains tremblantes.

— Grand Dieu ! s'écria le commissaire, tapotant désespérément ses poches pour y chercher son mouchoir. Que diable est ceci ?

— La mangeoire du diable, justement, répondit Warthrop d'un air grave. Will Henry, passe-moi ta lampe.

Il s'agenouilla au bord du trou, face à Kearns, et abaissa la lampe de toute la longueur de son bras. En dessous de lui, l'obscurité semblait résister à la lumière, mais je remarquai néanmoins que la paroi était lisse et cylindrique, telle l'énorme bouche d'un canon. Cette glissière descendait sur environ trois mètres avant de se terminer de façon abrupte. Par contre, il m'était impossible de voir ce qui se trouvait en dessous.

— C'est intelligent, murmura Kearns d'un air appréciateur. Il suffit de jeter la victime dans le trou, et la gravité se charge du reste.

Kearns tira une fusée éclairante de son sac et l'alluma. Les ténèbres s'illuminèrent d'une brillante lumière bleuâtre. Kearns lança alors la fusée dans le trou. Elle glissa dans le tunnel, dégringola à l'air libre, à environ cinq mètres ou plus en dessous, avant d'atterrir au milieu d'un fouillis de macabres débris qui envahissaient le sol de la chambre souterraine. La curiosité morbide surpassa la violente répulsion que suscitait en nous la puanteur et nous nous regroupâmes tous autour du trou pour regarder au fond.

En dessous de nous se dressait un épouvantable panorama, immense tas d'os brisés, rendu visible, jusque dans ses recoins les plus reculés, par la lueur bleutée, gigantesque fatras de vestiges humains dont l'ampleur était impossible à mesurer : des milliers d'os empilés, jetés en vrac, petites phalanges et larges fémurs, côtes et hanches, sternums et colonnes vertébrales encore intacts, émergeant des décombres comme les doigts décharnés d'un géant. Et des crânes. Des crânes de toutes tailles, petits et grands, certains encore garnis de touffes de cheveux, d'autres aux bouches grandes ouvertes comme si la mâchoire s'était figée au beau milieu d'un cri. Les cœurs emplis à la fois de stupeur et de terreur face à cette monstrueuse horreur, nous fixions cet abominable spectacle, ce carnage que la folie humaine et la frénésie carnivore avaient provoqué.

— « Par moi l'on va dans la cité des pleurs... par moi l'on va dans l'éternelle douleur[1] ».

— Il doit y en avoir des centaines, marmonna Morgan qui, ayant enfin trouvé son fidèle mouchoir, s'en était couvert le bas du visage.

— Six à sept cents, je dirais, hasarda Kearns. Une moyenne de deux à trois par mois durant vingt ans, histoire de les garder en bonne santé et rassasiés. La chute devait briser les jambes des victimes, détruisant ainsi toute possibilité pour eux de s'échapper.

Il se redressa, fit passer son fusil sur une épaule, et le sac de toile sur l'autre.

— Eh bien, messieurs, le devoir nous appelle, n'est-ce pas ? Commissaire, si vous et M. Brock ici présent vouliez bien tenir la corde pour nous, je crois que nous sommes prêts. Sommes-nous prêts, Malachi ? Pellinore ? Moi, je le suis. Je frémis carrément d'impatience : rien ne m'échauffe plus le sang qu'une bonne chasse sanguinaire !

Son expression reflétait ses paroles. Ses yeux brillaient, tout comme ses joues.

— Une fois que nous serons en bas, chef, nous aurons besoin que vous fassiez descendre nos lampes – douce-

---

1. Dante, *L'Enfer*, traduction de Robert de Lamennais.

ment, nous ne voulons pas que leur flamme s'éteigne. Alors, qui descend en premier ? Très bien ! cria-t-il sans même attendre qu'un volontaire se désigne. J'irai donc ! Tenez bon, maintenant, cher commissaire, et vous aussi, monsieur Brock. J'ai envie de continuer à marcher debout, comme tout mammifère bipède. Pellinore, Malachi, je vous retrouve en enfer – je veux dire, là-dessous.

Il lança la corde dans le trou, balança ses jambes par-dessus bord et avança sur ses fesses jusqu'à se retrouver tout au bord de l'ouverture. Agrippant la corde à deux mains, il leva les yeux vers moi et, allez savoir pourquoi, me fit un clin d'œil avant d'entamer sa descente. Dans les jointures blanchies par l'effort des mains des deux hommes, la corde se tendit, se balançant au fur et à mesure que Kearns descendait, une main après l'autre, dans la chambre mortuaire. J'entendis le bruit écœurant de son atterrissage sur les décombres de squelettes, puis la corde se fit molle.

— Au suivant ! appela-t-il à voix basse.

La lueur bleue crépita puis cracha des étincelles, et nous vîmes l'ombre de Kearns tituber sur l'immense tas d'os.

Avant que le docteur puisse esquisser un geste, Malachi saisit la corde. Il planta ses yeux dans les miens et me lança :

— À bientôt, Will.

Puis il disparut de ma vue.

Maintenant, c'était au tour du docteur. J'avoue que les mots « Emmenez-moi avec vous, monsieur » me brûlaient les lèvres, mais je m'abstins de les prononcer. Il aurait refusé – ou pire, accepté. Aurait-ce été pire ? Nos destins n'étaient-ils pas inextricablement liés ? N'étaient-ils pas mêlés depuis cette nuit fatale où mon père et ma mère étaient morts, enlacés dans l'étreinte dévorante de ce terrible feu ? *Tu m'es indispensable,* avait-il dit un peu plus tôt. Non pas « tes services », comme il l'avait toujours précisé depuis que j'étais venu vivre chez lui, mais « tu ».

Semblant lire dans mon esprit, il m'ordonna :

— Attends-moi ici, Will Henry. Ne va nulle part avant mon retour.

J'obéis. Des larmes picotaient mes yeux.

— Oui, monsieur. Je vous attends ici, monsieur.

À son tour, il disparut alors de ma vue, pour tomber droit dans la mangeoire du diable.

Nous fîmes ensuite descendre leurs lampes, et notre veille, anxieuse, commença. Je restai près de la trappe ouverte, observant la flamme danser jusqu'à ce qu'elle s'évanouisse, fixant la faible lueur jaune de leurs lampes avant qu'elle soit absorbée par l'obscurité. Brock était assis sur la dernière marche et se curait consciencieusement les ongles avec son canif. Morgan tirait bruyamment sur sa pipe vide et ne cessait d'ôter puis de remettre son pince-nez, en frottant nerveusement les verres de son mouchoir avant de le replacer sur son nez et de plaquer le mouchoir sur sa bouche.

Après plusieurs minutes de ce pénible rituel – *pouf, pouf, frotte, frotte* –, il posa le regard sur moi et me chuchota :

— Ils auront des comptes à rendre, Will Henry, je te le promets. Oh, que oui ! Les coupables répondront de leurs crimes. J'en fais le serment.

— Le docteur n'a rien fait de mal, répliquai-je.

— Permets-moi de ne pas être d'accord avec toi, mon garçon. Il savait, mais il n'a rien fait. Et son inaction a conduit au meurtre, purement et simplement. Il peut toujours prétendre avoir voulu se montrer prudent, t'assurer qu'il suivait les préceptes de sa soi-disant science, mais il n'y avait rien de scientifique ou d'intellectuel dans tout cela ! C'était une question de vie ou de mort, et nous savons tous deux quel choix il a fait ! Tout comme nous savons aussi pourquoi il a tenté de garder cette abomination secrète. Tout cela pour protéger le nom de Warthrop, en une loyauté inutile envers un homme qui était à l'évidence devenu fou.

— Je ne pense pas, monsieur, dis-je aussi poliment que je le pus. À mon avis, il ne croyait pas son père responsable avant que nous trouvions la porte secrète.

— Humpf ! grogna le commissaire. Même si cela est vrai, ça ne l'exonère pas pour autant, William Henry. Ta loyauté est admirable, mais hélas tragiquement déplacée. Je sais bien que, ayant tant perdu, tu dois à présent redouter de le perdre, lui aussi, mais je veillerai personnellement que l'on te trouve un foyer décent, quelle que soit la façon dont cette terrible affaire sera résolue. Tu as ma parole : je n'aurai de repos que lorsque tu seras placé dans un environnement convenable.

— Je ne veux pas être placé, monsieur. Je veux rester avec lui.

— Même s'il survit à cette nuit, tu ne pourras pas le suivre là où il ira.

— Vous allez l'arrêter ?

J'étais consterné.

— Oui, ainsi que cet abominable Cory, ou Kearns, ou quel que soit son nom. Je ne crois pas avoir jamais rencontré homme plus détestable. Il ferait mieux de prier pour que cette pauvre femme survive à l'atroce supplice qu'il lui a infligé. À dire vrai, je suis sûr qu'il s'est fort diverti à jouer ainsi avec elle. Je crois que la voir souffrir lui a carrément plu. Eh bien, cela me donnera le plus grand plaisir, *à moi*, de le voir se tenir sous la potence. Qu'il s'amuse donc à raconter ses plaisanteries impies, qu'il rie à ses terribles propos blasphématoires quand il aura le nœud coulant autour du cou ! Je serais ravi d'assister à la *moralité* de ce moment-là !

— C'était une erreur, insistai-je, revenant au sujet du docteur. (Peu m'importait ce qui risquait d'arriver à John Kearns.) Vous ne pouvez pas l'arrêter pour avoir commis une erreur, plaidai-je.

— Oh, que si, mon garçon !

— Mais le docteur est votre ami !

— Mon premier devoir est envers la loi, William Henry. Et à dire vrai, même si je le connais depuis toujours, je ne le connais que peu. Toi qui as passé une année entière sous son toit, en tant que seul et constant compagnon, peux-tu dire avec conviction que tu le connais ou que tu comprends les démons qui motivent son comportement ?

Il avait raison, évidemment, comme je l'ai déjà confessé : je ne connaissais pas mieux le docteur qu'il n'avait connu son propre père. Peut-être est-ce là notre destin tragique, notre malédiction humaine de ne jamais nous connaître les uns les autres. Non, je ne le connaissais pas, pas plus que je ne l'aimais, pourtant j'avoue que pas une journée ne s'est écoulée sans que je pense à lui ou à nos nombreuses aventures ensemble. Pas une nuit sans que je revoie son mince et beau visage, que j'entende le lointain écho de sa voix préservé par l'acoustique parfaite de ma mémoire, mais cela ne prouve rien. Pas plus hier qu'aujourd'hui – ou même jamais –, j'insiste là-dessus, non, jamais je n'ai aimé le monstrologue.

— Quelqu'un nous appelle, dit soudain Brock d'un ton laconique contrastant avec le balancement frénétique de la corde qui nous signalait qu'à l'autre extrémité quelqu'un tirait dessus.

Je regardai à travers l'ouverture et vis le docteur juste en dessous, sa lampe levée au-dessus de lui.

— Will Henry ! cria-t-il. Où est Will Henry ?

— Ici, monsieur !

— Nous avons besoin de toi. Descends tout de suite, Will Henry !

— Descendre ? répéta le commissaire. Que voulez-vous dire par « descendre » ?

— Qu'il vienne ici, Robert. Faites-le descendre vers nous immédiatement. Du nerf, Will Henry !

— Si vous avez besoin d'une autre paire de bras, Brock peut venir, glapit Morgan à travers le trou.

L'air interloqué, Brock leva alors les yeux de sa manucure.

— Non ! répondit Warthrop. Ce doit être Will Henry.

Il tira sur la corde avec impatience.

— Dépêchez-vous, Robert !

Durant un moment, Morgan mâchouilla sa pipe d'un air indécis.

— Je ne te forcerai pas, chuchota-t-il.

Je secouai la tête, à la fois soulagé et inquiet.

— Je dois y aller. Le docteur a besoin de moi.

Je tendis la main vers la corde. Morgan m'agrippa le poignet.

— D'accord, va les rejoindre, mais pas de cette façon, Will Henry.

Il saisit la corde et l'enroula deux fois autour de ma taille. La glissière était assez étroite pour que je plaque mon dos d'un côté et mes pieds de l'autre, et je songeai soudain au Père Noël descendant la cheminée. Alors, d'un seul coup, je me retrouvai suspendu dans le vide tournant lentement au bout de la corde oscillante. À mi-chemin, je levai les yeux et je vis le visage du commissaire dans le contour ovale de l'ouverture. La lueur de la lampe éclairait son pince-nez, lui dessinant des yeux parfaitement ronds et trop larges pour son visage, le faisant plus que jamais ressembler à une chouette.

Puis mes orteils effleurèrent le sol de la salle inférieure, et j'entendis un bruit écœurant lorsque j'atterris au milieu des os. Au niveau du sol, l'odeur de la mort était extrêmement puissante. Aussitôt, mes yeux s'emplirent de larmes et c'est à travers un voile humide que j'observai le docteur me détacher.

— Morgan ! appela-t-il à voix basse. Nous allons avoir besoin de pelles.

Loin au-dessus de nous, le visage du commissaire était noyé dans l'obscurité.

— De pelles ? Combien ?

— Nous sommes quatre, alors... quatre, Robert. Quatre.

Warthrop me prit par le coude pour me faire avancer.

— Attention où tu mets les pieds, Will Henry.

La salle était plus petite que je l'avais cru, elle ne devait mesurer qu'environ quarante ou cinquante mètres de circonférence. Ses murs, comme ceux de l'étage au-dessus avaient été renforcés avec de grosses planches de bois. Déformées par l'humidité, elles affichaient de nombreuses entailles et égratignures. Les restes humains tapissaient le sol en une épaisse couche d'une hauteur de cinquante centimètres en certains endroits, tels des débris rejetés sur une rive par une tempête. Contrairement aux présomptions de Kearns, toutes les victimes ne s'étaient pas brisé les jambes dans leur chute. Certaines avaient dû être encore capables de se déplacer et avaient titubé vers ces murs en un frénétique désir d'évasion. Je pouvais les imaginer, ces pauvres âmes désespérées, créatures condamnées éraflant et griffant le bois jusqu'à l'instant où le souffle surgissait de l'obscurité – et que les abominables mâchoires écrasaient leur crâne avec la force d'un fourgon de deux tonnes.

Je tentais d'éviter de marcher sur eux – ils avaient autrefois été comme moi –, mais c'était impossible, tant il y en avait. Le sol était souple, cédant sous mes pas malgré mon poids plume et, à certains endroits, de l'eau s'étalait sous mes semelles – de l'eau et une boue d'un noir rougeâtre. Ici, où ne brillait aucun soleil et ne soufflait aucune brise, les fluides humains avaient imprégné le sol dont ils étaient restés prisonniers. Je marchais littéralement dans une mare de sang.

Nous nous arrêtâmes à l'autre extrémité de la pièce. Là, Kearns et Malachi nous attendaient devant l'ouverture du tunnel, seul autre accès visible à la fosse mis à part la trappe. Néanmoins, il n'y avait aucune porte à cette ouverture : la gueule du tunnel béait sur deux mètres de hauteur et environ un mètre quatre-vingts de largeur.

— Ah ! voici notre éclaireur, dit Kearns en me souriant, sa lampe dessinant des ombres dures sur ses traits délicats.

— L'accès au tunnel s'est effondré, Will Henry, m'informa le docteur.

— Ou quelqu'un s'en est chargé, suggéra Kearns. À mon avis, à la dynamite.

— Suis-moi, Will Henry !

Environ vingt mètres plus loin, nous fûmes confrontés à un amalgame de terre et de morceaux de poutres brisées, mélange de poussière, de pierres et d'étais massifs qui maintenaient autrefois le plafond. Le docteur s'accroupit à la base de ce tas de décombres et attira mon attention vers une petite ouverture dans les gravats, soutenue par l'une des barres de traverse tombée à terre.

— C'est trop étroit pour que l'un d'entre nous puisse s'y faufiler, fit-il remarquer. Mais il semble aller assez loin. Qu'en penses-tu, Will Henry ? Il nous faut connaître l'épaisseur de ce mur afin de savoir si nous pouvons creuser notre chemin par là, ou si nous devons attaquer le problème d'une autre façon.

— À la dynamite ! s'exclama Kearns. Je savais que j'aurais dû en apporter.

— Alors ? me demanda le docteur. Es-tu partant ?

Évidemment, je n'allais pas refuser.

— Oui, monsieur.

— Brave garçon ! Tiens, prends la lampe. Et mon revolver, aussi. Non, glisse-le dans ta ceinture, comme ça ; j'ai mis le cran de sûreté. Sois prudent, à présent,

Will Henry. Et ne va pas trop vite non plus. Reviens au moindre signe annonciateur de problème. Il doit y avoir plusieurs tonnes de terre au-dessus de toi.

— Et si jamais tu réussis à atteindre l'autre côté, il nous serait fort utile que tu jettes un coup d'œil, ajouta Kearns.

— Un coup d'œil, monsieur ?

— Oui, pour reconnaître les lieux. Et, bien sûr, vérifier la position de l'ennemi, si c'est possible.

Le docteur secoua la tête.

— Non, Kearns. Ça, c'est trop dangereux.

— Parce que ramper dans un tunnel avec des tonnes de roche au-dessus de sa tête ne l'est pas !

— Tu sais que je ne te le demanderais pas si nous avions un autre choix, Will Henry, me dit le docteur.

— J'ai un autre choix, insista Kearns. La dynamite.

Warthrop ferma les yeux un instant.

— S'il te plaît, Kearns... boucle-la. Pour une fois, bou-cle-la, je t'en prie !

Il me tapota l'épaule en un geste rassurant, quasi paternel.

— Du nerf, à présent, Will Henry. Mais lentement. Lentement.

Tenant la lampe devant moi, je me faufilai dans la crevasse. Presque aussitôt, le tunnel diminuait en largeur. Mon dos frottait contre la partie supérieure, faisant tomber des débris entre mes épaules voûtées, tandis que j'avançais, centimètre par centimètre, ma lampe ne m'offrant qu'une aide minime en ces lieux si étroits. À la difficulté de mon excursion le long de cette pente s'ajoutait le danger représenté par de grosses échardes, aussi longues que mon bras, et toutes les pierres qui gênaient ma progression. Le boyau se rétrécissait encore et, bientôt, je fus obligé de m'allonger à plat ventre. Je n'étais pas loin d'éprouver une réelle claustrophobie. Impossible de savoir sur quelle distance j'avais avancé ; serré de tous les côtés, j'étais carrément incapable de tourner la tête pour regarder derrière moi. Le temps s'écoulait aussi lentement que j'avançais et, soudain, l'air se fit plus froid. Ma propre respiration me glaçait la tête ; bientôt, je ne sentis même plus le bout de mon nez. À présent, mon dos frottait continuellement contre la partie supérieure du boyau, et je m'inquiétai alors de me retrouver complètement coincé dans ce terrible passage. Et si, par malheur, cela devait arriver, combien de temps devrais-je rester bloqué ici comme un bouchon de liège dans le goulot d'une bouteille, jusqu'à ce qu'ils puissent m'extraire de là ?

Mes difficultés étaient accrues par le dénivelé de la pente, qui, de plus, n'avançait pas en ligne droite, mais en zigzag, et, à l'occasion, remontait, m'obligeant à me propulser en avant avec mes pieds.

Soudain, le tunnel s'arrêta. Je posai une joue à terre, essayant de contenir mon souffle rauque, m'efforçant de ne pas céder à la panique.

Il semblait bel et bien que j'étais arrivé au bout du passage. Impossible d'aller plus loin. À quelques dizaines de centimètres devant moi se dressait un mur de roche. Je n'étais peut-être qu'à quelques centimètres de l'autre côté, ou à plusieurs mètres ; il n'y avait aucun moyen de le savoir.

À moins que ? Je me tortillai comme je pus et fis passer mon bras gauche devant moi, afin de gratter avec précaution la terre du bout des ongles. Si je battais en retraite maintenant, il me faudrait reculer, ce qui serait encore plus difficile qu'avancer, mais je redoutais par-dessus tout de retrouver les autres sans avoir la réponse que le docteur attendait. Je voulais l'impressionner ; lui confirmer que je lui étais indispensable. Soudain, fut-ce à cause de mes mouvements, de mes frottements contre la terre ou par mon propre poids sur une parcelle particulièrement instable, le sol s'écroula sous moi, et je tombai dans un maelström de terre et de pierres, perdant ma lampe dans ma chute, roulant jambes par-dessus tête avant de m'arrêter enfin sur mon postérieur.

Par chance, la lampe survécut à la chute ; renversée sur un côté, elle était à moins d'un mètre de moi. Je l'attrapai, et la tins aussi haut que je le pus, mais je ne discernai aucune ouverture. L'éboulement affichait une apparence désespérément uniforme – j'étais incapable de savoir d'où j'étais arrivé.

J'arpentai la longueur du mur en scrutant anxieusement ses parois terreuses. Hélas, aucun indice ne me permettait de déterminer ma position. Je me retrouvai donc prisonnier sans savoir exactement où.

Durant un moment, je faillis m'évanouir de désarroi. Mes compagnons étaient loin de l'autre côté de cet obstacle infranchissable. Je n'avais aucun moyen de signaler ma position, et leur secours pourrait prendre des heures, si jamais il était en leur pouvoir de me secourir, car je me tenais à présent entre ce mur menaçant et ce qui se trouvait à côté – et je savais *pertinemment* ce qui se trouvait *près de moi.*

*Doucement, maintenant, Will !* m'admonestai-je. *Douce-ment ! Qu'est-ce que le docteur t'a dit ? Réfléchis ! Tu ne peux pas revenir en arrière. Même si tu retrouvais le passage par lequel tu es tombé, tu as atterri beaucoup plus bas. Comment feras-tu pour remonter ? Tu n'as pas le choix ; tu dois attendre qu'ils viennent te sauver.*

Je me figeai soudain. N'avais-je pas entendu quelque chose se faufiler derrière moi ? Qu'est-ce que c'était ? Le bruit d'un grattement ? un sifflement ? un soufflement ? Je me retournai illico, la lampe oscillant dans ma main tremblante, tandis que, de l'autre, je cherchai le revolver du docteur. Une ombre bondit sur ma gauche. Aussitôt, je tournai mon arme dans sa direction, crispant d'instinct mes doigts sur la détente, grimaçant dans l'attente de la détonation qui ne vint pas : j'avais oublié de retirer le cran de sûreté. Là, ajoutant à mon dépit, je réalisai soudain que cette ombre était la mienne, projetée par la lampe lorsque je m'étais retourné.

Je poussai un lourd soupir de soulagement et ôtai le cran de sûreté. Pour me calmer, je me remémorai mon triomphe sous la plateforme – comment j'avais éliminé le jeune *Anthropophagus* quasiment à mains nues – et, d'un pas lent, j'avançai, scrutant l'obscurité.

Je me trouvais dans une caverne de taille similaire à la fosse qui servait à alimenter les monstres. Quelques os – des petits morceaux de côtes brisées, une dent, et d'autres fragments impossibles à identifier – traînaient sur le sol, mais en une quantité bien moins impressionnante que dans la première salle. Le sol était aussi dur que du ciment, tassé par le piétinement de leurs énormes pattes depuis une bonne vingtaine d'années. Éparpillés à travers cette caverne se dressaient de gigantesques monticules en forme de nids – j'en comptai dix-sept en tout –, d'environ deux mètres cinquante de diamètre, qui scintillaient de teintes multicolores comme s'ils étaient incrustés de pierres précieuses. En les examinant de plus près, je découvris la raison de leur curieuse apparence : ces nids étaient tressés de lambeaux de vêtements, de chemisiers, chemises, pantalons, chaussettes, jupes, sous-vêtements. Les étranges points lumineux étaient produits par le reflet de ma lampe sur des verres de montre, des bagues en diamant, des alliances, des colliers, des boucles d'oreilles et des bracelets – pour faire court, sur ce genre d'atours, dont nous, humains, aimons nous parer. Comme les Indiens des hautes plaines avec leurs bisons, les *Anthropophagi* ne perdaient rien : ils avaient construit leurs nids avec les parures de leurs victimes. Je les imaginais utiliser les morceaux d'os répandus sur le sol pour retirer les lambeaux de chair de leurs dents après leurs repas.

Derrière moi, un sifflement aigu brisa soudain le silence. Cerné par l'obscurité, je pointai aussitôt mon arme, mais aucune créature ne surgit de l'ombre, aucune bête ne se leva de son nid pour me dominer de sa terrifiante hauteur. Tous les sens en alerte, je retins mon souffle. Bien que je ne remarquasse aucun mouvement, j'identifiai enfin la provenance de cette respiration sifflante. La comparaison était peut-être absurde en ces circonstances, mais j'avais l'impression d'entendre un petit enfant ronfler.

Je suivis le bruit, faisant glisser mes pieds à plat sur le sol de crainte de trébucher sur une pierre et d'alerter la créature, quelle qu'elle soit, de ma présence. Le souffle me conduisit jusqu'à l'extrémité la plus éloignée de l'antre, où un nid géant trônait contre la paroi. Avec lenteur, je levai ma lampe pour regarder par-dessus le bord.

Dans le lit en forme de bol était allongé un jeune mâle *Anthropophagus* de taille étonnamment petite – tout du moins pour moi. Il ne devait pas mesurer plus de dix centimètres de plus que moi, mais me rendait bien vingt kilos. Alors qu'il était plongé dans un sommeil agité, ses yeux immenses logés dans ses épaules n'étaient pas fermés – ces créatures n'ont pas de paupières –, mais une sorte de film laiteux, humide et luisant recouvrait ses globes oculaires. Sa large gueule était ouverte, révélant ses dents triangulaires, les plus petites, qui lui servaient à mordre, et peuplaient l'avant de sa bouche en rangs serrés, juste devant celles qui servaient à trancher et à déchiqueter.

Le jeune *Anthropophagus* s'agitait dans son sommeil. Rêvait-il ? Quel genre d'abominables rêves pouvait hanter les nuits de ces créatures ? À le regarder, je songeais que ses mouvements étaient peut-être dus à la douleur et non à un rêve, car il lui manquait un avant-bras. La chair autour de son coude droit était boursouflée par l'infection. D'une façon ou d'une autre, il avait été grièvement blessé. Je me rappelai soudain les curieux rituels de leur espèce, cette façon qu'avaient ces bêtes de plonger le bras dans la bouche les unes des autres pour se nettoyer les dents. Était-ce ainsi qu'il avait perdu son bras ? Un faux mouvement dans la gueule d'un compagnon plus âgé, et la mâchoire de ce dernier qui se referme, brisant son bras en deux avant de l'avaler tout rond ?

Un pus jaunâtre suintait de la blessure. À l'évidence, cette créature souffrait, mais ne dormait pas vraiment. Plus vraisemblablement était-elle plongée dans un état de semi-conscience, délirant. Sa peau normalement pâle luisait de fièvre et de sueur. Elle était en train de mourir.

*Cela explique tout,* songeai-je, en le contemplant avec une fascination morbide. *Voilà pourquoi elle l'a abandonné. Il ne serait qu'un fardeau pour elle.*

J'avoue que j'éprouvais alors des sentiments mêlés. J'avais été témoin de la sauvagerie de ces monstres, j'avais vu de quoi ils étaient capables, et j'avais même failli perdre la vie à cause de leur rage destructrice. Et pourtant... et pourtant. La souffrance est toujours la souffrance, peu importe quels organismes la subissent, et celui-ci souffrait énormément, c'était flagrant. Une part de moi était révulsée. Une autre éprouvait une profonde pitié pour son état critique – une bien plus petite part, certes, mais une part de moi quand même.

Je ne pouvais pas le laisser ainsi ; impossible de l'abandonner dans cet état. Évidemment, il était imprudent de ma part d'agir, de quelque façon que ce soit, car s'il se réveillait et commençait à crier, cela ramènerait à coup sûr sa mère jusqu'ici et m'entraînerait vraisemblablement vers une mort certaine. J'ignorais où elle avait emmené ses autres petits, si elle se cachait dans une antichambre secrète à quelques mètres de là ou si elle s'était retirée dans les repaires les plus profonds de leur terrier. Néanmoins, mon empathie, aussi étrange soit-elle, me poussait à mettre un terme à l'agonie de la créature.

Je me penchai donc en avant, mon ventre effleurant le bord de l'immense nid, et pointai le revolver du docteur sur son aine, juste en dessous de sa lèvre couverte de bave. Ce ne fut que bien plus tard que je réalisai que le bruit du coup de feu aurait dépassé de loin les cris et les gémissements que l'*Anthropophagus* mourant aurait pu proférer. *Pas assez près,* pensai-je. Je voulais que cela soit rapide, aussi approchai-je le canon de mon arme de son ventre rosâtre. J'armai mon revolver, et ce fut ce petit « clic », un bruit pourtant infime, qui le réveilla.

Il réagit alors à une vitesse folle, plus rapide que les battements des ailes d'une mouche, ne me laissant pas le temps d'appuyer sur la détente. Délirant de fièvre et de peur, grognant, crachant, il s'élança hors de son nid, et, du bras gauche, m'arracha l'arme des mains. La bête bondit sur moi. La lampe vola en l'air avant de s'écraser au sol et de s'embraser. Bras et jambes emmêlés, nous tombâmes à terre. Sa gueule attrapa un pan de ma veste et la déchira en morceaux. Sa serre gauche me griffa le visage tandis que, agrippé à son poignet, je tentai, de ma main libre, de le repousser de toutes mes forces en le frappant aux yeux, ces yeux qui brûlaient de fièvre, et dans lesquels, à la lueur du feu, je voyais se refléter mon propre visage, contorsionné de peur. Notre curieuse danse nous projeta contre le mur sur lequel je pris appui pour flanquer un coup de pied au monstre et le frapper aussi fort que possible dans les parties génitales. Mon coup ne servit hélas qu'à le rendre encore plus fou de rage, et, deuxième fois hélas, parut même le revigorer : il commença à me frapper la tête de son moignon. Je roulai sur le côté pour esquiver ses coups furieux et tombai à la renverse dans le vide.

Notre combat nous avait projetés à l'entrée d'un tunnel étroit, dans lequel je chutai alors, entraînant le monstre avec moi. Roulant sur nous-mêmes, comme deux acrobates de cirque, bras et jambes toujours emmêlés, nous tombâmes durant ce qui sembla être une éternité avant de nous arrêter au bout de ce long passage, dans un monticule de gravats et de terre molle.

Surpris par l'impact, je desserrai ma prise sur son poignet durant un instant, et cet instant fut tout ce dont le monstre eut besoin : il captura mon avant-bras dans son énorme gueule et referma ses puissantes mâchoires dessus. La douleur fut si violente que je poussai un hurlement, le frappant à l'aveuglette de ma main libre, jusqu'à ce que j'agrippe son membre blessé, le porte à ma bouche et morde aussi fort que possible la blessure purulente. Un pus épais emplit ma bouche et me coula dans la gorge ; aussitôt, mon estomac se révulsa – d'ici peu, je vomirais sûrement sur son cadavre –, cependant, mon stratagème fonctionna. Sa gueule s'entrouvrit, il lâcha mon bras et s'écarta de moi, hurlant son martyre. Ignorant ma propre souffrance, je tâtonnai au sol. Bientôt, mes doigts (que je voyais à peine dans cette obscurité) rencontrèrent une pierre de la taille d'un melon. Je m'en saisis aussitôt, la levai haut au-dessus de ma tête et en frappai la bête qui était encore en train de se tordre de douleur. Je frappai, frappai et frappai de plus belle sa chair tendre, ses griffes puissantes, je frappai tout ce qui bougeait, mes cris et mes sanglots dépassant bien vite les siens en intensité. Du sang et des lambeaux de chair volaient dans toutes les directions, atterrissaient sur mes yeux, dans ma bouche, imbibaient ma chemise, mon pantalon. Soudain, ses cris moururent, son corps s'affaissa, néanmoins, je continuai de le frapper, encore et encore et encore, jusqu'à ce que je n'aie plus aucune énergie et que la pierre me tombe des mains. Haletant, je m'écroulai alors sur son corps sans vie. Mes sanglots hystériques semblaient à la fois lourds et faibles dans les confins de cet étroit espace. Après avoir repris quelque peu le contrôle de moi-même, je me levai, puis, étourdi, je tombai contre la paroi clôturant le tunnel, et agrippai mon bras gauche dont les brûlants élancements me faisaient tourner la tête.

Je crachai plusieurs fois, essayant de me débarrasser de l'horrible acidité qui emplissait ma bouche, et dont le souvenir était encore plus puissant que le goût. Mon estomac se révulsa. La paume de ma main droite était maculée de sang. Avec prudence, j'explorai la morsure du bout de mes doigts, et comptai sept entailles en tout, trois d'un côté, quatre de l'autre. Le docteur m'avait expliqué que l'odorat des *Anthropophagi* était fort développé. Ma première tâche fut donc de limiter le saignement. Je me débarrassai de ma veste, retirai ma chemise et l'enroulai plusieurs fois autour de mon bras. Puis, doucement, gauchement, même, comme un enfant qui apprend à s'habiller, je remis ma veste.

*Jusqu'ici tout va bien*, songeai-je, en tentant de reprendre mes esprits : *Will Henry 2*, Anthropophagi *O, et tout ça en une seule nuit. Maintenant, tu dois remonter à la surface, et essayer de revenir sur tes pas pour rejoindre les autres. Courage, Will Henry, courage ! Tu peux rester ici et saigner à mort, ou te ressaisir et retrouver ton chemin. Alors, que choisis-tu, Will Henry ?*

Je rampai en avant jusqu'à ce que ma main touche le corps de ma victime. Je la dépassai rapidement, puis me remis sur mes pieds et commençai à monter, mon bras gauche plaqué contre mon estomac, le droit tendu devant moi pour tâter le mur. J'avançai d'un pas aussi léger que possible, respirant par petites bouffées, m'efforçant de progresser lentement, m'arrêtant de temps à autre pour tendre l'oreille dans l'obscurité, à l'écoute de n'importe quel bruit qui pourrait traduire la présence d'un *Anthropophagus*. J'ignorais jusqu'où j'étais tombé dans ce tunnel ; à croire que cela m'avait pris aussi longtemps que la chute de Lucifer. Le temps s'écoule différemment quand l'un de vos sens vous fait défaut, et tout est décuplé par les autres : chaque respiration résonne comme un coup de tonnerre, chaque pas comme un coup de canon. Je sentais son sang et le mien. Mon bras me faisait horriblement souffrir. Le goût de son infection me brûlait la langue.

Je progressais péniblement, en avant, toujours en avant, espérant remonter vers la surface, pourtant je redoutais d'être loin de mon but. À un certain moment, ma main droite glissa dans un espace ouvert, un autre tunnel, ou peut-être une fissure naturelle. Dans notre combat, étions-nous tombés dans une ramification secondaire de l'artère principale ? Me trouvais-je encore plus loin de ma route que je ne le pensais, avançant à l'aveuglette dans l'obscurité, perdu à jamais ?

Désespéré, je fis une pause et m'adossai à la paroi fraîche et humide. J'aurais normalement dû retrouver mon point de départ. Combien de temps s'était-il écoulé ? Depuis *combien de temps* marchais-je, et vers quoi ? Le repaire de la matriarche ? Cette pensée me paralysa soudain. *Cela pourrait très bien être le cas, Will,* songeai-je alors, *mais tu remontes une pente, cela devrait donc t'amener, en toute logique, vers la sortie, et non vers elle.* Peut-être que ce tunnel me guidait effectivement vers l'extérieur. Pleuvait-il encore ? Oh, que ne donnerais-je pas pour sentir la pluie sur mon visage ! Pour inspirer un peu de ce doux air printanier ! Ce désir était presque aussi insupportable que la douleur.

Je persévérai donc envers et contre tout dans ce labyrinthe obscur, me raccrochant de toutes mes forces à la logique – remonter signifiait sortir enfin d'ici – et au souvenir de la pluie, du soleil, d'une douce brise et de toutes ces choses rassurantes. Ces images semblaient néanmoins appartenir à une époque différente, à une ère depuis longtemps révolue, et même à une personne différente ; c'était comme si je m'étais échappé avec les souvenirs d'un autre garçon dans un autre endroit et à une autre époque, un garçon qui n'était pas perdu, ne luttait pas contre une panique infinie et une peur terrible.

Car une chose était maintenant certaine : le sol était plat. Je ne me dirigeais plus vers le haut. J'avais dû prendre un mauvais tournant.

Je m'arrêtai et m'appuyai contre le mur. Je berçai un instant mon bras blessé qui m'élançait toujours. Mis à part ma respiration lourde, je n'entendais aucun bruit. Il n'y avait aucune lumière. Mon instinct m'incitait à crier pour appeler à l'aide, à hurler aussi fort que possible. J'ignorais combien de temps s'était écoulé depuis que j'étais tombé dans la tanière de l'*Anthropophagus*, mais à coup sûr le docteur et les autres avaient dû dépasser la barricade, à l'heure actuelle. Ils devaient bien se trouver quelque part, qui sait, peut-être pas très loin, voire au prochain tournant (s'il y avait un prochain tournant), leurs lampes juste hors de portée de ma vue. Ce serait trop risqué – et même carrément idiot – d'annoncer ma présence, car *elle* pouvait aussi bien se trouver au prochain tournant. Ou bien la chance était-elle en ma faveur ? Kearns était persuadé que la bête avait emmené ses petits dans la partie la plus reculée de leur tanière, et il était évident que, jusqu'à présent, j'étais monté, et non descendu. Donc, *a priori*, il y avait de fortes chances que je sois plus près de mes compagnons que d'*elle*. Et que le véritable risque soit de demeurer silencieux, à tâtonner ainsi dans l'obscurité durant des heures jusqu'à ce que la déshydratation et la fatigue me submergent, si je ne me vidais pas de mon sang avant cela.

Le débat faisait rage en moi : devais-je crier à l'aide ou garder le silence ? Les secondes s'étiraient en minutes, et chaque minute augmentait mon indécision. Ne sachant que faire, j'étais comme paralysé.

Mon courage m'abandonna. Comme vous le savez, je n'étais qu'un jeune garçon ; un garçon qui, certes, avait déjà vécu des situations désespérées, qui avait vu des choses qui auraient fait frémir n'importe quel adulte, mais rien qu'un garçonnet, encore un enfant. Je me laissai glisser le long du mur et posai mon front sur mes genoux. Je fermai alors les yeux et priai. Mon père n'avait jamais été très enclin à la religion ; il avait confié mon éducation religieuse aux bons soins de ma mère. Elle priait chaque soir avec moi, et m'emmenait chaque dimanche à l'église pour instiller un peu de piété en moi, j'avais néanmoins hérité de l'indifférence paternelle à la religion et je n'avais jamais été très convaincu par tous les aspects de la dévotion. Pour moi, une prière n'était qu'une suite de mots ressassés par habitude. De plus, quand j'étais allé vivre chez le docteur, personne n'avait plus exigé de moi que je prie chaque soir ou que j'aille à l'église, et je ne m'en étais pas plaint.

Mais, en cet instant, je priai. Je priai du plus profond de mon âme, jusqu'à ne plus avoir de mots.

Et tandis que, les yeux clos, j'étais plongé dans cette prière, oscillant sur mes talons au rythme de mon esprit tourmenté, une voix s'éleva de l'obscurité. Ce n'était pas, comme je le crus tout d'abord dans ma détresse, la voix de celui que nous prions tous. Non. Elle en était bien loin !

— Eh bien, eh bien ! Qu'avons-nous ici ?

Je relevai la tête et me protégeai les yeux de la lumière qu'il tenait à la main. Aussi forte qu'un millier de soleils, elle m'aveuglait. Il me prit par le coude et m'aida à me redresser.

— On dirait que j'ai retrouvé notre brebis égarée, chuchota Kearns.


J'avais en fait succombé au désespoir à seulement quelques dizaines de mètres de la sortie, dans un tunnel qui, comme m'en informa Kearns, ne se trouvait qu'à une courte distance du repaire de l'*Anthropophagus*.

— Tu as de la chance, monsieur l'apprenti-monstrologue, lâcha-t-il avec son entrain habituel. J'ai failli te tirer dessus.

— Où sont les autres ?

— Il y a deux grandes artères qui conduisent à leur refuge ; Malachi et Warthrop en ont pris une, et moi l'autre, la même que toi, visiblement. Mais qu'est-il donc arrivé à ton bras ?

Je lui relatai mes aventures, depuis ma chute précipitée au cœur de leur tanière. Kearns exprima son admiration pour mon courage dans la mise à mort du jeune *Anthropophagus* blessé. Il sembla même surpris par mon calme en un tel moment.

— Magnifique ! Absolument magnifique ! C'est un sacré bon travail, Will. Pellinore va être ravi. Quand il a vu que tu ne revenais pas, il a commencé à s'agiter. À dire vrai, il était carrément hors de lui. Je n'ai jamais vu un homme manier une pelle aussi vite. S'il avait creusé dans une autre direction, il aurait atteint la Chine en moins d'une heure. Bon, laisse-moi regarder ton bras.

Il dénoua le bandage que je m'étais confectionné avec ma chemise. Imbibés de sang, les derniers pans du tissu collaient à mon bras. Quand il les retira, je ne pus m'empêcher de grimacer. Il fit passer ma chemise ensanglantée sur mon épaule, puis déclara :

— Mieux vaut laisser cette blessure respirer un moment, Will. Autant ne pas risquer une infection.

Une main posée au creux de mes reins, il me poussa vers l'entrée du tunnel qui menait dehors.

— Regarde par terre, dit-il.

À la lueur de sa lampe, une sorte de poudre illuminait le sol.

— Qu'est-ce que c'est ?

— Des grains, Will Henry, pour signaler le chemin jusqu'au retour !

C'était le contenu des sachets de papier qu'il avait glissés dans son sac, une poudre phosphorescente qui brillait comme de minuscules flambeaux à la lueur de sa lampe.

— Tu en trouveras à peu près tous les cinq mètres, m'informa-t-il. Suis ce passage. Ne reviens pas sur tes pas, sauf si tu te perds. Dans ce cas, fais marche arrière jusqu'à ce que tu retombes sur cette poudre. Tiens, prends ma lampe.

Mon cœur se mit à palpiter un peu plus fort.

— Vous ne venez pas avec moi ?

— J'ai des monstres à traquer, tu te rappelles ?

— Mais vous aurez besoin de la lampe.

— Ne t'inquiète pas pour moi. Au besoin, j'ai les fusées éclairantes. Oh, au fait, je crois que tu as fait tomber ceci.

Il me plaqua le revolver du docteur dans la main.

— Abstiens-toi de faire feu tant que leurs yeux ne seront pas à ta portée. À peu près sept cents pas en tout, Will.

— Sept cents pas, monsieur ?

— Peut-être un peu plus pour toi. Tes jambes ne sont pas aussi grandes que les miennes. À environ quatre cents pas, tu tournes à droite dans le tunnel principal. Ne rate pas ce virage – c'est très important ! Le chemin a tendance à descendre pendant un moment, mais n'aie pas peur. Il recommencera à grimper peu après. Quand tu seras là-haut, dis au commissaire qu'il me manque terriblement. Ce petit nez en trompette. Ce sourire attachant. Si nous ne sommes pas revenus dans deux heures, demande-lui de descendre avec ses hommes. Apparemment, ces bêtes ont creusé bien loin, nous aurons peut-être besoin d'aide. Bonne chance à toi, jeune monstrologue. Bonne chance, et que Dieu te garde !

À ces mots, il tourna les talons et disparut comme un fantôme, le bruit de ses pas s'évanouissant bien vite. Il ne semblait nullement gêné d'avancer sans lampe. Bien au contraire, il donnait même l'impression de s'en réjouir : John Kearns était un homme à l'aise dans les ténèbres.

À quelle vitesse le désespoir peut se transformer en joie ! J'avais enfin retrouvé le moral, mon cœur était bien plus léger ; déjà je sentais le doux parfum de la liberté m'envahir, je goûtais sa délicieuse saveur. Dans ce moment extatique qui suivit la réponse à ma prière, j'oubliais de compter mes pas, ne m'en souvenant que trop tard. Néanmoins, cela ne me semblait guère important. Le chemin était bien indiqué par la poudre scintillante.

J'atteignis le virage marqué par Kearns, ce tunnel qui me ramènerait au nid abandonné de l'*Anthropophagus* et, de là, à « l'attachant sourire » de Morgan. Interloqué, je m'arrêtai soudain, car deux chemins étaient signalés par la poudre : l'un au croisement, et l'autre, juste devant, qui prenait la même direction que celle que je suivais depuis ma rencontre avec Kearns. *Bien,* songeai-je, *il a dû tourner d'abord à droite, puis continuer un peu, revenir sur ses pas, trouver le chemin bloqué, à moins qu'il n'ait entendu les cris de désespoir du « jeune monstrologue ».* Ses instructions étaient très claires. *Ne rate pas le virage, c'est très important !* Je haussai les épaules puis m'engageai dans l'ouverture. S'il y avait sept cents pas en tout, et que le premier passage en comptait quatre cents, alors ce dernier devait en faire trois cents. Je me mis donc à compter.

Le tunnel se rétrécissait, le plafond s'abaissait ; à plusieurs reprises, je fus forcé de baisser la tête, ou de me plier en deux, ma lampe raclant le sol. Le passage était tortueux ; il ne cessait de tourner et de tourner encore, puis, comme Kearns me l'avait annoncé, il descendait. La pente était d'ailleurs glissante.

À environ cent pas, j'entendis soudain du bruit derrière moi – ou du moins pensai-je que c'était derrière. Dans ces lieux confinés, il était difficile de savoir. Je m'arrêtai et retins mon souffle. Rien. C'était sûrement un peu de terre ou quelques cailloux tombés après mon passage. Je repris mon avancée et mon décompte.

Soixante-dix pas plus tard, le même bruit retentit. Il venait bien de derrière moi et, à mon avis, c'était une portion du tunnel qui s'écroulait. Je tendis l'oreille, mais tout ce que je percevais c'était le léger sifflement de la lampe. Je vérifiai le cran de sûreté de mon revolver. À cause des épreuves de la nuit, j'avais les nerfs à fleur de peau. Mon imagination commençait à s'enflammer : je voyais déjà des monstres dépourvus de tête surgir de l'obscurité. J'étais déconcerté : soit j'étais suivi, soit je ne l'étais pas. Si je l'étais, affronter mon adversaire en un lieu si étroit – le tunnel ne devait pas mesurer plus d'un mètre vingt de largeur en cet endroit – serait une folie. Si je ne l'étais pas, inutile de perdre du temps à cause d'une peur irraisonnée. *En avant !*

Quoi qu'il en soit, une question me taraudait : comment Kearns avait-il pu se faufiler dans ce passage ? Un adulte aurait été obligé de ramper et, dans ce cas, comment aurait-il pu calculer ses pas, alors que marcher était impossible ? Et même sans tenir compte d'un adulte humain – comment un monstre de plus de deux mètres aurait-il pu progresser sans devoir ramper comme un serpent sur son ventre incrusté de dents ? Tandis que les parois se resserraient autour de moi, la peur et le doute s'insinuèrent dans mon esprit. Je n'étais certainement pas sur l'artère principale qui ramenait au refuge de l'*Anthropophagus*. J'avais dû mal comprendre Kearns, ou prendre un mauvais virage… néanmoins, le chemin était marqué, il l'était *toujours*, même si l'espace entre les grains scintillants faisait désormais plus de cinq mètres. De plus, contrairement à ce que Kearns avait promis, le tunnel ne remontait pas, mais continuait à descendre. Le sol n'était plus tassé, mais spongieux. Il était saturé d'humidité et s'aventurait vers les profondeurs. J'avançai avec une lenteur désespérante. Ma lampe n'illuminait rien d'autre que les murs et le plafond suitants dans lesquels même les racines des plus gros arbres n'auraient pu pénétrer.

Je la sentis alors, cette odeur nauséabonde, comme celle de fruits pourris, faible d'abord, puis de plus en plus forte au fur et à mesure de ma progression, une puanteur extrême qui me brûlait le nez et provoquait une vague acide au fond de ma gorge. Je l'avais déjà humée, au cimetière, la nuit où Erasmus Gray était mort ; elle poissait mes vêtements depuis mon combat avec le jeune *Anthropophagus* que j'avais dérangé dans son sommeil. C'était l'odeur de la bête. C'était *leur* odeur.

J'avoue ne pas avoir saisi sur le moment la signification de tout cela, la portée de ces éléments disparates qui me semblent tellement évidents maintenant : les deux chemins marqués, l'un droit et large, l'autre étroit et tortueux ; le tunnel qui descendait toujours plus bas ; le bruit de *quelque chose* derrière moi ; la mise à nu de mes blessures pour les « laisser respirer un peu ». Une telle perfidie va au-delà de la compréhension pour la plupart des hommes, et plus encore pour un enfant naïvement confiant. Non, en cet instant, je n'éprouvais aucun soupçon. Tandis que j'avançais à genoux, une main tendue devant moi tenant la lampe, l'autre, tremblante, serrant le revolver, j'étais surtout confus et effrayé. La pente était raide, le sol glissant. Si je revenais sur mes pas, il me faudrait ramper avec lenteur, ou risquer que mon pied dérape, me faisant glisser plus bas. Alors, devais-je retourner sur mes pas ? ou ignorer la puanteur (oh, cette horrible odeur, si prégnante ? Peut-être la terre l'avait-elle absorbée comme une éponge) et la petite voix intérieure qui me chuchotait : *Fais marche arrière ! Reviens sur tes pas !* Devais-je persévérer ?

Finalement, la décision fut prise à ma place. Une main surgit de l'obscurité et me tapota l'épaule. Poussant un cri de frayeur, je me retournai, cognant au passage la lampe contre la paroi. Les éclats de lumière rebondirent autour de moi, éclairant son visage, ses yeux vifs, et son petit sourire ironique.

— Eh bien, Will Henry, où vas-tu donc ainsi ? chuchota-t-il. Ne t'avais-je pas dit de suivre le chemin sans te retourner ?

— Ce n'est pas le chemin du retour, murmurai-je.

— J'espérais pouvoir éviter cela, dit-il d'un ton énigmatique. L'odeur du sang aurait dû l'attirer. Franchement, je me demande bien pourquoi elle n'est pas venue.

Avec douceur, il prit la lampe de ma main, puis saisit une fusée éclairante dans son sac.

— Tiens, prends ça. Tiens-la à la base, afin de ne pas te brûler la main. Quoi que tu fasses, ne la lâche pas.

Il approcha la petite mèche de la flamme de la lampe. Un filet de fumée s'éleva dans l'air ; le tunnel s'éclaira d'une vive lumière, l'obscurité s'évanouit.

Kearns plaqua alors une main sur mon torse, et déclara avec un regret feint :

— Je suis vraiment désolé, monsieur Will, mais il n'y a pas d'autre choix. C'est la moralité du moment.

Et, sur ce, John Kearns me poussa de toutes ses forces.

Je tombai à toute allure. La silhouette accroupie de Kearns disparut de ma vue, s'évanouissant dans l'obscurité tandis que je dégringolais le long de ce puits, jusqu'à ce qu'une collision avec une bosse dans la paroi me fasse pivoter sur le dos. Je continuai alors à glisser, mais cette fois je pus enfoncer mes talons dans la boue pour tenter de ralentir ma chute dans la fosse qui m'attendait au bout du tunnel.

Comme il aurait été bizarre pour un observateur placé en dessous, dans la salle vers laquelle ma chute m'entraînait, de voir l'obscurité impénétrable, cette obscurité qui ne bénéficiait jamais de la moindre parcelle de lumière, s'éclairer soudain du rougeoiement aveuglant de la fusée serrée dans ma main, tel celui d'étoiles tombées de la voûte céleste. J'atterris sur le dos. L'impact de ma chute me fit lâcher la fusée. Durant un moment, je restai allongé ainsi, haletant, le goût ferreux du sang emplissant ma bouche : dans ma folle descente, je m'étais mordu la langue.

Je roulai sur le ventre, crachai le sang de ma bouche, et à peine venais-je de me mettre sur les genoux qu'il fonça vers moi, grognant, bras tendus, ses yeux noirs roulant dans ses épaules puissantes, sa gueule baveuse grande ouverte. Je saisis mon revolver et en pressai la détente. Le jeune *Anthropophagus* tomba à mes pieds, et mourut dans la fange puante qui recouvrait le sol. J'avais eu de la chance, mais je n'eus hélas pas le temps de me réjouir, car, depuis sa cachette, son frère fonçait à présent sur moi. Je fis feu à deux reprises, ratant mon coup les deux fois, tirant tout en reculant pour lui échapper.

Une balle explosa dans la boue marquée par mes pas, suivie l'instant d'après par la détonation d'un fusil. C'était Kearns, allongé à plat ventre dans le tunnel au-dessus de moi, qui faisait feu à travers le trou par lequel, moi, la proie, j'étais tombé.

Mon dos heurta la paroi ; je chutai sur mes fesses, les jambes à angle droit, et tirai deux nouvelles fois vers l'impressionnante silhouette qui s'avançait vers moi. Mes deux coups furent inefficaces, mais celui de Kearns atteignit sa cible, touchant la bête à l'épaule droite. Son bras traînant à terre, elle fut alors obligée de ralentir.

Il possède les plus grands tendons d'Achille connus chez les primates, ce qui lui permet de faire des bonds de plus de quinze mètres…, m'avait informé le docteur de son ton détaché. Couvrir une telle distance en un seul bond serait un défi pour un jeune *Anthropophagus*, mais heureusement pour lui, il n'avait que trois mètres à franchir. Bras gauche tendu en avant, il fondit sur moi. Il ne me restait qu'une seule balle, et je n'avais qu'une seconde pour me décider.

La chance m'épargna de prendre cette horrible décision : il se crispa soudain en plein élan, les épaules brisées par la balle qui venait de se figer entre elles. Le deuxième coup de Kearns l'atteignit au milieu du dos. La bête tomba à terre et demeura sur place, gémissant à mes pieds, ses griffes creusant en vain le sol, avant de pousser son dernier soupir, et d'être emportée par la mort.

J'entendis un rire satisfait au-dessus de moi, et, venant de l'autre côté de la salle, là où la flamme de la lampe ne parvenait pas à percer l'obscurité, une voix familière appela mon nom.

— Will Henry ! Will Henry, c'est toi ?

Incapable de répondre, j'acquiesçai d'un hochement de tête. Cela faisait une éternité que je n'avais pas entendu cette voix qui, bien plus souvent que je ne pouvais le compter, m'avait effrayé, perturbé, empli de peur et d'appréhension. Pourtant, en cet instant, elle faisait perler des larmes de joie à mes paupières.

— Oui, monsieur ! lançai-je au Dr Warthrop. C'est moi.

Le monstrologue se précipita à mes côtés. Il m'attrapa par les épaules et plongea son regard dans le mien, ses yeux reflétant son inquiétude.

— Will Henry ! Will Henry, que diable fais-tu ici ?

Il m'attira contre lui, me serra sur son torse et chuchota avec ferveur à mon oreille :

— Je t'ai dit que tu m'étais indispensable. Crois-tu que je t'aie menti, Will Henry ? Je suis peut-être un imbécile, et un curieux scientifique, aveuglé par l'ambition et fier de ses découvertes, mais sache une chose : je ne suis pas un menteur.

À ses mots, il me relâcha, et se détourna un instant, comme embarrassé par ses confessions. Puis il se retourna vers moi, et me demanda avec brusquerie :

— À présent, dis-moi, espèce de gamin stupide et idiot, es-tu blessé ?

Je levai mon bras, qu'il inspecta à la lueur de sa lampe. Par-dessus son épaule, au-delà du périmètre éclairé (la fusée s'était finalement éteinte), j'aperçus Malachi. Son regard était porté non pas sur notre touchant tableau, mais au-dessus de nos têtes, en direction du trou par lequel j'étais tombé.

Avec précaution, le docteur nettoya la terre et les petits graviers de mes blessures, puis se pencha pour les examiner à la lueur vacillante de la lampe.

— C'est une morsure nette, et relativement peu profonde, déclara-t-il. Quelques points de suture, et tu seras remis à neuf, Will Henry ! Tu n'auras qu'une légère cicatrice.

D'un doigt, Malachi désigna le plafond de la grotte.

— Il y a quelque chose là-haut, dit-il d'une voix rauque. Au-dessus de vous !

Il épaula son fusil et aurait appuyé sur la détente, j'en suis certain, si Kearns n'avait pas annoncé sa présence avant de sauter par le trou. Il atterrit sur ses pieds avec la grâce d'un champion de gymnastique, écartant les bras pour retrouver son équilibre, puis tenant la pose comme s'il voulait nous réunir dans cette étreinte métaphorique.

— Et voilà, tout est bien qui finit bien ! lança-t-il avec chaleur. Ou peut-être devrais-je dire : « Tout est bien qui finit presque bien. » En fait, je pense que « jusqu'ici tout va bien » conviendrait mieux – mais te voici, Pellinore, juste à temps, Dieu merci !

— Tout cela est plutôt bizarre, fit remarquer Malachi, les yeux plissés de suspicion.

— Oh, mon cher, tu aurais dû être avec moi au Niger en 1885. Là-bas, c'était *vraiment* bizarre !

— Moi aussi, je trouve tout cela bizarre, affirma le docteur. Dis-moi, Kearns, comment se fait-il que Will Henry ait atterri ici, en bas, et toi, là-haut ?

— Will Henry est tombé. Pas moi.

— Il est tombé ? répéta Warthrop.

Il se tourna vers moi.

— Est-ce vrai, Will Henry ?

Je secouai la tête. Pas question de mentir.

— Non, monsieur, j'ai été poussé.

— Oh, « tombé », « poussé » – tout cela n'est qu'un point de sémantique, lâcha Kearns, balayant toute objection d'un revers de la main.

Amusé, il regarda Malachi approcher le canon de son arme à un mètre de son torse.

— Vas-y ! le pressa-t-il. Appuie sur cette satanée détente, espèce de casse-pieds pleurnicheur. Et cesse un peu tes simagrées mélodramatiques. Crois-tu honnêtement qu'il m'importe de vivre ou de mourir ? Avant de me tuer, tu ferais peut-être bien de te rendre compte que nous n'avons pas terminé notre travail. *Elle* est toujours là, quelque part dans l'obscurité et, à mon avis, pas très loin. Tire donc, jeune homme, et je mourrai comme j'ai vécu, sans regret !

D'un air de défi, il bomba le torse en direction de l'arme de Malachi, un large sourire aux lèvres.

— Pourquoi as-tu été poussé, Will Henry ? demanda le docteur, indifférent à la tirade dramatique de Kearns.

Visiblement, il s'était lassé depuis longtemps de ses talents de comédien.

— Il m'a dupé, répondis-je, baissant la voix, refusant de regarder en direction du traître. Je crois qu'il a trouvé cette salle, et découvert que les deux *Anthropophagi* s'y terraient. Cachés comme ils l'étaient, il n'avait aucun moyen de leur tirer dessus. Quand il a vu que j'étais blessé, il s'est dit que l'odeur du sang les ferait sortir de leur tanière. Comme cela n'avait pas été le cas, il...

— Pour ma défense, intervint Kearns, je t'ai donné une arme, et je ne me suis pas contenté de t'envoyer droit dans la gueule du loup. Tu sais, c'est moi, qui, de là-haut, leur ai tiré dessus. Vois-tu, mon garçon, je ne me pose pas de questions sur les événements, je m'y adapte, c'est tout. Comme Malachi, ici présent, qui a abandonné sa sœur bien-aimée quand elle avait le plus besoin de lui, et...

— Kearns, ça suffit ! s'écria le monstrologue. Tais-toi, sinon, je jure devant Dieu que je te tire une balle dans la tête !

— Sais-tu pourquoi notre race est condamnée, Pellinore ? Parce qu'elle se plaît à croire que nous sommes, d'une certaine façon, au-dessus des règles mêmes dont nous avons pourtant décrété qu'elles gouvernaient tout.

— J'ignore de quoi il parle, dit Malachi d'une voix froide à vous faire frissonner, mais j'aime cette idée. Je suggère que nous lui donnions un bon coup de couteau pour le faire saigner et l'utiliser, lui, comme appât.

— Je me porterais volontaire avec joie, répondit Kearns. Mais à mon avis, les circonstances n'exigent plus rien de tel.

Il prit la lampe de la main du docteur et s'éloigna à grandes enjambées, les talons de ses bottes s'enfonçant à chacun de ses pas dans la boue. Quand il eut atteint le mur, il se retourna et nous fit signe de le rejoindre.

Il posa tout d'abord un doigt sur ses lèvres pour nous inciter au silence, puis pointa le bas de la paroi. Là se trouvait une petite ouverture, d'environ deux fois la largeur de mes épaules. Kearns tint la lampe tout près tandis que nous jetions un coup d'œil à l'intérieur. Le tunnel s'échappait vers le bas, en un angle de quarante-cinq degrés par rapport au sol de la salle où nous étions. D'un geste de la main, Kearns nous fit remarquer les empreintes agglomérées autour de la paroi et les entailles superficielles causées par leurs griffes sur les premiers mètres du tunnel.

Nous nous retirâmes à distance prudente, et Kearns déclara alors à voix basse :

— Il y a deux jeux d'empreintes différentes, n'est-ce pas, Pellinore ?

Le docteur acquiesça d'un hochement de tête, et Kearns poursuivit :

— Un petit, et une femelle adulte. Les deux jeux d'empreintes vont vers l'intérieur, aucun n'en ressort. Pourquoi elle a choisi d'en emmener un et d'abandonner les autres, ça, c'est très curieux, mais, à l'évidence, c'est ce qu'elle a fait.

D'un mouvement de tête, il désigna les deux *Anthropophagi* morts.

— Peut-être que ces deux-là sont revenus ici pour une raison ou une autre, hasarda-t-il, même si les empreintes n'étayent pas ce scénario. À mon avis, il y a seulement deux possibilités : soit ce tunnel conduit à une autre salle bien plus bas, soit c'est une sortie qui ramène à l'extérieur. Il n'y a qu'un moyen de le savoir. Tu es d'accord, Pellinore ?

À contrecœur, le docteur opina à nouveau.

— Oui, je suis d'accord.

— Quoi qu'il en soit, s'ils ne sont pas remontés à l'extérieur, le vacarme que nous avons fait ici a dû les alerter de notre présence. Elle doit nous attendre.

— Ça me va très bien, affirma Malachi en agrippant son arme. Je ne la décevrai pas.

— Toi, tu restes ici, déclara Kearns.

— Vous n'avez pas d'ordres à me donner ! ricana Malachi.

— Très bien, rétorqua Kearns d'un ton mielleux. Dans ce cas, suis les ordres de Pellinore, si tu préfères. Nous avons besoin de quelqu'un ici pour garder l'entrée et un œil sur Will Henry, bien sûr.

— Je n'ai pas fait tout ce chemin pour vous servir de nounou ! s'écria Malachi.

Il fit appel à Warthrop.

— Je vous en prie, c'est mon droit !

— Vraiment ? Que veux-tu dire par là ? intervint Kearns. Cela n'avait rien de personnel, tu sais. Ils avaient faim, et avaient besoin de se nourrir. Qu'est-ce que tu fais, toi, quand tu as faim ?

Warthrop posa une main sur l'épaule de Malachi.

— C'est Kearns l'expert, il doit continuer la traque. Et moi, je dois y aller aussi, car si quelqu'un a gagné ce « droit », comme tu dis, c'est bien moi.

Je me remémorai alors la question troublante qu'il avait posée dans la cave quand il contemplait l'*Anthropophagus* pendu devant lui. *Je me demande, si elle se contenterait du fils de cet homme.*

— Quelqu'un d'autre doit rester, au cas où elle nous échappe et revienne ici, poursuivit-il. Comment cela pourrait-il être Will Henry ? Voyons, Malachi, ce n'est qu'un enfant !

Malachi darda son regard bleu sur moi et je détournai les yeux de l'insupportable tourment que je lisais dans les siens.

— Je peux le faire, proposai-je. Je peux garder cette sortie. Emmenez Malachi.

Bien sûr, les deux hommes ignorèrent mon offre. D'un air morose, Malachi observa le docteur et Kearns vérifier leurs munitions. Kearns prit deux fusées et plusieurs sachets de poudre phosphorescente dans le sac du docteur, les transféra dans le sien, et examina les grenades pour être certain qu'elles étaient en état de fonctionnement. Le docteur me prit à part et me dit :

— Il y a quelque chose qui cloche dans cette histoire, Will Henry, mais je ne parviens pas à mettre le doigt dessus. Elle ne s'isolerait pas dans un endroit sans issue – elle est bien trop intelligente pour cela. Pas plus qu'elle n'abandonnerait de bon cœur deux de ses petits à notre merci. C'est vraiment très curieux. Garde les yeux grands ouverts, et appelle-nous dès que tu vois ou que tu entends quelque chose qui sort de l'ordinaire.

Il me pressa le bras et ajouta d'un air sévère :

— Et, je t'en prie, ne va nulle part, cette fois ! Je tiens à te retrouver ici quand je reviendrai, Will Henry.

— Oui, monsieur, répondis-je, m'efforçant de paraître brave.

— Et de préférence, en vie.

— Je vais faire mon possible, monsieur.

Le cœur lourd, je le vis s'approcher avec Kearns de l'étroite ouverture. Une pensée me taraudait. Je voulais lui demander quelque chose, quelque chose d'important, quelque chose dont j'aurais dû me souvenir... mais que j'avais oublié.

— Combien de temps devrons-nous attendre ? demanda Malachi.

— Attendre quoi ?

— Combien de temps devrons-nous patienter avant de partir à votre recherche ?

Kearns secoua la tête.

— Ne venez pas à notre recherche.

Une fois arrivé au mur, Kearns fit un grand geste du bras, incitant le docteur à passer en premier. Un instant plus tard, les deux hommes avaient disparu. La lueur de leur lampe s'évanouit rapidement tandis qu'ils s'éloignaient à la poursuite de la matriarche et du dernier petit de sa couvée.

Durant un long moment, Malachi resta silencieux. Il s'avança vers les cadavres des *Anthropophagi*, et, du canon de son fusil, poussa celui qui avait pris deux balles dans le dos.

— C'est le mien, celui-là, dit-il en pointant un trou noir au milieu du dos. Le deuxième tir – celui qui l'a tué.

— Dans ce cas, tu m'as sauvé la vie.

— Tu crois que ça fonctionne comme ça, Will ? Que maintenant, je n'ai plus que cinq morts à expier ?

— Tu ne pouvais pas les aider, fis-je remarquer. Tu étais prisonnier dans ta chambre. Et tu ne pouvais pas non plus aider Elizabeth. Comment aurais-tu pu la sauver, Malachi ?

Il demeura silencieux.

— J'ai l'impression qu'il s'agit d'un rêve, répondit-il enfin, d'un air pensif.

Il contemplait le corps allongé à ses pieds.

— Pas ceci, mais ma vie avant tout cela, avant *eux*. On pourrait penser que ce devrait être l'inverse. C'est vraiment bizarre, Will.

Il me raconta ce qui s'était passé après le dernier instant où je l'avais vu dans le tunnel qui reliait la mangeoire du diable à la salle où se trouvait le nid de l'*Anthropophagus*, confirmant en partie le récit de Kearns. Ils avaient effectivement découvert deux artères principales qui paraissaient descendre vers les profondeurs. Le docteur et lui s'étaient engouffrés dans l'une, Kearns dans l'autre – apparemment celle où le jeune *Anthropophagus* abandonné et moi-même étions tombés. Je soupçonnais Kearns, l'expert, d'avoir remarqué des signes de notre combat et compris – mais sans le dire aux autres – où je me trouvais, et décidé délibérément de ne pas les en informer.

Le passage, expliqua Malachi, était relié à de nombreux autres et, à chaque embranchement, ils avaient choisi le plus pentu. À mi-chemin, présuma-t-il, le docteur avait retrouvé des traces fraîches de la matriarche dans le sol boueux et les avait suivies jusqu'à atteindre cette salle où nous attendions à présent le retour des deux hommes.

— Elles venaient de par là, dit-il, désignant un endroit dans l'ombre de l'autre côté des cadavres. Nous savions que Kearns avait dû les voir avant nous, car nous avons remarqué sa lumière et entendu les coups de feu. Mais jamais nous n'aurions pensé te trouver ici, Will.

— Pas plus que moi.

Il s'appuya sur son fusil. À cause de son poids, la crosse s'enfonça lentement dans le sol mou. Malachi l'en retira et regarda l'eau en goutter.

— Le sol est très humide, fit-il observer. Et les murs suintent. Il doit y avoir un ruisseau ou une rivière souterraine près d'ici.

Il avait raison : il y avait bien un ruisseau. Il coulait perpendiculairement à la grotte, environ cinq mètres en dessous de nous, et au printemps il doublait presque de taille. Chaque saison, son lit s'élargissait à cause de l'eau qui grignotait les parois voisines ; chaque année, le sol sur lequel nous nous tenions se gorgeait de plus en plus d'eau, perdant ainsi en stabilité. Les *Anthropophagi* avaient découvert ce ruisseau qui était devenu leur source d'eau fraîche et la raison pour laquelle les plus jeunes n'avaient pas besoin de grimper à la surface pour se désaltérer. Le chemin pris par Kearns et Warthrop conduisait directement à un creux près de ses berges, là où les créatures venaient boire et se baigner – même si elles ne se baignaient pas de la façon dont nous l'entendons. Ce ne sont pas des nageurs, d'ailleurs, ils sont terrifiés par l'eau profonde, mais, comme le raton laveur, ils sont attirés par l'eau, pour laver le sang et les débris de chair sous leurs longues griffes. Ils aiment aussi (si « aimer » est un terme qui peut être utilisé pour décrire leur comportement) s'allonger sur le dos dans l'eau peu profonde et la laisser s'insinuer dans leur gueule ouverte, puis tourner et retourner leur corps dans tous les sens, jouant avec l'écume comme un crocodile au moment où il entraîne sa victime vers la mort. On ignore le but de cet étrange rituel, mais il se pourrait qu'il fasse partie de leur hygiène, comme cette façon qu'ils ont de se curer les dents les uns les autres.

C'était sur les rives protégées de ce courant souterrain que la matriarche avait emmené son plus petit, le plus vulnérable de sa couvée. Comme le docteur l'avait fait remarquer, il était fort curieux qu'elle ait laissé ses aînés, mais, à mon avis, elle avait sûrement prévu de revenir les chercher, à moins que, confus et apeurés, ils aient refusé de la suivre. Quoi qu'il en soit, c'était ce jeune, âgé d'un an, que les deux hommes venaient de trouver dans leur descente – après le dernier tournant –, vagissant et grognant au bord de l'eau vivifiante, incapable de fuir ou de se défendre seul. À cet âge-là, les *Anthropophagi*, comme leurs proies du même âge, ne savent pas marcher correctement. Kearns s'avança droit sur lui et l'abattit au premier tir.

Le coup résonna jusqu'à nous. En l'entendant, Malachi se crispa, et pointa son fusil vers l'entrée du tunnel. Dans la dépression en dessous de nous, les chasseurs attendaient, sachant que la matriarche devait se cacher tout près, et certains qu'elle allait sortir.

Ils avaient raison. Elle sortit effectivement.

Elle était revenue pour nourrir ses autres enfants. Si Kearns et le docteur ne l'avaient pas rencontrée en descendant, c'était parce qu'elle avait pris un chemin différent, un chemin qui conduisait directement à Malachi Stinnet.

Sous ses pieds, le sol explosa soudain en un geyser d'eau et de boue. Il perdit l'équilibre, tomba à genoux, lâcha son fusil, et son sac glissa de son épaule pendant qu'il tentait d'éviter de choir tête la première dans la boue. Il chuta en arrière, vers la fissure qui s'agrandissait dans le sol. L'expression d'horreur dans ses magnifiques yeux ne m'était hélas que trop familière. Elle était en tous points similaire à celle que j'avais lue dans les yeux d'Erasmus Gray, et dans ceux de mon pauvre père : celle grossièrement comique des condamnés quand ils comprennent qu'ils ne peuvent plus échapper à leur terrible sort.

Ses doigts traçaient des sillons dans le sol boueux ; il agitait en vain les jambes. Ses chevilles disparurent dans le maelström tourbillonnant au milieu de la mare boueuse proche de lui et, soudain, *quelque chose* attrapa ses bottes et le tira vers le bas. En un éclair, il se retrouva englouti dans la boue jusqu'aux genoux.

Il cria mon nom. Comme une toupie, son corps pivota avec une telle force que je fus certain qu'il avait le cou brisé. À demi enfoncé dans la boue – je ne voyais plus que son torse – il tendait d'un air suppliant ses bras dans ma direction, comme Erasmus, comme mon père, et, alors que j'étais auparavant figé de terreur, cette supplication silencieuse me ranima brutalement. Je bondis vers lui, tendant moi aussi les bras en avant.

— Accroche-toi, Malachi ! Accroche-toi !

D'un geste, il dédaigna ma main, et m'indiqua le sac qui traînait près de lui. Il s'enfonça encore dans le sol bouillonnant, happé par le monstre qui avait transpercé le torse du navigateur Burns à bord du *Feronia* d'un coup de poing. La matriarche avait planté ses griffes au creux des reins de Malachi, empoignant sa colonne vertébrale pour l'attirer encore plus bas.

Je m'étais mépris sur le véritable désir de Malachi, qui n'avait rien à voir avec un appel au secours. Contrairement à Erasmus et à mon père, Malachi ne voulait pas être sauvé. Il ne l'avait jamais voulu. Il était trop tard pour cela. De nouveau, il me désigna le sac avec frénésie. Je le ramassai, le lançai dans sa direction, et, interloqué, je le vis en sortir une grenade. Il la plaqua contre son torse, passa son doigt dans l'anneau, puis, de ses dents ensanglantées, Malachi Stinnet me sourit d'un air triomphant.

Il ferma les yeux, renversa la tête en arrière. Sur son visage s'affichait une expression de paix. Malachi Stinnet acceptait son sort. Il fut englouti, centimètre par centimètre, d'abord les bras, la poitrine, puis le cou, jusqu'à ce que, pour la dernière fois, ses yeux me fixent avec détermination.

— Pour Elizabeth, souffla-t-il.

Il disparut dans l'écume ensanglantée. Je me jetai aussitôt en arrière, reculant aussi vite que possible. La terre se souleva, les murs tressaillirent, de gros morceaux du plafond s'écroulèrent. La secousse qui suivit l'explosion me fit voltiger dans la caverne. Cependant, ma chute fut amortie par le corps du jeune *Anthropophagus* abattu par la balle de Malachi. Affalé au-dessus de lui, je restai étourdi un moment, mes oreilles résonnant du vacarme de l'explosion. J'étais trempé d'eau et de boue, de lambeaux de chair et de morceaux d'os. Je m'assis et me frottai les yeux, les résidus de poudre qui flottaient dans l'air me brûlant la gorge. Je contemplai l'épicentre de l'holocauste. L'explosion avait créé un cratère d'environ trois mètres de diamètre, au centre duquel des bulles montaient jusqu'à la surface, rougie par le sang de mon ami.

Où était le docteur ? Je me tournai sur la droite, scrutant les lieux à travers l'épaisse fumée, cherchant des yeux l'ouverture dans la paroi. Le docteur et Kearns étaient-ils à présent prisonniers sous des tonnes de gravats ? Warthrop s'était-il évanoui quelque part ? La grotte entière, érodée par l'eau et déchiquetée par l'explosion s'était-elle affaissée sur leur tête, les écrasant, ou pis, les enterrant vivants ?

Je chancelai un instant sur mes jambes, puis, d'un pas traînant, j'avançai vers le mur… et m'arrêtai soudain. La fumée s'était un peu dissipée, me permettant de voir ; par chance l'ouverture ne s'était pas affaissée, mais ce ne fut pas cette bienheureuse vision qui me figea sur place. C'était un bruit – le bruit de *quelque chose* qui s'élevait du cratère derrière moi.

Mes poils se hérissèrent sur ma nuque. Mes muscles se crispèrent et la chair de poule m'envahit. Avec lenteur, je tournai la tête, et vis l'énorme forme se dresser, comme en une obscène parodie de Vénus sortant des flots, sa peau pâle criblée par des éclats de balles, maculée de son propre sang et de celui de Malachi, un bras en moins, arraché par l'explosion, son corps terriblement mutilé, mais sa volonté intacte. En une cruelle ironie, le corps de Malachi l'avait protégée de la violence de l'explosion.

À présent, la matriarche, la mère des *Anthropophagi*, me scrutait de son œil unique, alors que je me trouvais à côté de sa précieuse progéniture, dont les instincts exigeaient qu'elle la défende, comme le docteur l'avait dit, *jusqu'à son dernier souffle avec une impitoyable férocité.* Sa propre souffrance n'importait pas. Le fait qu'elle soit elle-même mortellement blessée ne comptait pas. Ce qui l'animait était aussi ancien que la vie elle-même, cette force irrépressible dont le docteur s'était émerveillé dans la demeure du pasteur : *Vois à quel point l'instinct maternel est puissant, Will Henry !* Cet instinct extrêmement puissant la poussait à présent vers l'endroit où je me recroquevillais, figé de peur, plongé dans une terrible indécision. Que devais-je faire ? Malgré ses blessures, elle se déplaçait à une vitesse effrayante et m'attraperait sur-le-champ si jamais je tentais de m'échapper par le passage – qu'il soit encore ouvert ou non.

L'espace entre nous s'était déjà réduit de moitié quand je retrouvai enfin mes esprits. Je sortis le revolver du docteur de ma ceinture et visai la bête, me souvenant au moment où j'appuyai sur la détente de ce qui m'avait tracassé un peu plus tôt, cette chose que j'avais oubliée : les balles. J'avais omis d'en demander plus au docteur. Il ne m'en restait plus qu'une seule.

Une balle. Une seule chance. Un tir maladroit, ou qui raterait un organe vital, et j'étais fichu. Je récoltais les fruits de mon étourderie.

La bête se ramassa sur elle-même pour l'ultime bond. Elle tendit le bras, ouvrit sa gueule immense. Son unique œil brillait d'une malveillance impitoyable. Je devais l'arrêter avant qu'elle bondisse, ce que je fis, mais pas avec une balle. Au lieu de cela, je retournai son instinct maternel contre elle.

Je me jetai à côté du corps de son petit, et enfonçai mon revolver contre son flanc sans vie, hurlant de toutes mes forces, priant que son instinct ne lui révèle pas que son petit était déjà mort. Mon pied glissa sous moi, et, poussant un grognement, j'atterris sur mes fesses, mon bras gauche maladroitement drapé autour des épaules dépourvues de tête du jeune *Anthropophagus*. Néanmoins, ma ruse avait fonctionné, car la matriarche ne bondit pas sur moi, mais s'arrêta soudain. Elle huma l'air, puis meugla sourdement, comme une vache qui cherche son veau dans un pré.

Cependant, elle n'hésita pas longtemps, peut-être seulement une seconde ou deux, avant de reprendre sa course – l'épaule qui abritait son unique œil en avant –, fonçant sur moi jusqu'à ce que je sente son haleine putride et que je voie les rangées de ses effrayantes dents s'animer dans sa gueule caverneuse.

*Attends. Attends, Will Henry. Laisse-la s'approcher. Tu dois la laisser s'approcher ! Plus près. Plus près. Dix mètres. Cinq mètres. Trois. Deux…*

Quand la bête fut suffisamment près pour que je voie mon propre reflet dans son orbite noire sans âme, quand l'univers qui m'entourait ne fut plus composé que de son atroce puanteur, de ses dents qui claquaient, de sa peau pâle, brillante et glissante, quand j'atteignis ce crucial instant où la vie ne tient plus qu'à un fil, alors je plaquai le canon de mon revolver contre son aine et appuyai sur la détente.

# TREIZE

*Tu portes son fardeau*

Un beau matin de mai – un mois après que la visite nocturne du vieux profanateur de tombes eut fait démarrer la *singulière curiosité* de l'affaire des *Anthropophagi*, comme le docteur avait pris l'habitude de la nommer, je bondis vers l'escalier en réponse à ses incessants appels, trop longtemps ignorés (en d'autres termes, je n'avais pas surgi à ses côtés dès sa première demande) qui faisaient trembler la maison du 425 Harrington Lane jusqu'à ses fondations.

— Will Henry ! Will Henryyyyyyyy !

Je le trouvai dans la salle de bains, rasoir en main, le menton à demi rasé luisant de lotion astringente, l'eau de son bol teintée d'une écœurante nuance de rose.

— Que fais-tu ? demanda-t-il tandis que je pénétrais dans la pièce, essoufflé.

— Vous m'avez appelé, monsieur.

— Non, Will Henry. Que faisais-tu avant que je t'appelle, et pourquoi cela t'a-t-il pris si longtemps pour cesser ce que tu faisais et venir me rejoindre sur-le-champ ?

— Je préparai le petit déjeuner, monsieur.

— Le petit déjeuner ! Quelle heure est-il ?

— Presque neuf heures, monsieur.

— Je déteste me raser !

Il me tendit le rasoir et s'assit sur les toilettes pendant que je finissais de lui raser le menton.

— En as-tu terminé avec ça ? s'enquit-il avec impatience.

— Je dois encore m'occuper de votre menton, monsieur.

— Pas le rasage, Will Henry. Le petit déjeuner.

— Oh ! non, monsieur, je n'ai pas fini.

— Ah bon ? Et pourquoi ?

— J'ai dû m'interrompre.

— Pour quelle raison ?

— Parce que vous m'avez appelé, monsieur.

— Oserais-tu te montrer impertinent, Will Henry ?

— J'essaie de ne pas l'être, monsieur.

Il poussa un grognement. Je nettoyai la lame sous l'eau. Ses yeux suivirent ma main.

— Comment va ton bras ? Cela fait quelque temps que je ne l'ai pas examiné.

— Bien mieux, monsieur. La nuit dernière, j'ai remarqué que les cicatrices semblaient briller dans le noir.

— C'est une illusion d'optique.

— Oui, monsieur. C'est aussi ce que je me suis dit.

— Qu'as-tu préparé pour le petit déjeuner ?

— Des galettes de pommes de terre et des saucisses.

Il esquissa une grimace. Le rasoir descendait le long de sa gorge ; mon travail se faisait en rythme : *gratte, gratte, essuie…, gratte, gratte, essuie.* Les yeux du docteur ne quittaient pas mon visage.

— Avons-nous reçu du courrier, aujourd'hui, Will Henry ?

— Non, monsieur.

— Il n'y en avait pas non plus hier. C'est inhabituel.

— Hier, nous étions dimanche, monsieur. Et le facteur ne passe pas avant dix heures.

— Dimanche ! En es-tu sûr ?

J'acquiesçai d'un hochement de tête. *Gratte, gratte, essuie.*

— Je suppose que tu n'as pas pensé à acheter des scones au marché ?

— Si, monsieur.

Il poussa un soupir de soulagement.

— Parfait ! J'en mangerais volontiers.

— Vous ne pouvez pas, monsieur.

— Et pourquoi cela ? Là, tu te montres réellement impertinent, Will Henry. Je suis le maître de cette demeure ; je peux prendre tout ce qui me plaît.

— Vous ne pouvez pas, parce que vous avez mangé le dernier hier soir.

— Ah bon ?

Il avait l'air véritablement surpris.

— Vraiment ? poursuivit-il. Je ne m'en souviens pas. En es-tu bien certain ?

Je lui répondis que je l'étais, et essuyai les restants de mousse sur son visage avec une serviette chaude. Il leva les yeux vers le miroir et jeta à son reflet un rapide coup d'œil.

— Quelle pitié ! songea-t-il à voix haute. D'abord, je n'ai rien à manger et, ensuite, je ne me souviens même pas de ce que j'ai consommé hier soir. Où est ma chemise, Will Henry ?

— Je crois l'avoir vue dans votre armoire, monsieur.

Je le suivis dans sa chambre.

— Je pourrais filer là-bas, monsieur, lui proposai-je tandis qu'il boutonnait sa chemise.

— Filer ? Où cela ?

— Au marché, acheter des scones.

Il rejeta mon offre d'un geste de la main.

— Oh, je n'ai pas si faim que cela.

— Mais vous devriez quand même manger quelque chose.

Le docteur poussa un soupir.

— Allons-nous recommencer ce petit jeu, Will Henry ? Que fais-tu, maintenant ?

— Rien, monsieur.

Il s'apprêtait visiblement à me répondre, puis changea soudain d'avis.

— As-tu lu quelque chose dans les journaux, ce matin ?

Je secouai la tête. L'une de mes tâches consistait à parcourir les quotidiens à la recherche d'informations qui pourraient l'intéresser. Dernièrement, un seul sujet le préoccupait.

— Rien, monsieur.

— Étonnant ! Pas même dans le *Globe* ?

De nouveau, je secouai la tête. Cela faisait déjà deux semaines qu'il avait rapporté ce meurtre aux autorités, et, depuis cette date, seuls un bref article et une petite notice nécrologique étaient apparus dans l'hebdomadaire de Dedham. Visiblement, la police ne prenait pas au sérieux les allégations d'homicide émises par le docteur.

— Qu'il soit maudit ! marmonna le monstrologue. J'ignorais s'il faisait référence à la victime, le Dr J.F. Starr, ou à son assassin, le Dr John Kearns.

Le Dr Warthrop avait promis que justice serait faite dans le cas d'Hezekiah Varner ainsi que dans celui des pauvres âmes damnées enfermées derrière les portes du sanatorium de Motley Hill. Cette promesse fut tenue, mais pas de la façon qu'il avait prévue. D'ailleurs, ce n'était pas sa préoccupation majeure le matin où nous arrivâmes à Dedham, trois jours après la mise à mort de la matriarche *Anthropophagus*. Non, ce jour-là, ce n'était pas la justice que le docteur recherchait, mais des réponses. Pas l'équité, mais l'exorcisme.

— Quel endroit charmant, commenta Kearns à notre arrivée au sanatorium décrépit.

Il avait insisté pour nous accompagner avant de quitter la Nouvelle-Angleterre. Lui aussi voulait vérifier la théorie de Warthrop, ou, tout du moins, le prétendait-il.

— T'ai-je déjà dit que j'avais été interné une fois, Pellinore ? Eh oui ! Enfermé à l'asile pendant trois ans, avant que je réussisse à m'échapper. Je n'avais que dix-sept ans, à l'époque. C'est à ma mère, que Dieu protège son âme bien-aimée, que je dois cet épouvantable épisode. Elle figurait en bonne place dans le répertoire des monstres maternels.

Il baissa les yeux vers moi et me sourit d'un air mystérieux.

— Quatre jours après mon retour, elle est tombée dans l'escalier et s'est brisé le cou, ajouta-t-il.

— Pourquoi vous avait-elle fait interner ? demandai-je.

— Parce que j'étais précoce.

Quand elle vint ouvrir la porte d'entrée, Mme Bratton, toujours vêtue de noir, n'eut pas l'air surprise de nous trouver sur le perron. Le docteur lui tendit sa carte, accompagnée de vingt dollars en pièces d'or, et nous fûmes escortés jusqu'au petit salon à l'atmosphère étouffante et au mobilier vétuste, où le vieux psychiatre, enveloppé dans sa robe de chambre, était blotti sous une couverture élimée, et frissonnait malgré le feu qui flambait dans la cheminée.

Il n'y eut que peu de civilités préliminaires. Une petite lueur dansant dans ses yeux couleur de charbon, Kearns se présenta en tant que Dr John J.J. Schmidt de Whitechapel.

— Et quel est votre domaine d'expertise, docteur ? s'enquit le vieil homme.

— L'anatomie, répondit Kearns.

Warthrop déposa deux autres pièces d'or sur la table, près du coude du Dr Starr, et commença aussitôt son interrogatoire.

— Qui étaient Slidell et Mason ?

— Des fous, murmura Starr.

— C'est un diagnostic formel ? intervint Kearns.

— Non, mais je vous assure, docteur Schmidt, que la folie est mon domaine de compétence.

— C'étaient des agents de la Confédération ? insista Warthrop.

— Ils ne l'ont jamais prétendu, Warthrop, en tout cas, pas face à moi, mais je ne les ai rencontrés qu'une fois, et brièvement. Ils étaient fanatiques de la « cause », comme ils l'appelaient, et d'ailleurs du genre le plus dangereux :

des fanatiques avec des sommes fabuleuses à leur disposition.

— Mon père vous a présenté à eux, dit le docteur.

Ce n'était pas une question.

Le vieil homme acquiesça d'un hochement de tête. Bien que bref, ce mouvement déclencha en lui une quinte de toux qui dura au moins deux minutes. À la fin de celle-ci, il sortit de sa poche son même mouchoir souillé et cracha dedans. À côté de moi, Kearns gloussa, comme si quelque chose dans ce rituel le réjouissait.

— Que vous a dit mon père à leur sujet ?

— Que c'étaient des philanthropes.

Kearns réprima un rire. Le docteur lui lança un regard d'avertissement, puis se retourna vers Starr.

— Des philanthropes ?

— Intéressés – très intéressés, selon leurs termes – par les progrès de l'eugénisme.

— Des philanthropes fanatiques, hasarda Kearns, gloussant toujours.

— Mon père a fait appel à leur aide pour une expérience, affirma Warthrop.

De nouveau, Starr hocha la tête.

— D'après ce que j'ai compris, cela incluait la fusion de deux espèces.

— Oh ! mon Dieu ! s'exclama Kearns d'un air faussement effrayé.

La répulsion de Warthrop n'était nullement feinte, elle.

— Des *Anthropophagi* croisés avec l'*Homo sapiens* ? lâcha-t-il d'un ton étranglé. Dans quel but ?

— Le but le plus évident, Pellinore, répondit Kearns. Créer une machine à tuer dotée d'une intelligence égale à sa soif de sang. Le prédateur ultime. L'équivalent bestial de l'*Übermensch* de Nietzsche.

— Je ne crois pas qu'il ait considéré les choses de cette façon, docteur Schmidt, dit Starr. Mason et Slidell, peut-être, mais pas le Dr Warthrop. Nous avons peut-être le pouvoir de donner une âme à une créature sans âme, m'a-t-il dit en privé. De la pitié à celui qui n'en a pas. De l'humanité à l'inhumain.

— Et vous avez accepté, asséna Warthrop.

— Au début, non. J'ai catégoriquement refusé cette offre. Je n'avais aucune envie de jouer à me prendre pour Dieu.

— Mais vous avez changé d'avis. Pourquoi ?

Starr demeura silencieux. Sa respiration se faisait sifflante. Warthrop ajouta deux pièces au tas déjà constitué.

— Comment savez-vous que j'ai changé d'avis ? croassa le vieil homme.

— Vous avez fait taire Varner : vous avez convaincu le tribunal que le capitaine était fou, et vous l'avez enfermé pour que personne ne croie jamais à son histoire.

— Varner était fou à lier.

— Et vous avez donc accepté la seconde partie du marché de mon père.

Du bout de la langue, Starr s'humecta les lèvres.

— Il n'y avait pas d'autre partie, insista-t-il. Pourquoi diable tout cela, Warthrop ? Qu'attendez-vous de moi ? Je suis un vieil homme, un vieil homme mourant, comme vous le savez. Pourquoi venir ici me harceler avec le passé ?

Warthrop se tourna vers moi, agrippa mon bras blessé et l'exhiba sous le nez du psychiatre.

— Parce qu'il ne s'agit pas seulement du passé ! grommela-t-il.

Il me lâcha le bras et se pencha vers le vieil homme.

— Vous me demandez ce que je veux. Je vais vous répondre en vous retournant la question : que voulez-vous, Jeremiah Starr ? En tant que gentilhomme, vous avez ma parole : je ne raconterai à personne ce que vous me confierez aujourd'hui. Vous ne terminerez donc pas le reste de votre misérable existence en prison, pas plus que vous ne finirez sur la potence, bien que vous le méritiez à cause du sang des innombrables victimes que vous avez sur les mains ! J'en sais déjà beaucoup, et je pense même tout connaître de cette histoire, mais j'aimerais l'entendre, et le seul désormais à pouvoir me la narrer entièrement, c'est vous. Vous avez donc ma parole. Maintenant, racontez-moi !

Starr refusa tout d'abord de répondre, mais son avidité le trahit : son regard chassieux s'attarda un instant sur la pile de pièces d'or. Warthrop ouvrit sa bourse et en renversa le contenu sur la table. Les pièces cliquetèrent, et tombèrent sur le tapis élimé. L'une d'elles atterrit droit sur la couverture du vieil homme.

— Voilà ! cria Warthrop. C'est tout ce que j'ai ! Demain, je vous donnerai dix fois cette même somme, mais répondez à ma question, afin que nous puissions enterrer cette histoire une bonne fois pour toutes… Les créatures de mon père avaient besoin de deux choses pour survivre durant cette « expérience » eugénique, quel qu'en soit le but : un refuge tranquille, ce que, sans aucun doute, Mason et Slidell ont financé, et de la nourriture. C'est bien cela ? Oui ? Ils ont construit la tanière souterraine,

et vous, vous avez fourni leur alimentation. Oui ? Dites
« oui », espèce de monstre maudit !

— Oui, avoua Starr.

Une nouvelle quinte de toux s'empara de lui et, quand
ce fut terminé, son visage avait la couleur d'une fraise
trop mûre. De la salive coulait sur son menton mal rasé.
Visiblement dégoûté, Warthrop recula d'un pas avant de
poursuivre son interrogatoire.

— Et quand la guerre s'est achevée… ?

— Il a proposé de financer lui-même l'expérience,
admit Starr. Il refusait d'abandonner.

— D'abandonner ? demanda le docteur d'un air horrifié. D'abandonner *quoi* ?

— Je crois qu'il s'était pris d'affection pour eux. Un
peu comme avec un animal domestique ou des enfants.
N'en soyez pas offensé, Warthrop. Il était très possessif
envers eux.

— Et peu vous importait d'où venait l'argent.

— Warthrop, répliqua Starr d'un ton condescendant,
vous savez… ces…

Il agita faiblement sa main décharnée devant lui, cherchant ses mots.

—… ces patients, ainsi qu'on les appelle, sont en fait la
lie de la société. Ils arrivent ici parce qu'il n'y a littéralement aucune autre place au monde pour eux. Ils n'ont pas
de famille. Personne ne se soucie d'eux. Ils sont tous fous
– la plupart sont d'ailleurs des criminels, et ceux qui ne
le sont pas ont les capacités intellectuelles d'un navet. Ce
ne sont que des rebuts humains, rejetés par les hommes,
néfastes pour la population et pour eux-mêmes. Des êtres,
si tant est qu'on puisse les appeler ainsi, dont personne

ne veut, oubliés de tous, mauvais, cruels, ironique parodie de tout ce qui nous rend humain. Ils pouvaient pourrir ici, ou mieux, être sacrifiés pour le bien commun.

— Avec un avantage de taille pour vous : s'ils disparaissaient, personne ne les regretterait.

Starr hocha la tête, visiblement soulagé que le docteur comprenne.

— Personne ne les regretterait, répéta-t-il.

— Et vous avez tenu votre part du marché, ajouta Warthrop, mâchoire crispée.

Quel qu'en soit le prix, il obtiendrait la vérité. Partie non négligeable de ce prix à payer, les pièces d'or scintillaient sous la lumière, mais peu lui importait la dépense.

— Chaque mois, jusqu'à ce qu'il meure et que les paiements s'arrêtent, vous avez transporté deux ou trois victimes à New Jerusalem.

— Non, non, non, objecta Starr. Vous voyez juste dans les grandes lignes, Warthrop, mais vous vous trompez sur les détails. Je n'ai emmené personne là-bas. J'avais un homme pour se charger de cette tâche. Et je n'ai jamais cessé d'en envoyer.

Warthrop était abasourdi.

— Comment cela, vous n'avez jamais cessé ? Que voulez-vous dire ?

— Exactement ce que je viens de dire. Je n'ai *jamais* cessé.

À côté de moi, Kearns murmura :

— Ça ne peut être vrai.

Le docteur se passa une main dans les cheveux. Il s'affala sur un siège et posa ses coudes sur ses genoux, les yeux rivés au sol.

— Pourquoi n'avez-vous pas arrêté ? demanda-t-il d'un ton interloqué.

— Votre père m'en avait prié. Il avait placé une importante somme d'argent pour que je poursuive sa mission, et que je les garde en sécurité. L'expérience l'avait mis dans une position intenable : s'il cessait de les alimenter, les bêtes iraient chercher leur nourriture ailleurs. J'étais d'accord avec lui. Le génie était sorti de la bouteille, la boîte de Pandore avait été ouverte ; il n'y avait pas d'autre choix que de continuer.

— Sinon de *vraies* gens risquaient de mourir, suggéra Kearns.

Il souriait au vieil homme, comme pour lui signifier qu'ils étaient sur la même longueur d'onde.

— Oui ! C'est exactement cela ! acquiesça Starr avec fierté. Ainsi, voyez-vous, après sa mort, rien n'a changé. Une fois par mois, quand sonnait minuit, j'envoyais Peterson au cimetière avec un chargement.

— Un voyage de trois heures, pour les nourrir à trois heures du matin, dit Warthrop. L'heure du crime.

Il secoua la tête.

— Votre histoire ne tient pas la route, Starr. Un mâle alpha a été découvert après qu'il s'est nourri d'un cadavre. Seuls des *Anthropophagi* au bord de la famine se résoudraient à cela. Récemment, ils ont commencé à remonter à la surface : c'était inutile, si vous leur serviez de la chair fraîche chaque mois. Je ne crois pas que la fermeture du tunnel entre l'endroit où ils se reposaient et la fosse à nourriture soit le résultat d'un phénomène naturel. Vous prétendez n'avoir jamais cessé de les alimenter, mais je suis persuadé du contraire.

— D'accord, d'accord, répondit Starr avec impatience. Vous pensiez que j'avais arrêté de les nourrir après la mort de votre père, et je vous ai confié qu'il n'en était rien, car il avait laissé de l'argent pour mes dépenses et mes efforts. Or, depuis décembre de l'année dernière, cet argent était épuisé, Warthrop. Ils ont donc été nourris pour la dernière fois le jour de Noël.

Cette fois, Kearns laissa éclater un rire moqueur.

— Oh, douce nuit. Oh, sainte nuit !

— Puis Peterson a fait sauter le tunnel à la dynamite, scellant ce cauchemar de l'autre côté.

— Peterson ? répéta Kearns.

— Oui, Peterson. Je lui fais entièrement confiance ; c'est lui qui s'est chargé de ce travail depuis le début.

— Quel est son prénom ?

— Jonathan. Pourquoi cette question ?

Warthrop ne laissa pas à Kearns le temps de répondre.

— Vous avez présumé qu'ils mourraient de faim.

— J'ai surtout pensé que c'était le plus sage à faire. C'est un sujet dont nous avions discuté votre père et moi, avant sa mort. Si cela vous aide à vous sentir mieux, Warthrop, il lui arrivait parfois d'éprouver des remords morbides. Je ne crois pas que toute cette opération lui ait procuré de la joie. À plusieurs reprises, il a envisagé la possibilité de mettre un terme à cette expérience – en les faisant mourir de faim, en les empoisonnant ou en mettant le feu à leur tanière. Mais je sais qu'au fond de lui c'était un incurable optimiste, ajouta Starr. Il pensait vraiment qu'avec suffisamment de temps il pourrait les apprivoiser.

— Les apprivoiser ? répéta Warthrop. Je croyais que le but de toute cette expérience était de les croiser.

Starr eut un nouveau geste dédaigneux de sa main décharnée.

— Oh ! Il y a renoncé au bout de quelques années. Ils réduisaient en miettes tout compagnon potentiel que je leur faisais parvenir.

Kearns rit de nouveau.

— Comme dans un mariage humain !

Warthrop hocha la tête, mais pas à la remarque cynique de Kearns.

— Cela explique donc tout, ou presque. Ils n'avaient aucune raison de quitter la sécurité de leur tanière où des hommes les avaient enfermés, jusqu'à ce que ces mêmes hommes les privent de nourriture et que la faim les pousse à sortir de leur antre. J'avais cru que l'attaque chez les Stinnet était une réponse à notre intrusion sur leur domaine…

Le monstrologue poussa un soupir, à la fois de soulagement et de déception.

— Je me trompais, poursuivit-il. Dans mes présomptions et dans mes certitudes. Mais vous n'avez pas encore répondu à toutes les questions, Starr. Pourquoi avez-vous laissé Varner en vie ? N'aurait-il pas été plus prudent pour vous de le jeter dans la fosse avec les autres « rebuts » ?

— Grand Dieu, Warthrop, pour qui me prenez-vous ? Je suis peut-être pingre, mais pas complètement corrompu.

Je songeai aux mouches qui voletaient bruyamment sur la fenêtre de la chambre du capitaine, à leur répugnante progéniture grouillant dans les plaies ouvertes de Varner, à ses bottes emplies de chair liquéfiée. *Je ne suis pas complètement corrompu.*

— Oh, que non ! enchérit Kearns.

Il traversa la pièce et alla se planter devant le vieil homme à la respiration sifflante. Il s'adressa à lui avec une grande tendresse dans la voix :

— Bien au contraire, vous êtes un véritable humaniste, docteur Starr. Que personne ne vous dise le contraire ! Un alchimiste anthropologue qui transforme le plomb en or ! Les chaînes qui entravent la plupart des hommes ne vous retiennent pas, et, en cela, vous et moi sommes des frères, cher Jeremiah. Nous sommes les nouveaux hommes d'un monde tout aussi nouveau et glorieux, libres de tout mensonge, de toute droiture ridicule.

De ses mains, il encadra la tête du vieux psychiatre, tout en se penchant pour lui chuchoter à l'oreille :

— La seule vérité est la vérité du présent. « Rien n'est en soi bon ou mauvais, c'est la pensée qui le rend tel[1]. » Il n'y a aucune moralité dans tout cela, Jeremiah, sauf la moralité du moment.

À peine eut-il prononcé ces mots que John Kearns, expert en anatomie humaine et chasseur de monstres, tordit violemment la tête de sa victime, lui brisant le cou, le tuant sur-le-champ.

Il se dirigea alors vers la porte, dépassant un Warthrop stupéfait et sans voix, et déclara, sans aucune ironie :

— Personne ne le regrettera.

Même si en apparence il semblait tout à fait calme, le docteur avait du mal à contenir sa colère. Je le connaissais trop bien pour penser le contraire. Il resta silencieux jusqu'à ce que nous ayons quitté la petite allée qui

---

1. Shakespeare, *Hamlet*, acte II scène 1.

menait au sanatorium de Motley Hill, puis il se tourna vers Kearns.

— C'est un meurtre, Kearns, il n'y a pas d'autre mot pour cela.

— C'est un meurtre par compassion, Warthrop, il n'y a pas *d'autres mots* pour cela.

— Tu ne m'as laissé aucun choix.

— On a toujours le choix, Pellinore. Puis-je te poser une question ? Que se serait-il passé si ce vieux fou avait soudain retrouvé l'usage de son cœur et décidé d'avouer ses crimes sur son lit de mort ? Ne préfères-tu pas continuer ton travail, l'œuvre de ta vie en toute quiétude ?... Désolé, cela fait deux questions.

— J'en ai une meilleure, rétorqua Warthrop. Quel choix ai-je, si garder le silence t'autorise à poursuivre l'œuvre de *ta* vie ?

— Oh, Pellinore, tu m'offenses ! Qui peut dire quel travail est le plus justifié ? « Ne juge pas, si tu ne veux pas être jugé. »

— Il paraît que personne ne connaît mieux la Bible que le diable.

Kearns lâcha un rire joyeux, ralentit sa monture et se retourna pour contempler la ville.

— Où comptes-tu aller, maintenant ? demanda le docteur.

— Ici et là, mon cher monstrologue. Qui sait, je reviendrai peut-être bientôt. Quand la lune se lèvera, par exemple.

Il éperonna son cheval et partit à plein galop. Warthrop et moi l'observâmes jusqu'à ce qu'il ait disparu derrière la crête de la colline. Le docteur se mordilla les lèvres avec anxiété.

— Savez-vous où il va, monsieur ?

— Je crois, oui.

Il poussa un soupir, puis lâcha un rire amer.

— John J.J. Schmidt ! Tu sais quoi, Will Henry ? Je ne pense pas que Kearns soit son véritable nom non plus.

Une heure après notre dîner, alors que la pleine lune élevait sa silhouette argentée au-dessus de la cime des arbres, Kearns réapparut. Il se retira dans sa chambre sans nous adresser la parole, puis descendit l'escalier quelques moments plus tard, après s'être changé. Il avait revêtu sa cape de voyage et tenait son bagage en main.

— Eh bien, Pellinore, voilà, je m'en vais ! C'était une petite aventure très divertissante, mais j'ai déjà abusé de ton hospitalité, depuis une bonne journée au moins, si mes calculs sont bons.

— Plus d'une, John, répliqua Warthrop d'un ton sec. Qu'as-tu fait à Jonathan Peterson ?

Kearns eut l'air sincèrement perplexe.

— Qui ? Oh, le serviteur du vieux bonhomme ? Pourquoi m'en parles-tu ?

— Où est-il ?

Kearns secoua la tête d'un air dépité.

— Personne ne semble en mesure de le trouver, Pellinore. Une bien triste affaire.

Warthrop resta un moment silencieux, puis ajouta avec gravité :

— J'ai toujours l'intention d'en informer les autorités.

— Très bien. Je ne peux pas t'en blâmer, donc je ne tenterai plus de faire appel à ta raison. Je sais que ce serait inutile.

Visiblement, il était amusé par le ton glacial du docteur.

— Sais-tu pourquoi je t'apprécie autant, Warthrop ? Tu es si *sérieux* en permanence.

Il se tourna alors vers moi.

— Will Henry, j'espère que tu ne m'en voudras pas de ce malheureux incident dans la grotte. Je n'avais rien contre toi, vraiment. C'était purement par nécessité. Je n'en ferai rien, bien sûr, mais si jamais je devais évoquer ton courage dans l'adversité, je sais que l'on me prendrait pour un menteur. Un jour ou l'autre, tu deviendras un excellent monstrologue, si tu réussis à survivre sous la tutelle de Warthrop. Au revoir, Will.

Il me serra la main et m'ébouriffa les cheveux.

— Où vas-tu, Kearns ?

— Pellinore, voyons ! Tu menaces de me dénoncer, puis tu t'inquiètes de ma destination ? Je ne suis pas complètement stupide ! Au fait, comment as-tu convaincu notre cher commissaire de ne pas te jeter en prison ?

Warthrop se crispa avant de répondre :

— Robert est un vieil ami. Il comprend l'importance de mon travail.

— Il croit qu'en te laissant faire, les habitants de New Jerusalem seront plus en sécurité ? Va donc dire cela au bon révérend Stinnet et à sa famille.

— Je pensais que tu étais sur le départ.

— C'est le cas ! Je crois que j'ai besoin de longues vacances. D'une chasse plus tranquille, d'un gibier moins intimidant, d'autant plus que je n'aurai pas à ma disposition les indispensables services de maître Will Henry, ici présent.

— Voilà un autre sujet que je n'ai pas oublié, répondit le docteur d'un ton sombre. Tu ferais mieux de partir, Kearns, avant que je réfléchisse trop longtemps à ton cas.

Warthrop suivit le conseil du docteur et quitta les lieux. Le lendemain matin, Warthrop tint sa promesse et alla rapporter le meurtre aux autorités, cependant, à ma connaissance, il n'y eut aucune suite à sa déposition. Des articles au sujet de la mystérieuse disparition de Jonathan Peterson parurent dans quelques journaux, mais rien d'autre. Son corps ne fut jamais retrouvé.

Après ce printemps 1888, le docteur et moi n'évoquâmes guère Jack Kearns. Le sujet semblait accabler le docteur d'un dilemme moral dont il préférait se passer.

Néanmoins, à l'automne de cette même année, ce sujet réapparut de façon détournée. J'étais dans la salle à manger en train de lustrer l'argenterie quand j'entendis soudain un cri en provenance de la bibliothèque, accompagné d'un bruit sourd. Quelque chose *ou quelqu'un* venait de tomber. Inquiet, je me précipitai dans la pièce, m'attendant à trouver le docteur évanoui dans un coin. (Il travaillait énormément depuis plusieurs jours sans dormir ni s'alimenter). Au lieu de cela, je le vis arpentant la pièce, ne cessant de se passer une main dans les cheveux – qui auraient eu besoin d'une bonne coupe – marmonnant avec colère. Dès qu'il m'aperçut dans l'embrasure de la porte, il interrompit ses allées et venues sur l'épais tapis, et m'observa en silence tandis que je m'avançai pour ramasser la petite table qu'il avait renversée dans sa fureur. À côté de cette table se trouvait la page de couverture du *Times* de Londres. Le gros titre indiquait : L'ÉVENTREUR FRAPPE DE NOUVEAU – LE TUEUR DE WHITECHAPEL A FAIT UNE QUATRIÈME VICTIME.

Le docteur ne prononça pas un seul mot tandis que je lisais l'article. Quand j'eus terminé, je levai les yeux vers lui, mais il demeura silencieux plusieurs secondes, et ce fut finalement moi qui rompis l'angoissant silence.

— Croyez-vous…, demandai-je.

Je n'avais nul besoin de finir ma phrase.

— Tu veux savoir ce que je pense, Will Henry ? Je pense que Malachi aurait dû accepter son offre, et lui tirer une balle dans le crâne.

Après s'être habillé et avoir goûté quelques-unes des très décevantes galettes de pommes de terre (il ne toucha pas à la saucisse), le docteur m'entraîna au sous-sol. C'était le moment de mon bilan de santé bimensuel.

Je m'assis sur le haut tabouret en métal. Il scruta mes yeux à l'aide de sa petite lampe, prit ma tension et ma température, vérifia mon pouls, examina le fond de ma gorge. Il préleva également une fiole de sang de mon bras. Désormais habitué au rituel, je l'observais pendant qu'il versait un peu de solution iodée dans le tube à essai et faisait tourner le mélange entre ses doigts durant quelques secondes. *Tu devras apprendre à faire ceci, Will Henry,* m'avait-il dit. *Nous ne passerons pas toute notre vie ensemble.*

— Compte-gouttes, demanda-t-il.

Je déposai le matériel dans sa paume ouverte. Il fit tomber une goutte de la mixture sanguine sur une lamelle, en plaça une autre sur le dessus, puis glissa le tout sous

la lentille de son microscope. Il poussa alors un grognement, et, d'un geste de la main, me fit signe de prendre
sa place et de regarder à mon tour.

— Tu vois ces petites taches noires ?

— Oui, monsieur, je crois.

— Oui, tu les vois, ou, oui, tu crois que tu les vois ?
Sois précis, Will Henry !

— Oui, je les vois, monsieur.

— Ce sont des larves.

Je déglutis. Les formes ressemblaient à de minuscules
globes d'un noir très sombre, milliers de petits yeux
d'ébène morts, qui baignaient dans une seule goutte de
mon sang.

Le docteur retira ses gants, et déclara d'un ton neutre :

— Eh bien, on dirait que la population est restée plus
ou moins stable.

Il ouvrit le dossier posé à côté du microscope, sur
lequel était noté : *sujet : W.J. Henry. Diagnostic : infestation par arawakus*[1], et gribouilla quelques mots sous la
date du jour.

— Est-ce une bonne chose, docteur ?

— Mmm ? Oui, c'est une bonne chose. Personne ne
sait pourquoi dans certains cas l'arawakus se maintient
en symbiose parfaite avec son hôte mammalien, lui accor-
dant une vie exceptionnellement longue, alors que dans
d'autres cas, il détruit son corps. Tout cela est extrêmement curieux, Will Henry. Chez toi, l'infestation correspond à la première catégorie – une symbiose parfaite.
C'était tout le contraire pour ton père. Selon un excellent

---

1. Parasite microscopique.

article écrit par l'un de mes collègues de l'Académie, il existe une théorie, bien trop complexe pour que je te l'explique parfaitement dans tous ses détails sophistiqués, qui, pour faire court, pose comme principe que ce qui est arrivé à ton père est dû à une intention de propagation, un moyen pour le parasite de trouver un nouvel hôte.

— Un nouvel hôte, répétai-je. Moi.

Le docteur haussa les épaules.

— Je doute que cela ait eu lieu la nuit de l'incendie. Tu n'étais pas près de ton père quand ils sont sortis de son corps. Ce n'est qu'une théorie ; la façon dont ils infestent un hôte reste inconnue à ce jour.

— Mais c'était un accident, n'est-ce pas ?

— Eh bien, je ne pense pas que ton père t'ait infecté intentionnellement.

— Non ce n'est pas ce que je… Ce que je veux dire, monsieur, c'est… Ce qui est arrivé à mon père… c'était un accident, n'est-ce pas ?

Il fronça les sourcils.

— Que me demandes-tu là, Will Henry ? Suggérerais-tu par hasard que ton père ait, lui, été *délibérément* infecté ?

Je ne répondis rien. Ce n'était pas nécessaire. Le docteur posa une main sur mon épaule.

— Regarde-moi, Will Henry. Tu sais que je ne te mens pas. Tu le sais, n'est-ce pas ?

— Oui, monsieur.

— Je ne suis pas responsable de ton affliction, mon garçon, si cela devait s'avérer une affliction et non une bénédiction. J'ignore quand et comment ton père a été contaminé, même si c'est assurément lié au fait qu'il travaillait pour moi. Dans ce sens, je suppose que la relation entre vos deux cas n'est pas anodine. Tu es son fils, Will Henry et, en tant que fils, tu portes son fardeau.

Il détourna le regard.

— Comme le font tous les fils.

Plus tard, ce même après-midi, le docteur se retira dans son bureau pour réviser un article qu'il avait l'intention de présenter au congrès annuel de l'Académie, et me prévint qu'il ne voulait pas être dérangé. La semaine précédente, il avait reçu par la poste le premier brouillon d'une monographie qui allait être prononcée par l'un de ses confrères monstrologues – le président de l'Académie, rien de moins –, texte qui lui avait été adressé de façon anonyme par un collègue inquiet, qui pressait Warthrop de rédiger une réponse publique.

*Je pense qu'il n'est pas exagéré d'affirmer que l'avenir de notre discipline est en jeu*, écrivait son confrère. *Je ne vois personne d'autre que vous pour contredire les alarmants et dangereux propos de notre estimé président.*

Après avoir lu avec attention le texte du vénérable Dr Abraham von Helrung, Warthrop se trouva d'accord avec son collègue sur tous les points : l'article du président était dangereux, et il n'y avait personne de mieux placé que lui pour éviter la catastrophe que ne manquerait pas de déclencher ce discours. Et, lors de cet après-midi, il travaillait à la douzième version de sa réplique à von Helrung.

Tandis qu'il se consacrait avec ardeur à sa tâche, je gagnai ma petite chambre sous les combles pour me changer avant d'aller en ville. Le but de ma courte escapade était simple : passer à la boulangerie pour y acheter des scones aux framboises, car je savais que lorsque le docteur se réveillerait le lendemain matin, il ne comprendrait pas pourquoi, étant au courant de ses envies, je n'aurais pas garni le plateau de son petit déjeuner de cette pâtisserie qu'il affectionnait tant.

Dans ma hâte (la boulangerie fermait dans moins d'une heure), je ne le remarquai pas tout de suite. Je m'étais changé, et je tendais la main pour attraper mon petit chapeau sur la patère, quand, baissant par hasard les yeux, je le vis accroché au pied de mon lit : un chapeau tout neuf, bien plus grand que son cousin abîmé, taché de boue, qui se trouvait dans ma main tremblante. Qu'était-ce donc que cela ? Je m'en saisis, le retournai, et vit à l'intérieur mes initiales brodées au fil doré : W.J.H.

Durant un moment, je restai figé ainsi, le cœur battant comme si je venais de gravir une colline au pas de course, tenant d'une main mon vieux petit chapeau, d'où émanait encore l'odeur d'un feu éteint depuis longtemps et, dans l'autre, le nouveau qui semblait avoir surgi de nulle part, mais qui, bien sûr, avait été apporté ici par *quelqu'un.*

Tête nue, un chapeau – l'un vieux, l'autre neuf – dans chaque main, je descendis l'escalier. J'entendis soudain un lourd objet tomber sur le tapis de la bibliothèque, et me précipitai dans la pièce. J'avais présumé que mon maître était toujours dans son bureau.

Le docteur était assis par terre devant la cheminée et attisait le feu. À côté de lui, la vieille malle de son père. J'ignore s'il remarqua ma présence, car il fit comme si de rien n'était, ouvrit le couvercle, et, un par un, commença à jeter les objets dans le feu crépitant. Les flammes redoublaient à chaque nouvel ajout (l'odeur des cheveux de la vieille tête rétrécie était particulièrement âcre). Je m'approchai et m'assis à côté de lui. De nouveau, il fit comme si je n'étais pas là.

Le feu s'intensifiait, réchauffant nos visages. Le docteur jeta toutes les vieilles lettres, les unes après les autres. S'il remarqua que l'une d'entre elles avait été ouverte (*Je suis souvent seul, et je ne me sens pas vraiment bien, ici*), il n'en dit rien. En fait, son visage ne trahissait aucune émotion, ni chagrin, ni colère, ni regret ou résignation. La destruction des dernières preuves de l'existence de son père semblait être pour lui une corvée toute banale.

— Qu'as-tu donc là, Will Henry ? demanda-t-il sans détourner le regard du feu.

Je baissai les yeux et contemplai les deux chapeaux posés côte à côte sur mes genoux. Redressant la tête, je l'observai, alors qu'il fixait le feu. D'une façon peut-être irréfléchie – bien que cruelle –, son père l'avait appelé Pellinore en l'honneur d'un roi mythique en quête d'une bête insaisissable, présage fatal de la malédiction familiale.

— Mon chapeau, monsieur, répondis-je.

— Lequel, Will Henry ? Telle est la question.

Devant nous, les flammes craquaient, grondaient. Voilà la solution, songeai-je. Le feu détruit, mais il purifie aussi.

Je jetai mon vieux chapeau au centre du foyer. Warthrop eut un très léger hochement de tête, et, en silence, nous observâmes les flammes le dévorer.

— Qui sait, Will Henry, dit-il après que mon chapeau eut été réduit en cendres, comme les dernières traces de la vie de son père, peut-être que ce fardeau que tu portes est une bénédiction.

— Une bénédiction, monsieur ?

— Mon collègue surnommait l'arawakus « la contagion de la fontaine de Jouvence ».

— Est-ce que cela signifie que je ne grandirai jamais ?

Il prit mon nouveau chapeau – son premier cadeau – sur mes genoux et me le posa sur la tête.

— Ou bien que tu vivras *à jamais* – pour poursuivre mon œuvre. Les fardeaux deviennent parfois des bénédictions !

Et, à ces mots, le monstrologue éclata de rire.

Fig. 18

6

# ÉPILOGUE

Mai 2008

Cent vingt ans après la conclusion de « l'affaire des *Anthropophagi* », j'appelai le directeur de la maison de retraite pour l'informer que j'avais fini de lire les trois premiers volumes de l'extravagant journal de William Henry.

— Et ? demanda-t-il.

— Et il s'agit définitivement de fiction.

— Évidemment ! répondit-il d'un ton ennuyé. Vous n'avez donc rien trouvé qui nous aiderait à l'identifier ?

— Rien de substantiel.

— Sa ville natale… ?

— Il parle de « New Jerusalem », mais il n'existe aucune ville de ce nom, tout du moins, pas en Nouvelle-Angleterre.

— Il a dû changer le nom. Cet homme doit bien venir de *quelque part*.

— Eh bien, il mentionne deux villes, Dedham et Swampscott. Mais elles sont dans le Massachusetts.

— Qu'en est-il de sa famille ? Frères, sœurs, cousins… Y a-t-il quelqu'un ?

— Je n'ai lu que ses trois premiers carnets, mais il n'évoque que ses parents.

Je m'éclaircis la gorge.

— J'imagine que les policiers ont relevé ses empreintes, quand ils l'ont trouvé.

— Tout à fait. Mais elles ne correspondent à rien.

— Il a eu un bilan de santé quand ils l'ont amené chez vous, n'est-ce pas ?

— C'est la procédure standard, oui.

— Est-ce qu'ils ont... est-ce que vous procédez à des tests sanguins ?

— De quoi parlez-vous ? De tests ADN ?

— Oui, mais je voulais surtout savoir si vous établissiez un bilan de santé complet basé sur le prélèvement sanguin ?

— Bien sûr. Pourquoi me posez-vous cette question ?

— Il n'y avait rien... d'inhabituel dans ses prélèvements ?

— Je devrais vérifier son dossier pour vous répondre, mais si le médecin m'avait signalé une telle chose, je m'en souviendrais. À quoi pensez-vous ?

— Y a-t-il eu une autopsie ? Est-ce que cela fait aussi partie des procédures standard ?

— Non, à moins qu'il y ait soupçon d'homicide, ou que la famille la réclame.

— Ce qui n'était nullement le cas pour Will Henry, dis-je. Quelle était la cause de sa mort ?

— Arrêt cardiaque.

— Il n'était pas malade juste avant son décès, n'est-ce pas ? Il n'avait ni fièvre ni éruption cutanée ?

— Il est mort tranquillement dans son sommeil. Pourquoi ?

— Il donne une explication à son grand âge, mais j'imagine que tout cela est inventé, comme le reste.

Le directeur acquiesça.

— Merci quand même d'avoir pris le temps de lire ces carnets.

— Je n'ai pas terminé, et j'aimerais bien en poursuivre ma lecture, si vous êtes d'accord. Cela vous dérange-t-il que je les garde un peu plus longtemps ? Peut-être repérerai-je quelques indices qui pourront nous aider.

Le directeur m'assura que cela ne le dérangeait pas. Personne n'avait répondu à son annonce, et toutes ses recherches, comme les miennes, ne l'avaient mené nulle part. Je lui promis de le rappeler si je découvrais quelque chose d'utile. Je raccrochai, soulagé. J'avais redouté qu'il me demande de lui renvoyer les carnets de Will Henry avant que je puisse terminer de lire les autres volumes.

Durant les mois suivants, dès que j'en avais le temps, je surfais sur Internet à la recherche de n'importe quelle information qui pourrait corroborer les écrits du journal de William Henry. Bien sûr, je trouvai de nombreuses références aux créatures mythiques qu'il y avait décrites, d'Hérodote à Shakespeare, mais rien au sujet d'une invasion d'*Anthropophagi* aux États-Unis à la fin du dix-neuvième siècle. Rien à propos d'une Académie de monstrologues, et rien indiquant qu'une personne du nom de Pellinore Warthrop ait jamais existé. Je repérai néanmoins en ligne la mention d'un sanatorium à Dedham au tournant du siècle, mais cet établissement ne portait pas le nom de Motley Hill et son propriétaire ne s'appelait pas Starr. Par contre, je ne trouvai aucune référence à un cargo baptisé du nom de *Feronia*, qui se serait échoué près de Swampscott en 1865. Il n'y avait aucune trace d'un bateau ayant fait naufrage là-bas, cette année-là.

Je lus avec attention plusieurs notices sur le personnage hélas bien trop réel de Jack l'Éventreur, mais ne découvris aucun renseignement sur le soi-disant John Kearns. Aucune théorie corroborant les surprenantes affirmations de William Henry qui prétendait que cet homme chassait des monstres quand il ne traquait pas des êtres humains. Un très aimable employé du British Museum répondit à mes coups de téléphone concernant les documents personnels de sir Francis Galton, le père de l'eugénisme, dont Warthrop disait qu'il était un ami proche de son père. Comme je m'en doutais, aucune mention d'un certain Alistair Warthrop, ou de quelqu'un qui aurait pu lui ressembler, ne figurait dans les écrits de Galton. Je ne dénichai rien non plus sur le *Biminius arawakus*. Il n'existe aucun mythe – et, bien sûr, rien dans toute la littérature scientifique – au sujet d'un parasite de l'organisme qui prolongerait la durée de vie de son hôte.

Parfois, immergé dans ces recherches finalement inutiles, je riais de moi-même. Pourquoi diable perdais-je mon temps à essayer de trouver le moindre lambeau de preuve dans ce qui était à l'évidence le produit de l'imagination d'un homme fou ? J'éprouvais même de la pitié pour lui. Will Henry n'aurait certainement pas qualifié son récit de produit de l'imagination. Je pense qu'il était persuadé de la véracité de ses écrits. C'était évidemment de la fiction, mais pas une fiction délibérée.

Environ quatre mois après notre conversation, je rappelai le docteur et lui demandai où William James Henry avait été enterré. Le cimetière municipal était à moins de dix minutes de chez moi. Là-bas, je trouvai une petite pierre tombale gravée seulement de son nom, si c'était bien son nom, tombe simple d'un indigent au milieu des autres défunts de même condition. Une question me vint soudain à l'esprit. Quelle était la procédure pour demander une exhumation ? Debout devant sa tombe, je fus alors frappé par l'absurdité de mon idée. Pourquoi avais-je tant envie que son histoire – ou même une seule partie – soit vraie ?

Poussé par un instinct surgi de je ne sais où, je m'accroupis et grattai le sol avec un bâton, creusant sur une dizaine de centimètres dans la terre sablonneuse. Une récente tempête avait gorgé le sol d'eau, et une fine flaque entoura bientôt le petit trou.

Je le vis au bout d'une minute ou deux, minuscule créature ressemblant à un ver, non pas un gros ver de terre ni un asticot dodu, mais quelque chose de long et de très fin qui s'agitait à la surface de l'eau sombre. Pas plus épais qu'un cheveu, avait mentionné Will Henry, quand il avait décrit les spécimens qui avaient infesté son père.

Du bout de mon bâton, je pêchai l'invertébré et le tins devant moi, l'observant dans le crépuscule de cette journée de fin d'été. Soudain, je me remémorai les paroles de Warthrop notées dans le journal de Will Henry – *la façon dont ils infestent leur hôte est inconnue* – et, paniqué, je jetai aussitôt le bâton loin de moi.

*Reviens à la réalité,* m'admonestai-je, essayant de me moquer de moi-même, mais songeant alors à un autre écrit de Will Henry. Tandis que je me hâtai vers ma voiture, vers ma vie moderne, dans un monde où il n'y a aucune place pour les monstres, scs mots me hantaient.

*Oui, mon cher enfant, les monstres sont bien réels. D'ailleurs, j'en ai un pendu dans ma cave.*

Entrez
dans un
nouvel

avec d'autres romans
de la collection

# LA 5ᵉ VAGUE

de Rick Yancey

Tome 1

*1ʳᵉ VAGUE : Extinction des feux. 2ᵉ VAGUE : Déferlante.*
*3ᵉ VAGUE : Pandémie. 4ᵉ VAGUE : Silence.*

À L'AUBE DE LA 5ᵉ VAGUE, sur une autoroute désertée, Cassie tente de *Leur* échapper… *Eux*, ces êtres qui ressemblent trait pour trait aux humains et qui écument la campagne, exécutant quiconque a le malheur de croiser *Leur* chemin. *Eux*, qui ont balayé les dernières poches de résistance et dispersé les quelques rescapés.

Pour Cassie, rester en vie signifie rester seule. Elle se raccroche à cette règle jusqu'à ce qu'elle rencontre Evan Walker. Mystérieux et envoûtant, ce garçon pourrait bien être son ultime espoir de sauver son petit frère. Du moins si Evan est bien celui qu'il prétend…

*Ils* connaissent notre manière de penser. *Ils* savent comment nous exterminer. *Ils* nous ont enlevé toute raison de vivre. *Ils* viennent maintenant nous arracher ce pour quoi nous sommes prêts à mourir.

**L'adaptation du premier tome de la trilogie phénomène**
**déjà sur les écrans français**

**Tome 2 : *La Mer infinie***

**Tome 3 : *La Dernière Étoile***

# LA SÉLECTION

## de Kiera Cass

### Tome 1

*35 candidates, 1 couronne, la compétition de leur vie.*

Elles sont trente-cinq jeunes filles : la « Sélection » s'annonce comme l'opportunité de leur vie. L'unique chance pour elles de troquer un destin misérable contre un monde de paillettes. L'unique occasion d'habiter dans un palais et de conquérir le cœur du prince Maxon, l'héritier du trône. Mais pour America Singer, cette sélection relève plutôt du cauchemar. Cela signifie renoncer à son amour interdit avec Aspen, un soldat de la caste inférieure. Quitter sa famille. Entrer dans une compétition sans merci. Vivre jour et nuit sous l'œil des caméras... Puis America rencontre le Prince. Et tous les plans qu'elle avait échafaudés s'en trouvent bouleversés...

**Le premier tome de la série phénomène, mêlant dystopie, téléréalité et conte de fées moderne, bientôt adaptée au cinéma.**

# LES CLANS
# SEEKERS

de Arwen Elys Dayton

Livre I

*La vérité les anéantira tous.*

Lorsque Quin Kincaid aura prêté serment, elle deviendra ce pour quoi elle s'est entraînée toute sa vie : une Seeker. Dernière de son clan, elle se doit de perpétuer la légende. Une fois initiée, Quin pourra se battre aux côtés de ses deux plus proches compagnons, Shinobu et John, pour défendre le pauvre et l'opprimé. Ensemble, ils porteront la lumière au cœur des ténèbres. Mais au cours de la nuit tant attendue de l'initiation, tout bascule. Les masques tombent et Quin découvre qu'elle a été élevée dans le mensonge. Ni sa mission, ni sa famille, ni même ses amis ne sont ce qu'elle croyait. Il est trop tard pour faire marche arrière…

**Le premier tome de la nouvelle saga américaine best-seller, à la croisée de *Hunger Games* et de *Game of Thrones*.**

**Bientôt adapté au cinéma par Sony Pictures.**

**Tome 2 : *Les Clans Seekers*, Livre II**

**Tome 3 : *Les Clans Seekers*, Livre III
à paraître au printemps 2017**

# LES 100

de Kass Morgan

Tome 1

**Depuis des siècles, plus personne n'a posé le pied sur Terre.
Le compte à rebours a commencé...**

**2:48... 2:47... 2:46...**
Ils sont 100, tous mineurs, tous accusés de crimes
passibles de la peine de mort.

**1:32...1:31... 1:30...**
Après des centaines d'années d'exil dans l'espace,
le Conseil leur accorde une seconde chance
qu'ils n'ont pas le droit de refuser : retourner sur Terre.

**0:45... 0:44... 0:43...**
Seulement, là-bas,
l'atmosphère est toujours potentiellement radioactive
et à peine débarqués les 100 risquent de mourir.

**0:03... 0:02... 0:01...**
Amours, haines, secrets enfouis et trahisons.
Comment se racheter une conduite
quand on n'a plus que quelques heures à vivre ?

**Découvrez sur la chaîne SyFy et France 4
la série télé adaptée du roman
par les producteurs de *The Vampire Diaries* et *Gossip Girl***

**Tome 2 : *21ᵉ Jour***

**Tome 3 : *Retour***

**Tome 4 à paraître en mars 2017**

Québec, Canada

Achevé d'imprimer au Canada
Dépôt légal : janvier 2017
N° d'édition : 54556/01